억압 속에서 피어난 문학 꽃

한국근대 여성문학

한국 근대 여성문학

억압 속에서 피어난 문학 꽃

발 행 | 2024년 08월 16일
저 자 | 강경애, 나혜석, 김명순, 백신애
펴낸이 | 한건희
펴낸곳 | 주식회사 부크크
출판사등록 | 2014.07.15.(제2014-16호)
주 소 | 서울 금천구 가산디지털1로 119 SK트윈테크타워 A동 305-7호
전 화 | 1670-8316
이메일 | info@bookk.co.kr

ISBN | 979-11-410-9890-2

www.bookk.co.kr

억압 속에서 피어난 문학 꽃

한국근대 여성문학

글 _ 강경애, 나혜석, 김명순, 백신애

목차

[김명순] 최초 여성 근대 문학

[백신애] 불강렬한 불꽃 문학

머리말: 억압 속에서 피어난 문학 꽃

일제강점기는 우리나라 역사의 가장 어둡고 긴 밤이었습니다. 민족의 자존심이 짓밟히고, 모든 것이 억압받던 시기에 여성들은 이중의 고통을 겪었습니다. 그런데도 이 시기에 자신의 목소리를 내고 사회를 비판하며 문학으로 저항했던 용감한 여성 작가들이 많이 등장했습니다.

왜 일제강점기 여성 문학이 중요할까요?

〈저항의 목소리〉

여성들은 일제의 억압과 사회적 편견에 맞서 자신의 존재감을 드러내고 사회 변화를 촉구했습니다.

〈시대의 증언〉

작품 속에 당시 여성들의 삶과 사회상이 생생하게 담겨 있어 역사 연구에 귀중한 자료가 됩니다.

〈한국 문학의 다양성 확장〉

여성 작가들의 등장은 한국 문학의 지평을 넓히고 다양한 주제와 스타일을 선보였습니다.

대표적인 여성 작가와 작품은 다음과 같습니다.

* 김명순: 한국 최초의 여성 소설가로 신여성의 삶과 고뇌를 솔직하게 표현했습니다. 대표작으로 『탄실이와 주영이』가 있습니다.

* 나혜석: 화가이자 작가로, 여성의 자유와 사랑을 노래했습니다. 『경희』는 여성의 억압된 욕망과 사회적 지위에 대한 고찰을 담은 작품입니다.

* 강경애: 사회주의 사상을 바탕으로 노동자와 농민의 삶을 리얼하게 그려냈습니다. 대표작으로 『소금』과 『인간 문제』가 있습니다.

주요 주제와 특징은 다음과 같습니다.

〈신여성의 삶과 고뇌〉

여성의 자유와 독립을 갈망하고, 사회적 편견에 맞서 싸우는 모습을 보여줍니다.

〈사회 비판〉

일제의 억압과 사회의 부조리를 날카롭게 비판하며, 민족의 자주독립을 염원합니다.

〈사실주의적 표현〉

여성들의 삶을 있는 그대로 보여주려는 노력이 돋보입니다.

일제강점기 여성 작가들의 문학은 단순한 예술 작품을 넘어 당시 사회의 모습을 생생하게 보여주는 역사적 기록이자, 여성의 목소리를 세상에 알린 중요한 유산입니다. 이들의 작품은 오늘날 우리에게도 많은 시사점을 던져주며, 여성의 역사와 문학에 대한 이해를 넓히는 데 큰 도움이 됩니다.

* 일러두기

1. 당시 작가의 문법과 토속어(사투리, 비속어)를 담았으며 오탈자와 띄어쓰기 등을 반영하였다.

2. 작품 원문의 문장이 손실 또는 탈락 된 것은 ‘×’, ‘O'로 표기하였다.

강경애

일제강점기 시대를 살았던 대표적인 여성 작가이자 사회 운동가입니다. 그녀는 단순히 문학 작품을 통해 감성을 표현하는 것을 넘어, 당시 사회의 부조리와 억압에 맞서 싸우는 강렬한 메시지를 담은 작품들을 발표했습니다.

〈강경애 작가의 특징〉

* 사회주의 리얼리즘: 작품의 가장 큰 특징은 사회주의 리얼리즘을 기반으로 한다는 점입니다. 당시 사회의 현실, 특히 농민과 노동자들의 삶을 있는 그대로 사실적으로 묘사하고, 그들의 고통과 억압을 고발하며 사회 변혁을 꿈꾸는 작품들을 많이 남겼습니다.

* 하층민의 삶에 대한 관심: 당시 사회의 주류가 아닌, 농민, 노동자 등 하층민의 삶에 깊은 관심을 가지고 이들의 목소리를 문학적으로 형상화했습니다. 그녀의 작품 속에 빈곤, 질병, 착취 등 하층민들이 겪는 고통이 생생하게 드러나 있습니다.

* 여성의식: 여성의 삶과 고통에도 주목했습니다. 특히 여성의 사회적 지위와 역할에 대한 비판적인 시각을 가지고, 여성 해방을 위한 목소리를 높였습니다.

* 저항 정신: 암울한 시대 속에서 단순히 현실을 묘사하는 데 그치지 않고, 사회 변혁을 위한 저항 정신을 작품에 담았습니다.

그녀의 소설은 당시 지배층에게 강력한 비판의 목소리를 내며 독자들에게 큰 영향을 미쳤습니다.

〈대표적인 작품〉

* 소금: 농촌의 빈곤과 여성의 고통을 사실적으로 그려낸 작품으로 소금을 매개로 하여 농민들의 삶과 고통을 생생하게 보여주고 있습니다.

* 인간 문제: 산업화 과정에서 발생하는 노동자들의 문제를 다룬 소설입니다. 노동 환경의 열악함과 인간 소외 현상을 적나라하게 드러내며 사회주의적 이상을 제시하고 있습니다.

* 지하촌: 도시 빈민들의 삶을 다룬 소설로, 도시화 과정에서 소외된 사람들의 고통과 절망을 보여줍니다.

강경애는 단순히 한 시대를 살았던 작가를 넘어, 한국 문학사에 중요한 족적을 남긴 인물입니다. 그녀의 작품들은 당시 사회의 어두운 단면을 드러내고, 사회 변혁을 위한 열망을 담고 있어 오늘날에도 여전히 많은 사람들에게 감동과 교훈을 주고 있습니다. 문학은 단순히 과거의 유물이 아니라, 현대 사회를 살아가는 우리에게도 시사하는 바가 큰 작품이라고 할 수 있습니다.

소금

글 _ 강경애

1. 농가

용정서 '팡둥(중국인 지주)'이 왔다고 기별이 오므로 남편은 벽에 걸어두고 아끼던 수목두루마기를 꺼내 입고 문밖을 나갔다. 봉식 어머니는 어쩐지 불안을 금치 못하여 문을 열고 바쁘게 가는 남편의 뒷모양을 물끄러미 바라보았다. 참말 팡둥이 왔을까? 혹은 자×단(自×團)들이 또 돈을 달래려고 거짓 팡둥이 왔다고 하여 남편을 데려가지 않는가? 하며 그는 울고 싶었다. 동시에 그들의 성화를 날마다 받으면서도 불평 한마디 토하지 못하고 터들터들 애쓰는 남편이 끝없이 불쌍하고도 가여워 보였다. 지금도 저렇게 가고 있지 않은가! 그는 한숨을 푹 쉬며 없는 사람은 내고 남이고 모두 죽어야 그 고생을 면할 게야, 별수가 있나, 그저 죽어야 해 하고 탄식하였다. 그리고 무심히 그는 벽을 긁고 있는 그의 손톱을 발견하였다. 보기 싫게 기른 그의 손톱을 한참이나 바라보는 그는 사람의 목숨이란 끊기 쉬운 반면에 역시 끊기 어려운 것이라 하였다.

그들이 바가지 몇 짝을 달고 고향서 떠날 때는 마치 끝도 없는 망망한 바다를 향하여 죽음의 길을 떠나는 듯 뭐라고 형용하여 아픈 가슴을 설명할 수 없었다. 그러나 불행 중 다행으로 이곳까지 와서 어떤 중국인의 땅을 얻어 가지고 농사를 짓게 되었으나 중국 군대인 보위단(保衛團)들에게 날마다 위협을 당하여 죽지 못해서 그날그날을 살아가곤 하였다. 그러기에 그들은 아침 일어나는 길로 하늘을 향하여 오늘 무사히 보내기를 빌었다.

보위단들은 그들이 받는바 월급만으로는 살 수가 없으니 농촌으로 돌아다니며 한 번 두 번 빼앗기 시작한 것이 지금에 와서는 으레 할 것으로 알고 아무 주저 없이 백주에도 농민을 위협하여 빼앗곤 하였다. 그러니 농민들은 보위단 몫으로 언제나 돈이나 기타 쌀을 준비해 두지 않으면 목숨이 위태한 것을 깨닫고 아무것도 못하더라도 준비해 두곤 하였다. 그 동안 이어 나타난 것이 공산당이었으니 그 후로 지주와 보위단들은 무서워서 전부 도시로 몰리고 간혹 농촌으로 순회를 한다더라도 공산당이 있는 구역에는 감히 들어오지를 못하게 되었다. 그러나 시국이 바뀌며 공산당이 쫓기어 들어가면서부터 자×단들이 나타나게 된 것이었다.

그는 그의 손톱을 바라보며 몇 번이나 보위단들에게 죽을 뻔하던 것을 생각하며 그나마 오늘까지 목숨이 붙어 있는 것이 기적같이 생각되었다. 그리고 남편을 찾았을 때 벌써 남편의 모양은 보이지 않았다. 그는 멀리 토담 위에 휘날리는 깃발을 바라보며 남편이 이젠 건너 마을까지 갔는가 하였다. 그리고 잠깐 잊었던 불안이 또다시 가슴에 답답하도록 치민다. 남편의 말을 들으니 자×단들에게 무는 돈은 다 물었다는데 참말 팡둥이 왔는지 모르지, 지금이 씨뿌릴 때니 아마 왔을 게야, 그러면 오늘 봉식이는 팡둥을 보지 못하겠지, 농량도 못 가져오겠구먼 하며 다시금 토담을 바라보았다. 저 토담은 남편과 기타 농민들이 거의 일 년이나 두고 쌓은 것이다. 마치 고향서 보던 성같이 보였다. 그는 토담을 볼 때마다 지금으로부터 사오 년 전 그 어느 날 밤 일이 문득문득 생각하였다. 그날 밤 한밤중에 총소리와 함께 사면에서 아우성 소리가 요란스럽게 났다. 그들은 얼핏 아궁 앞에 비밀리에 파놓은 움에 들어가서 며칠 후에야 나와 보니 팡둥은 도망가고 기타 몇몇 식구는 무참히도 죽었다. 그 후로부터 팡둥은 용정에다 집을 사고 다시 장가를 들고 아들, 딸을 낳아서 지금은 예전과 조금도 차이가 없이 살았던 것이다.

팡둥이 용정으로 쫓기어 들어간 후에 저 집은 자×단들의 소유가 되었다. 그래서 저렇게 기를 꽂고 문에는 파수병이 서 있었다.

그는 눈을 옮겨 저 앞을 바라보았다. 그 넓은 들에 햇볕이 가득하다. 그리고 조겨 같은 새 무리들이 그 푸른 하늘을 건너질러 펄펄 날고 있다. 우리도 언제나 저기다 땅을 가져 보나 하고 그는 무의식간에 탄식하였다. 그리고 그나마 간도 온 지 십여 년 만에 내 땅이라고 몫을 짓게 된 붉은 산을 보았다. 저것은 아주 험악한 산이었는데 그들이 짬짬이 화전을 일구어서 이젠 밭이 되었다. 그러나 아직도 완전한 곡식은 심어 보지 못하고 해마다 감자를 심곤 하였다.

올해는 저기다 조를 갈아 볼까, 그리고 가녘으로는 약간 수수도 갈고… 그때 그의 머리에는 뜻하지 않은 고향이 문득 떠오른다. 무릎을 스치는 다복솔밭 옆에 가졌던 그의 밭! 눈에 흙 들기 전에야 어찌 차마 그 밭을 잊으랴! 아무것을 심어도 잘되던 그 밭! 죽일 놈! 장죽을 물고 그 밭머리에 나타나는 참봉 영감을 눈앞에 그리며 그는 이렇게 중얼거렸다.

그리고 가슴이 울렁거리며 손발이 가늘게 떨리는 것을 깨달으며 그는 고향을 생각지 않으려고 눈을 썩썩 부비치고 정신을 바짝 차렸다. 그때 뜰 한구석에 쌓아 둔 짚 낟가리(짚 따위를 쌓은 더미)에 조잘대는 참새 소리를 요란하게 들으며 우두커니 서 있는 자신을 얼핏 발견하였다. 그는 곧 돌아섰다. 방 안은 어지러우며 여기 일감이 나부터 손질하시오 하는 것 같았다. 그는 분주히 비를 들고 방을 쓸어 내었다. 그리고 군데군데 뚫어진 삿자리 구멍을 손끝으로 어루만지며 잘살아야 할 터인데 그놈 그 참봉놈 보란 듯이 우리도 잘살아야 할 터인데… 하며 그의 눈에는 눈물이 글썽글썽해졌다. 아무리 마음만은 지독히 먹고 애를 써서 땅을 파나 웬일인지 자기들에게는 닥치느니 불행과 궁핍이었던 것이다. 팔자가 무슨 놈의 팔자야 하느님도 무심하지 누구는 그런 복을 주고 누구는 이런 고생을 시키고… 이렇게 생각하며 그는 방 안을 구석구석이 쓸었다. 그리고 비 끝에 채어 대구루루 굴러다니는 감자를 주워 바가지에 담으며 시렁을 손질하였다. 이곳 농가는 대개가 부엌과 방 안이 통해 있으며 방 한구석에 솥을 걸었다. 그리고 그 옆에 시렁을 매곤 하였다. 그가 처음 이곳에 와서는 무엇보다도 방 안이 맘에 안 들고 돼지굴이나 소외양간 같이 생각되었다. 그리고 어쩌다 손님이 오면 피해 앉을 곳도 없었다. 그러니 멍하니 낯선 손님과도 마주앉지 않으면 안 되게 되었다. 그러나 시일이 차츰 지나니 낯선 남성 손님이 온다더라도 처음같이 그렇게 어색하지는 않았다. 그저 그렁저렁 지낼 만하였다. 그리고 반드시 부뚜막 앞에는 비밀 토굴을 파 두는 것이다. 그랬다가 어디서 총소리가 나든지 개소리가 요란스레 나면 온 식구가 그 움 속에 들어가서 며칠이든지 있곤 하였다. 그리고 옷이나 곡식도 이 움에다 넣고서 시재 입는 옷이나 먹을 양식을 조금씩 꺼내 놓고 먹곤 하였다. 말할 것도 없이 보위단이며 마적단 등이 무서워서 이렇게 하곤 하였다.

시렁을 손질한 그는 바구니에 담아 둔 팥을 고르기 시작하였다. 고요한 방 안에 팥알 소리만 재그럭 자르르 하고 났다. 팥알과 팥알로 시선이 옮아지는 그는 눈이 피곤해지며 참새 소리가 한층 더 뚜렷이 들린다. 동시에 저 참새 소리같이 여러 가지 생각이 순서 없이 생각났다. 내일이라도 파종을 하게 되면 아침 점심 저녁에 몇 말의 쌀을 가져야 할 것, 오늘 봉식이가 팡둥을 만나지 못해서 쌀을 못 가져올 것, 그러나 나무를 팔아서 사라고 한 찬감은 사오겠지… 생각이 차츰 희미해지며 졸음이 꼬박꼬박 왔다.

그는 눈을 부비치고 문밖으로 나오다가 무심히 눈에 뜨인 것은 벽에 매달아 둔 메주였다. '참 메주를 내놓아야겠다.' 하며 바구니를 밖에 내놓고서 메주를 떼어서 문밖에 가지런히 내놓았다. 그리고 그는 비를 들고 메주의 먼지를 쓸어 내었다. 그는 하나하나의 메줏덩이를 들어보며, 간장이나 서너 동이 빼고 고추장이나 한 단지 담그고… 그러자면 소금이나 두어 말은 가져야지 소금… 하며 그는 무의식간 한숨을 푹 쉬었다. 그리고 또다시 고향을 그리며 멍하니 앉아 있었다. 고향서는 소금으로 이를 다 닦았건만… 달이는 데도 소금 한 줌이면 후련하게 내려갔는데 하였다. 그가 고향 있을 때는 하도 없는 것이 많으니까 소금 같은 데는 생각이 미치지 못하였는지는 모르나 어쨌든 이곳 온 후부터 그는 소금 때문에 남몰래 운 적이 한두 번이 아니었다. 소금 한 말에 이 원 이십 전! 농가에서는 단번에 한 말을 사보지 못한다. 그러니 한 근 두 근 극상 많이 산대야 사오 근에 지나지 못한다. 그러므로 장 같은 것도 단번에 담그지를 못하고 소금 생기는 대로 담그다가도 어떤 때는 메주만 썩혀서 장이라고 먹곤 하였다. 장이 싱거우니 온갖 찬이 싱거웠다.

끼니때가 되면 그는 남편의 얼굴부터 살피게 되고 어쩐지 맘이 송구하였다. 남편은 입 밖에 말은 내지 않으나 번번이 얼굴을 찡그리고 밥술이 차츰 느려지다가 맥없이 술을 놓곤 하는 때가 종종 있었다. 이 모양을 바라보는 그는 입 안의 밥알이 갑자기 돌로 변하는 것을 느끼며 슬며시 술을 놓고 돌아앉았다. 그리고 해종일들에서 일하다가 들어온 남편에게 등허리에 땀이 훈훈하게 나도록 훌훌 마시게 국물을 만들어 놓지 못한 자기! 과연 자기를 아내라고 할 것일까?

어떤 때 남편은 식욕을 충동시키고자 고춧가루를 한 술씩 떠 넣었다. 그리고는 매워서 눈이 뻘게지고 이맛가에서 주먹 같은 땀방울이 맺히곤 하였다. '고춧가루는 왜 그리 잡수셔요' 하고 그는 입이 벌어지다가 가슴이 무뚝해지며 그만 입이 다물어지고 말았다. 동시에 음식을 맡아 만드는 자기, 아아 어떻게 해야 좋을까?

이러한 생각을 되풀이하는 그는 한숨을 땅이 꺼지도록 쉬며 오늘 저녁에는 무슨 찬을 만드나 하고 메주를 다시금 굽어보았다. 그때 신발 소리가 자박자박 나므로 그는 머리를 들었다. 학교에 갔던 봉염이가 책보를 들고 이리로 온다.

"왜 책보 가지고 오니?"

"오늘 반공일이어. 메주 내놨네."

봉염이는 생글생글 웃으며 메주를 들어 맡아 보았다.

"아버지 가신 것 보았니?"

"응 정팡둥이 왔더라, 어머이."

"팡둥이? 왔디?"

이때까지 그가 불안에 붙들려 있었다는 것을 느끼며 가볍게 한숨을 몰아쉬었다.

"어서 봤니?"

"팡둥 집에서… 저 아버지랑 자×단들이랑 함께 앉아서 뭘 하는지 모르겠더라."

약간 찌푸리는 봉염의 양미간으로부터 옮아오는 불안!

"팡둥도 같이 앉았디?"

봉염이는 머리를 끄덕이며 무슨 생각을 하고 또다시 생글생글 웃었다. 그리고 책보 속에서 달래를 꺼냈다.

"학교 뒷밭에가 달래가 어찌 많은지."

"한 끼 넉넉하구나."

대견한 듯이 그의 어머니는 달래를 만져 보다가 그중 큰 놈으로 골라서 뿌리를 자르고 한 꺼풀 벗긴 후에 먹었다. 봉염이도 달래를 먹으며,

"어머니 나두 운동화 신으면…"

무의식간에 봉염이는 이런 말을 하고도 어머니가 나무랄 것을 예상하며 어머니를 바라보던 시선을 달래 뿌리로 옮겼다.

달래 뿌리와 뿌리 사이로 나타나는 운동화, 아까 용애가 운동화를 신고 참새같이 날뛰던 그 모양!

"쟤는 이따금 미친 수작을 잘해!"

그의 어머니는 코끝을 두어 번 부비 치며 눈을 흘겼다. 봉염이는 달래가 흡사히 운동화로 변하는 것을 느끼며 어머니 말에 그의 조그만 가슴이 따가워 왔다.

"어머니는 밤낮 미친 수작밖에 몰라!"

한참 후에 봉염이는 이렇게 종알거렸다. 그리고 용애의 운동화를 바라보고 또 몰래 만져 보던 그 부러움이 어떤 불평으로 변하여지는 것을 그는 느꼈다. 그의 어머니는 봉염이를 똑바로 보았다.

"그래 네 말이 미친 수작이 아니냐. 공부도 겨우 시키는데 운동화, 운동화. 이애 너도 지금 같은 개화 세상에 났기에 그나마 공부도 하는 줄 알아라. 아 우리들 전에 자랄 때에야 뭘 어디가 물 긷

고 베짜고 여름에는 김매구 그래두 짚신이나마 어디 고운 것 신어 본다디… 어미 애비는 풀 속에 머리들을 밀고 애쓰는데 그런 줄을 모르고 운동화? 배나 곯지 않으면 다행으로 알아, 그런 수작 하랴거든 학교에 가지 마라!"

"뭐 어머이가 학교에 보내우. 뭐."

봉염이는 가볍게 공포를 느끼면서도 가슴이 으쓱하도록 반항하였다. 그리고 얼굴이 갑자기 화끈하므로 눈을 깜박하였다.

"그래 너의 아버지가 보내면 난 그만두라고 못 할까, 계집애가 왜 저 모양이야. 뭘 좀 안다고 어미 대답만 톡톡 하고, 이애 이놈의 계집애 어미가 무슨 말을 하면 잠잠하고 있는 게 아니라 톡톡 무슨 아가리질이냐! 그래 네 수작이 옳으냐? 우리는 돈 없다… 너 운동화 사줄 돈이 있으면 봉식이 공부를 더 시키겠다야."

봉염이는 분김에 달래만 자꾸 먹고 나니 매워서 못 견딜 지경이다. 그리고 눈에는 약간의 눈물이 비쳤다.

"왜 돈 없어요, 왜 오빠 공부 못 시켜요!"

그 순간 봉염의 머리에는 선생님의 하던 말이 번개같이 떠오른다. 그리고 그의 가슴이 터질 듯이 끓어오르는 불평을 어머니에게 토할 것이 아님을 깨달았다. 그러나 아무것도 모르고 딸만 그르게 생각하고 덤비는 그의 어머니가 너무도 가엾었다. 그의 어머니는 하도 어이가 없어서 멍하니 봉염이를 바라보았다. 동시에 없으면 딴 남은 그만두고라도 제 속으로 나온 자식들한테까지 라도 저런 모욕을 받는다 하는 노여운 생각이 들며 이때까지 가난에 들볶이던 불평이 눈등이 뜨겁도록 치밀어 올라온다.

"왜 돈 없는지 내가 아니, 우리 같은 거지들에게 왜 태어났니. 돈 많은 사람들에게 태어나지. 자식! 흥 자식이 다 뭐야!"

어머니의 언짢아하는 모양을 바라보는 봉염이는 작년 가을에 타작마당이 얼핏 떠오른다. 그때 여름내 농사지은 벼를 팡둥에게 전부 빼앗긴 그때의 어머니! 아버지! 지금 어머니의 얼굴빛은 그때와 꼭 같았다. 그리고 아무 반항 할 줄 모르는 어머니와 아버지! 불쌍함이 지나쳐서 비굴하게 보이는 어머니!

"어머니, 왜 돈 없는 것을 알아야 해요. 운동화는 왜 못 사줘요. 오빠는 왜 공부 못 시켜요!"

그는 이렇게 말해 가는 사이에 그가 운동화를 신고 싶어 한 것이 잘못이 아니라는 것을 깨달았다. 그리고 무심하게 들어 두었던 선생님의 말이 한 가지 두 가지 문득문득 생각났다.

"이애 이년의 계집애 왜 돈 없어. 밑천 없어 남의 땅 붙이니 없지. 내 땅만 있으면…"

여기까지 말했을 때 그는 가슴이 뜨끔해지며 말문이 꾹 막혔다.

그리고 또다시 솔밭 옆에 가졌던 그 밭이 떠오르며 그는 눈물이 쑥 비어졌다. 그리고 금방 그 밭을 대하는 듯 눈물 속에 그의 머리가 아룽아룽 보이는 듯 보이는 듯하였다.

그때 가볍게 귓가를 스치는 총소리! 그들 모녀는 눈이 둥그레 일어났다.

짚 낟가리 밑에서 졸던 검둥이가 어느덧 그들 앞에 나타나 컹컹 짖었다.

2. 유랑

그들은 마적단과 공산당을 번갈아 머리에 그리며 건너 마을을 바라보았다. 이 마을 저 마을에서 개 짖는 소리가 그들로 하여금 한층 더 불안을 갖게 하였다. 그리고 아까까지도 시원하던 바람이 무서움으로 변하여 그들의 옷자락을 가볍게 스친다.

"이애 너 아버지나 어서 오셨으면… 왜 이러고 있누. 무엇이 온 것 같은데 어쩐단 말여."

봉염의 어머니는 거의 울상을 하고 가만히 서 있지를 못하였다. 총소리는 연달아 건너왔다. 그들은 무의식간에 방 안으로 쫓기어 들어왔다. 이제야말로 건너 마을에는 무엇이든지 온 것이 확실하였다. 그리고 몇몇의 사람까지도 총에 맞아 죽었으리라 하였다. 이렇게 생각하고 나니 봉염의 어머니는 속에서 불길이 화끈화끈 올라와서 견딜 수가 없었다. 그러면서도 감히 방문 밖에까지 나오지는 못하였다. 무엇들이 이리로 달려오는 것만 같았던 것이다.

"어쩌누? 어쩌누? 봉식이라도 어서 오지 않구."

그는 벌벌 떨면서 이렇게 중얼거렸다. 암만해도 남편이 무사할 것 같지 않았던 것이다. 더구나 팡둥과 같이 남편이 앉았다가 아까 그 총소리에 무슨 일을 만났을 것만 같았다.

"이애 너 아버지가 팡둥과 함께 앉았디? 보았니."

그는 목에 침이라고는 하나도 없고 가슴이 답답해 왔다. 봉염이도 풀풀 떨면서 말은 못 하고 눈으로 어머니의 대답을 하였다. 그때 멀리서 신발 소리 같은 것이 들려오므로 그들은 부엌 구석의 토굴로 뛰어 들어가서 감자마대 뒤에 꼭 붙어 앉았다. 무엇들이 자기들을 죽이려고 이리 오는 것만 같았다. 한참 후에,

"어머니!"

부르는 봉식의 음성에 그들은 겨우 정신을 차리고 마주 아우성을 치고도 얼른 밖으로 나오지를 못하였다. 그들이 움 밖에까지 나왔을 때 또다시 우뚝 섰다. 그것은 봉식이가 전신에 피투성이를 했으며 그 옆에 금방 내려 뉜 듯한 아버지의 목에서는 선혈이 샘처

럼 흘렀다. 그의 어머니는, "아!" 소리를 지르고 그 자리에 팔싹 주저앉았다. 그 다음 순간부터 그는 바보가 되어 멍하니 바라만 볼 뿐이었다. 봉식이는 어머니를 보며 안타까운 듯이,

"어머니는 왜 그러구만 있어요. 어서 이리 와요."

봉염이가 곧 어머니의 팔을 붙들었으나 그는 일어나다가 도로 주저앉으며, "너 아버지, 너 아버지." 하고 중얼거릴 뿐이었다.

그 밤이 거의 새어 올 때에야 봉염의 어머니는 겨우 정신을 차리고 목을 내어 어이어이 하고 울었다.

"넌 어찌 아버지를 만났니. 그때는 살았더냐. 무슨 말을 하시디?"

봉식이는 입이 쓴 듯이 입맛만 쩍쩍 다시다가,

"살 게 머유!"

대답을 기다리는 어머니의 모양이 난처하여 이렇게 소리치고 나서 한숨을 후 쉬었다. 그리고 항상 아버지가 팡둥과 자×단원들에게 고맙게 구는 것이 어쩐지 위태위태한 겁을 먹었더니만 결국은 저렇게 되고야 말았구나 하였다.

아버지 생전에 이 문제를 가지고 부자가 서로 언쟁까지도 한 일이 있었으나 끝끝내 아버지는 자기의 뜻을 세웠다. 그보다 그의 입장이 그로 하여금 그렇게 하지 않고는 견디지 못하게 하였던 것이다.

아버지 생전에는 봉식이도 아버지를 그르다고 백번 생각했지만 막상 아버지가 총에 맞아 넘어진 것을 용애 아버지에게 듣고 현장에 달려가서 보았을 때는 어쩐지 '너무들 한다!' 하는 분노와 함께 누가 그르고 옳은 것을 분간할 수가 없이 머리가 아뜩해지곤 하였다.

이튿날 아버지의 장례를 지낸 봉식이는 바람이나 쏘이고 오겠노라고 어디로인지 가버리고 말았다. 모녀는 봉식이가 오늘이나 내일이나 하고 돌아오기를 손꼽아 기다리나 그 봄이 다 지나도 돌아오기는 고사하고 소식조차 끊어지고 말았다. 그래서 그들은 기다리다 못해서 봉식이를 찾아서 떠났다. 월여를 두고 이리저리 찾아다니나 그들은 봉식이를 만나지 못하였다. 마침내 그들은 용정까지 왔다. 그것은 전에 봉식이가 "고학이라도 해서 나두 공부를 좀 해야지" 하고 용정에 들어왔다 나올 때마다 투덜거리던 생각을 하여 행여나 어느 학교에나 다니지 않는가 하였던 것이다. 그러나 그들 모녀가 학교란 학교 뜰에는 다 가서 기웃거리나 봉식이 비슷한 학생조차 만나지 못하였다. 그들이 마지막으로 'TH' 학교까지 가보고 돌아설 때 봉식이가 끝없이 원망스러운 반면에 죽지나 않았는지? 하는 불안에 발길이 보이지를 않았다. 더구나, 이젠 어디로 갔나? 어디 가서 몸을 담아 있나? 오늘 밤이라도 어디서 자나? 이것이 걱정이요, 근심이 되었다.

해가 거의 져갈 때 그들은 팡둥을 찾아갔다. 그들이 용정에 발길을 돌려놓을 때부터 팡둥을 생각하였다. 만일에 봉식이를 찾지 못하게 되면 팡둥이라도 만나서 사정하여 봉식이를 찾아 달라고 하리라 하였던 것이다. 그들이 큰 대문을 둘이나 지나서 들어가니 마침 팡둥이 나왔다.

"왔소. 언제 왔소?"

팡둥은 눈을 크게 뜨고 반가운 뜻을 보이었다. 봉염의 어머니는 그의 반가워하는 눈치를 살피자 찾아온 목적을 절반나마 성공한 듯 하여 한숨을 남몰래 몰아쉬었다. 팡둥은 봉염의 머리를 내려쓸었다.

"그새 어디 갔어. 한번 갔어. 없어 섭섭했어."

"봉식이를 찾아 떠났어요. 봉식이가 어디 있을까요?"

봉염의 어머니는 가슴을 두근거리며 팡둥을 쳐다보았다.

"봉식이 만나지 못했어. 모르갔소."

팡둥은 알까 하여 맥없이 그의 입술을 쳐다보던 그는 머리를 숙였다. 팡둥은 그들 모녀를 데리고 방으로 들어갔다. 캉[炕]에 있는 팡둥의 아내인 듯 한 젊은 부인은 모녀와 팡둥을 번갈아 쳐다보며 의심스러운 눈치를 보이었다. 팡둥은 한참이나 모녀를 소개하니 그제야 팡둥 부인은,

"올라앉아요."

하고 권하였다. 팡둥은 차를 따라 권하였다. 가벼운 차내를 맡으며 모녀는 방 안을 슬금슬금 돌아보았다. 방 안은 시원하게 넓으며 캉이 좌우로 있었다. 캉 아래는 빛나는 돌로 깔리었으며 저편 창 앞에는 대리석으로 만든 테이블이 놓였고 그 위에는 검은 바탕에 오색빛 나는 화병 한 쌍을 중심으로 작고 큰 시계며 유리단지에 유유히 뛰노는 금붕어 등 기타 이름 모를 기구들이 테이블이 무겁도록 실리어 있다. 창 위 벽에는 팡둥의 사진을 비롯하여 가족들의 사진이며 약간 빛을 잃은 가화들이 어지럽게 꽂히었다. 그리고 테이블에서 뚝 떨어져 있는 이편 벽에는 선 굵은 불타의 그림이 조는 듯하고 맞은편에는 문짝 같은 체경이 온 벽을 차지했으며 창문 밖 저편으로는 화단이 눈가가 서늘하도록 푸르렀다.

그들은 어떤 별천지에 들어온 듯 정신이 얼얼하였다. 그리고 그들의 초라한 모양에 새삼스럽게 더 부끄러운 생각이 들며 맘 놓고 숨 쉬는 수도 없었다.

팡둥은 의자에 걸어앉으며 궐련을 붙여 물었다.

"여기 친척 있어?"

봉염의 어머니는 머리를 들었다.

"없어요."

이렇게 대답하는 그는 팡둥이 어째서 친척의 유무를 묻는 것임을 생각할 때 전신에 외로움이 훨씬 끼친다. 동시에 팡둥을 의지하려고 찾아온 자신이 얼마나 가엾은가를 느끼며 팡둥의 어깨 너머로 보이는 화단을 물끄러미 바라보았다. 신록에 무르익은 저 화단! 그는 얼핏, 밭에 조 싹도 이젠 퍽 자랐겠구나! 김매기 바쁠 테지 내가 웬일이야 김도 안 매구. 가을에는 뭘 먹고 사나 하는 걱정이 불쑥 일었다. 그리고 시선을 멀리 던졌을 때, 티 없이 맑게 갠 하늘이 마치 멀리 논물을 바라보는 듯 문득 그들이 부치던 논이 떠오른다. 논귀까지 가랑가랑하도록 올라온 그 논물! 벼 포기도 퍽 자랐을 게다! 하며 다시 하늘을 쳐다보았을 때 그 하늘은 벼 포기 사이를 헤치고 깔렸던 그 하늘이 아니었느냐! 그 사이로 털이 푸르르한 남편의 굵은 다리가 철버덕철버덕 거닐지 않았느냐! 그는 가슴이 뜨끔해지며 다시 팡둥을 보았다. 남편을 오라고 하여 함께 앉았던 저 팡둥은 살아서 저렇게 있는데 그는 어찌하여 죽었는가 하며 이때껏 참았던 설움이 머리가 무겁도록 올라왔다.

"친척 없어. 어디 왔어?"

팡둥은 한참 후에 이렇게 채쳐 물었다. 목구멍까지 빠듯하게 올라온 억울함과 외로움이 팡둥의 말에 눈물로 변하여 술술 떨어진다. 그는 맥없이 머리를 떨어뜨리며 치마 귀를 쥐어다 눈물을 씻었다. 곁에 앉은 봉염이도 어머니를 보자 눈물이 글썽글썽해졌다. 모녀를 바라보는 팡둥은 난처하였다. 지금 저들의 눈치를 보니 자기에게 무엇을 얻으러 왔거나 그렇지 않으면 자기 집을 바라고 온 것임을 시간이 지날수록 깨달았다. 그는 불쾌하였다. 저들을 오늘로라도 보내려면 돈이라도 몇 푼 집어줘야 할 것을 느끼며 당분간 집에서 일이나 시키며 두어둬 볼까? 하는 생각이 어렴풋이 들었다. 팡둥은 약간 웃음을 띠었다.

"친척 없어. 우리 집 있어. 봉식이가 찾아왔어 갔어. 응."

팡둥의 입에서 떨어지는 아들의 이름을 들으니 그는 원망스러움과 그리움 외로움이 한데 뭉치어 견딜 수가 없었다.

그리고 팡둥의 말과 같이 봉식이가 언제든지 나를 찾아오려나, 그렇지 않으면 제 아버지와 같이 어디서 어떤 놈에게 죽음을 당해서 다시는 찾지 않으려나? 하는 의문이 들며 흑흑 느껴 울었다.

그 후부터 모녀는 팡둥 집에서 일이나 해주고 그날그날을 살아갔다. 팡둥은 날이 갈수록 그들에게 친절하게 굴었다. 그리고 어떤 때는 밤이 오래도록 그들이 있는 방에 나와서 이런 이야기 저런 이야기를 하여 주며 때로는 옷감이나 먹을 것 같은 것도 사다 주었다. 그때마다 봉염의 어머니는 감격하여 밤 오래도록 잠들지 못하곤 하였다.

팡둥의 아내가 친정집에 다니러 간 그 이튿날 밤이다. 그는 팡둥의 아내가 말라 놓고 간 팡둥의 속옷을 재봉침(틀)에 하였다. 팡둥의 아내가 언제 올는지는 모르나 어쨌든 그가 오기 전에 말라 놓는 일을 다 해야 그가 돌아와서 만족해할 것이다. 그러므로 그는 밤잠을 못 자고 미싱(재봉틀)을 돌렸다. 그는 이 집에 와서야 미싱을 배웠기 때문에 아직도 서툴렀다. 그래서 그는 바늘이 부러질세라 기계에 고장이 생길세라 여간 조심이 되지를 않았다.

저편 팡둥 방에서 피리 소리가 처량하게 들려 왔다. 팡둥은 밤만 되면 저렇게 피리를 불거나 그렇지 않으면 깡깡이를 뜯었다. 깡깡이 소리는 시끄럽고 때로는 강아지가 문짝을 할퀴며 어미를 부르는 듯하게 차마 듣지 못할 만큼 귓가가 간지러웠다. 그러나 저 피리 소리만은 그럴듯하게 들리었다.

일감을 밟고 씩씩하게 달려오는 바늘 끝을 바라보는 그는 한숨을 후 쉬며,

"봉식아 너는 어째서 어미를 찾지 않느냐."

하고 중얼거렸다. 그는 언제나 봉식이를 생각하였다. 낯선 사람이 이 집에 오는 것을 보면 행여 봉식의 소식을 전하려나 하여 그 사람이 돌아갈 때까지 주의를 게을리 하지 아니했다. 그러나 이렇게 기다리는 보람도 없이 그날도 그날같이 봉식의 소식은 막막하였다. 팡둥은 그들에게 고맙게 구나 팡둥의 아내는 종종 싫은 기색을 완연히 드러내었다.

그때마다 그는 봉식을 원망하고 그리워하며 운 적이 한두 번이 아니었다. 아무래도 장래까지는 이 집을 바라지 못할 일이요, 어디로든지 가야 할 것을 그는 날이 갈수록 느꼈다. 그러나 마음만 초조할 뿐이요, 어떻게 하는 수는 없었다. 그는 이러한 생각을 되풀이하며 팡둥의 아내가 없는 사이 팡둥을 보고 집세나 하나 얻어 달라고 해볼까? 하며 피리를 불고 앉았을 팡둥의 뚱뚱한 얼굴을 그려 보았다. 그러나 어찌 그런 말을 해, 집세를 얻는다더라도 무슨 그릇들이 있어야지. 아무것도 없이 살림을 어떻게 하누 하며 등불을 물끄러미 바라보았다.

어느덧 피리 소리도 그치고 사방은 고요하였다. 오직 들리느니 잠든 봉염의 그윽한 숨소리뿐이다. 그는 등불을 휩싸고 악을 쓰고 날아드는 하루살이 떼를 보며 문득 남편의 짧았던 일생을 회상하였다. 그렇게 살고 말 것을 반찬 한번 맛있게 못 해주었지 고춧가

루만 땀이 나도록 먹구 참… 여기는 왜 소금 값이 그리 비쌀까? 그래도 이 집은 소금을 흔하게 쓰두면. 그거야 돈 많으니 자꾸 사오니까 그렇겠지. 돈? 돈만 있으면 뭐든지 다 할 수가 있구나. 그 비싼 소금도 맘대로 살 수가 있는 돈, 그 돈을 어째서 우리는 모으지 못했는가 하였다.

그때 신발 소리가 자박자박 나더니 문이 덜그럭 열린다. 그는 놀라 획근 돌아보았다. 검은 바지에 흰 적삼을 입은 팡둥이 빙그레 웃으며 들어온다. 그는 얼른 일어나며 일감을 한 손에 들었다.

"앉아서! 일만 했어?"

팡둥의 시선은 그의 얼굴로부터 일감으로 옮긴다. 그는 등불 곁으로 다가앉으며 팡둥을 보고 이 말을 할까 말까? 집세 하나 얻어주시오 하고 금방 입술 사이로 흘러나오려는 것을 참으며 팡둥의 기색을 흘금 살피었다.

"누구 옷이야? 내 해야?"

팡둥은 일감 한끝을 쥐어 보다가,

"내 해야… 배고프지 않아? 우리 방에 나가 차물도 먹고 과자도 먹구 응 나갔어."

일감을 잡아당긴다. 그는 전 같으면 얼른 팡둥의 뒤를 따라 나갈 터이나 팡둥의 아내가 없는 것만큼 주저가 되었다.

"배고프지 않아요."

이렇게 말하는 그는 웬일인지 눈썹 끝에 부끄럼이 사르르 지나친다. 팡둥은 일감을 훽 빼앗았다.

"가 응. 자 어서 어서."

그는 일감을 바라보며 어째야 좋을지 몰랐다. 그리고 이 기회를 타서 집세를 얻어 달라고 할까 말까 할까…

"안 가?"

팡둥은 일어서며 아까와는 달리 언성을 높인다. 그는 가슴이 선득해서 얼른 일어났다. 그러나 비쭉비쭉 나가는 팡둥의 살찐 뒷덜미를 보았을 때 싫은 생각이 부쩍 들었다. 그리고 발길이 떨어지지를 않았다. 문밖을 나가던 팡둥은 획근 돌아보았다. 그 얼굴은 무어라고 형용할 수 없는 무서움을 띄웠다. 그는 맥없이 캉을 내려섰다. 그리고 잠든 봉염이를 바라보았을 때 소리쳐 울고 싶도록 가슴이 답답하였다.

3. 해산

이듬해 늦은 봄 어느 날 석양이다. 봉염의 어머니는 바느질을 하다가 두 눈을 부비 치며 방문을 바라보았다. 빨간 문 위에 처마 끝 그림자가 뚜렷하다. 오늘은 팡둥이 오려나. 대체 어딜 가서 그리 오래 있을까? 그는 또다시 생각하였다. 팡둥의 아내만 대하면 그는 묻고 싶은 것이 이 말이었다. 그러나 언제든지 새초롬해서 있는 그의 기색을 살피다가는 그만 하려던 말을 줄이치고 말았다. 그리고 이렇게 석양이 되면 오늘이나 오려나? 하고 가슴을 졸였다. 팡둥이 온대야 그에게 그리 기쁠 것도 없건만 어쩐지 그는 팡둥이 기다려지고 그리웠다. 오면 좋으련만… 이번에는 꼭 말을 해야지 무어라구? 그 다음 말은 생각나지 않고 두 귀가 화끈 단다. 어떻거나 그도 짐작이나 할까? 하기는 뭘 해. 남정들이 그러니 그렇게 내게 하리… 그는 팡둥의 얼굴을 머리에 그리며 원망스러운 듯이 바라보았다.

그날 밤 후로는 팡둥의 태도가 아무리 좋게 해석해도 냉랭해진 것만 같았다.

처음에는 점잖으신 어른이고 더구나 성미 까다로운 아내가 곁에 있으니 저러나 보다 하였으나 시일이 지날수록 원망스러움이 약간 머리를 들었다. 반면에 끝없는 정이 보이지 않는 줄을 타고 팡둥에게로 자꾸 쏠리는 것을 그는 느꼈다. 그는 한숨을 후… 쉬며 이맛가에 흐르는 땀을 씻었다. 언제나 자기도 팡둥을 대하여 주저 없이 말도 건네고 사랑을 받아 볼까? 생각만이라도 그는 진저리가 나도록 좋았다. 그러나 자기 주위를 둘러싸고 있는 모든 환경을 깨닫자 그는 울고 싶었다. 그리고 팡둥의 아내가 끝없이 부러웠다. 그는 시름없이 머리를 숙이며 원수로 애는 왜 배었는지 하며 일감을 들었다. 바늘 끝에서 떠오르는 그날 밤. 그날 밤의 팡둥은 성난 호랑이같이도 자기에게 덤벼들지 않았던가. 자기는 너무 무섭고도 두려워서 방 안이 캄캄하도록 늘인 비단 포장을 붙들고 죽기로써 반항하다가도 못 이겨서 애를 배게 되지 않았던가. 생각하면 자기의 죄 같지는 않았다. 그런데 왜 자기는 선뜻 팡둥에게 이 말을 하지 못하는가. 그리고 그렇게 먹고 싶은 냉면도 못 먹고 이때까지 참아왔던가. 모두가 자기의 못난 탓인 것 같다. 왜 말을 못 해, 왜 주저해, 이번에는 말할 테야. 꼭 할 테야. 그리고 냉면도 한 그릇 사달라지 하며 그는 눈앞에 냉면을 그리며 침을 꿀꺽 삼켰다. 그러나 이 생각은 헛된 공상임을 깨달으며 한숨을 푸 쉬면서도 픽 하고 웃음이 나왔다. 모든 난문제가 산과 같이 자기를 둘러싸고 있거늘 어린애같이 먹고 싶은 생각부터 하는 자신이 우습고도 가련해 보였던 것이다. 그러나 먹고 싶은 것은 어쩔 수 없다. 목이 가렵도록 먹고 싶다. 냉면만 생각하면 한참씩은 안절부절못할 노릇이다.

그가 뱃속에 애 든 것을 알게 되었을 때 유산시키려고 별짓을 다하여 보았다. 배를 쥐어박아도 보고 일부러 칵 넘어지기도 하며 벽에다 배를 대고 탕탕 부딪쳐도 보았다. 그러고도 유산이 되지를 않아서 나중에는 양잿물을 마시려고 캄캄한 밤중에 그 몇 번이나 일어앉았던가. 그러면서도 그 순간까지도 냉면은 먹고 싶었다. 누가 곁에다 감추고서 주지 않는 것만 같았다. 그렇게 먹고 싶은 냉면을 못 먹어 보고 죽는다는 것은 너무나 애달픈 일이다. 더구나 봉염이를 생각하고는 그만 양잿물 그릇을 솟치고 말았던 것이다.

삭수가 차올수록 그는 어쩔 줄을 몰랐다. 우선 남의 눈에 들키지나 않으려고 끈으로 배를 꽁꽁 동이고 밥도 한두 끼니는 예사로 굶었다. 그리고 될 수 있는 대로 사람을 피하여 이렇게 혼자 일을 하곤 하였다.

그때 지르릉 하는 마차(馬車)소리에 그는 머리를 번쩍 들었다. 팡둥 방에서 뛰어나가는 신발 소리가 나더니 바바! 바바! 하고 팡둥의 어린애들이 떠드는 소리가 들린다. 그는 왔구나! 하였다. 따라서 가슴이 후닥닥 뛰며 뱃속의 애까지 빙빙 돌아간다. 그는 치마주름이 들썩들썩하는 것을 보자 배를 꾹 눌렀다. 신발 소리가 이리로 오므로 그는 얼른 일어났다. 그리고 팡둥이 혹시 나를 보러 오는가 하였다.

"어머이 팡둥 왔어. 그런데 팡둥이 어머이를 오래."

봉염이는 문을 열고 들여다본다. 그는 팡둥이 아님에 다소 실망을 하면서도 안심되었다. 그러나 팡둥이 자기를 보겠다고 오라는 말을 들으니 부끄럼이 확 끼치며 알 수 없는 겁이 더럭 났다. 그리고 말을 할 수 없이 입이 다물어지며 손발이 후들후들 떨린다.

"어머이 어디 아파?"

봉염이는 중국 계집애같이 앞 머리카락을 보기 좋게 잘랐다. 그는 머리카락 사이로 눈을 동그랗게 뜨고 어머니를 말똥히 쳐다본

다. 그는 딸에게 눈치를 보이지 않으려고 머리를 돌리며,

"아니."

봉염이는 한참이나 무슨 생각을 하더니,

"어머이 팡둥이 성난 것 같아 왜."

"왜 어쩌더냐?"

"아니 글쎄 말이야."

봉염이는 솥가에서 닳아져서 보기 싫게 된 그의 손톱을 들여다 보면서 아까 팡둥의 얼굴을 생각하였다. 그때 팡둥의 아내 소리가 빽 하고 났다.

"뭣들 하기 그러고 있어. 어서 오라는데."

심상치 않은 그의 언성에 그들은 일시에 불길한 예감을 품으면서 팡둥 방으로 왔다. 팡둥은 어린애를 좌우로 안고서 모녀를 바라보았다. 그리고 잠깐 눈살을 찌푸리며 눈을 거칠게 뜬다. 팡둥의 아내는 입을 비쭉하였다.

"흥 자식을 얼마나 잘 두었기에 애비 원수인 공산당에 들었을까. 그런 것들은 열 번 죽여도 좋아… 우리는 공산당 친척은 안 돼. 공산당과는 우리는 원수야. 오늘부터는 우리 집에 못 있어. 나가야지."

모녀를 딱 쏘아본다. 모녀는 갑자기 무슨 말인지를 알아들을 수가 없었다. 그리고 머리가 어찔어찔해 왔다.

"이번 쟝궤듸가 국자가 가서 네 오빠 죽이는 것을 보았단다."

모녀는 어떤 쇠방망이로 머리를 사정없이 후려치는 듯 아뜩하였다. 한참 후에 봉염의 어머니는 팡둥을 바라보았다. 팡둥은 그의 시선을 피하여 어린애를 보면서도 그 말이 옳다는 뜻을 보이었다. 그는 한층 더 아찔하였다. 그 애가 참말인가 하고 그는 속으로 부

르짖었다.

"어서 나가! 만주국에서는 공산당을 죽이니깐."

팡둥의 아내는 귀걸이를 흔들면서 모녀를 밀어내었다. 모녀는 암만 그들이 그래도 그 말이 참말 같지 않았다. 그리고 속 시원히 팡둥이가 말을 해주었으면 하였다. 팡둥은 그들을 바라보자 곧 불쾌하였다. 그날 밤 그의 만족을 채운 그 순간부터 어쩐지 발길로 그의 엉덩이를 냅다 차고 싶게 미운 것을 느꼈다. 그 다음부터 그는 봉염의 어머니와 마주서기를 싫어하였다. 그러나 살림에 서투른 젊은 아내를 둔 그는 그들을 내보내면 아무래도 식모든지 착실한 일꾼이든지를 두어야겠으니 그러자면 먹여 주고도 돈을 주어야 할 터이므로 오늘 내일 하고 이때까지 참아 왔던 것이다. 보다도 내보낼 구실 얻기가 거북하였던 것이다.

그러던 차에 이번 국자가에서 봉식이 죽는 것을 보고서는 곧 결정하였다. 무엇보다도 공산당의 가족이니만큼 경비대원들이 나중에라도 알면 자신에게 후환이 미칠까 하는 생각이었고 또 하나는 자기가 극도로 공산당을 미워하느니만큼 공산당이라는 말만 들어도 소름이 끼쳐서 못 견디었던 것이다.

아내에게 밀리어 문밖으로 나가는 모녀를 바라보는 팡둥은 봉식의 죽던 광경이 다시 떠오른다.

친구와 교외에 나갔다가 공산당을 죽인다는 바람에 여러 사람의 뒤를 따라가서 들여다보니 벌써 십여 명의 공산당을 죽이고 꼭 하나가 남아 있었다. 그는 좀 더 빨리 왔다면 하고 후회하면서 사람들의 틈을 뻐개고 들어갔다. 마침 경비대에게 끌리어 한가운데로 나앉은 공산당은 봉식이가 아니었느냐! 그는 자기 눈을 의심하고 몇 번이나 눈을 비비고 난 후에 보았으나 똑똑한 봉식이었다. 전보다 얼굴이 검어지고 거칠게 보이나마 봉식이었다. 그는 기침을 칵 하며 봉식이가 들으리만큼 욕을 하였다. 그리고 행여 봉식이가 돈을 벌어 가지고 어미를 찾아오면 자기의 생색도 나고 다소 생각함이 있으리라고 하였던 것이 절망이 되었다.

누런 군복을 입은 경비대원 한 사람은 시퍼런 칼날에 물을 드르르 부었다. 그러나 물방울이 진주같이 흐른 후에 칼날은 무서우리만큼 빛났다. 경비대원은 칼날을 들여다보며 슴벅 웃는다. 그리고 봉식이를 바라보았다. 봉식이는 얼굴이 새하얗게 질리고도 기운있게 버티고 있었다. 그리고 입모습에는 비웃음을 가득히 띠고 있다. 팡둥은 그 웃음이 여간 불쾌하지 않았다. 그리고 어느 때인가 공산당에게 위협을 당하던 그 순간을 얼핏 연상하며 봉식이가 확실히 공산당이라는 것을 의심하지 않았다. 그러자 칼날이 번쩍할 때 봉식이는 소리를 버럭 지른다. 어느새 머리는 땅에 떨어지고 선혈이 쏴 하고 공중으로 뻗칠 때 사람들은 냉수를 잔등에 느끼며 흠칫 물러섰다.

생각만이라도 팡둥은 소름이 끼치어서 어린애를 꼭 껴안으며 어서 모녀가 눈에 보이지 않기를 바랐다. 모녀는 문밖에까지 밀리어 나오고도 팡둥이가 따라 나오며 말리려니 하였다. 그러나 그들이 보따리를 가지고 대문을 향할 때까지 팡둥은 가만히 있었다. 봉염의 어머니는 노염이 치받치어 홱 돌아서서 유리창을 통하여 바라보이는 팡둥의 뒷덜미를 노려보았다. 미친 듯이 자기를 향하여 덤벼들던 저 팡둥이 그가 무어라고 소리를 지르려고 할 때, 팡둥의 아내와 웬 알지 못할 사나이가 그를 돌려세우며 그들을 밖으로 내몰았다.

그들은 정신없이 시가를 벗어나 해란강변으로 나왔다. 강물이 앞을 막으니 그들은 우뚝 섰다. 어디로 가나? 하는 생각이 분에 흩어졌던 그들의 생각을 집중시켰다. 그들은 눈을 들었다.

해는 뉘엿뉘엿 서산에 걸렸는데 저 멀리 보이는 마을 앞에 둘러선 버들 숲은 흡사히도 그들이 살던 '싼더거우(三頭溝)' 앞에 가로놓였던 그 숲과도 같았다. 그곳에는 아직도 남편과 봉식이가 있을 것만 같았다. 그러나 다시 한 번 눈을 부비치고 보았을 때 봉염의 어머니는 털썩 주저앉았다. 그리고 소리 높이 흐르는 강물을 들여다보며 그만 죽고 말까 하였다. 동시에 이때까지 거짓으로만 들리던 봉식의 죽음이 새삼스럽게 더 걱정이 되며 가슴이 쪼개지는 듯하였다. 그러나 그 말은 믿고 싶지 않았다. 봉식이는 똑똑한 아이이다. 그러한 아이가 애비 원수인 공산당에 들었을 리가 없을 듯하였다.

그것은 자기 모녀를 내보내려는 거짓말이다.

"죽일 년, 그년이 내 아들을 공산당이라구. 에이 이 년놈들, 벼락 맞을라, 누구를 공산당이래… 너희 놈들이 그러고 뒈질 때가 있을라. 누구를 공산당이래."

봉염이 어머니는 시가를 돌아보며 이를 북북 갈았다. 시가에는 수 없는 벽돌집이 다닥다닥 붙어 앉았다.

저렇게 많은 집이 있건만 지금 그들은 몸담아 있을 곳도 없어 이리 쫓기어 나오는 생각을 하니 기가 꽉 찼다. 그리고 저자들은 모두가 팡둥 같은 그런 무서운 인간들이 사는 것 같아 보였다. 이렇게 원망스러우면서도 이리로 나오는 사람만 보이면 행여 팡둥이가 나를 찾아 나오는가 하여 가슴이 뜨끔해지곤 하였다.

어스름 황혼이 그들을 둘러쌀 때에 그들은 더욱 난처하였다. 봉염이는 훌쩍훌쩍 울면서,

"오늘 밤은 어데서 자누? 어머이."

하였다. 그는 순간에 팡둥 집으로 달려 들어가서 모조리 칼로 찔러 죽이고 자기들도 죽고 싶은 충동이 강하게 일어났다. 그래서 그는 벌떡 일어났다. 그러나 그의 앞으로 끝없이 길어 나간 대철로를 바라보았을 때 소식 모르는 봉식이가 어미를 찾아 이 길로 터벅터벅 걸어올 때가 있지 않으려나… 그리고 또다시 팡둥의 말과 같이 아주 죽어서 다시는 만나지 못하려나 하는 의문에 그는 소리쳐 울고 싶었다. 속 시원히 국자가를 가서 봉식의 소식을 알아볼까. 그러자. 그 후에 참말이라면 모조리 죽이고 나도 죽자! 이렇게 결심하고 어정어정 걸었다.

그날 밤 그들은 해란강변에 있는 중국인 집 헛간에서 자게 되었다. 그것도 모녀가 사정을 하고 내일 시장에 내다 팔 시금치나물과 파 등을 다듬어 주고서 승낙을 받았다. 봉염의 어머니는 밤이 깊어 갈수록 배가 자꾸 아팠다. 그는 애가 나오려나 하고 직각하면서 봉염이가 잠들기를 고대하였다. 그러나 잠이 많던 봉염이도 오늘은 잠들지 않고 팡둥 부처를 원망하였다. 그리고 이때까지 몸 아끼지 않고 일해 준 것이 분하다고 종알종알하였다.

"용애는 잘 있는지. 우리 학교는 학생이 많은지."

잠꼬대 비슷이 봉염이는 지껄이다가 그만 잠이 들고 만다.

그의 어머니는 한숨을 후 쉬며 어서 봉염이가 잠든 틈을 타서 나오면 얼른 죽여서 해란 강에 띄우리라 결심하였다.

그리고 배를 꾹꾹 눌렀다.

바람 소리가 후루루 나더니 빗방울이 후두두 떨어진다.

그는 되기 딴은 잘되었다 하였다. 이런 비 오는 밤에 아무도 몰래 애를 낳아서 죽이면 누가 알랴 싶었던 것이다.

그리고 그는 봉염의 몸을 어루만지며 낡은 옷으로 그의 머리까지 푹 씌워 놨다. 비는 출출 새기 시작하였다.

그는 봉염이가 비에 젖었을까 하여 가만히 그를 옮겨 누이고 자기가 비새는 곳으로 누웠다. 비는 차츰 기세를 더하여 좍좍 퍼부었다. 그리고 그의 몸도 점점 더 아팠다.

그는 봉염이가 깰세라 하여 입술을 깨물고 신음소리를 밖에 내지 않으려고 애썼다. 그러나 신음소리가 콧구멍을 뚫고 불길같이 확확 내달았다. 그리고 빗방울은 그의 머리카락을 타고 목덜미로 입술로 새어 흐른다.

"어머이!"

봉염이는 벌떡 일어나서 어머니를 더듬었다.

"에그 척척해."

어머니의 몸을 만지는 그는 정신이 펄쩍 들었다. 그리고 비가 오는 것을 알았다.

"비가 새네, 아이고 어떡허나."

딸의 말소리도 이젠 들리지 않고 딸이 들을세라 조심하던 신음소리도 더 참을 수가 없었다. 그는 "으흥으흥" 하면서 몸부림쳤다. 머리로 벽을 쾅쾅 받다가도 시원하지 않아서 손으로 머리를 감아쥐고 오짝오짝 뜯었다.

봉염이는 어머니를 흔들다가 그만 "흑흑" 하고 울었다.

어머니는 봉염이를 밀치며 "응응" 하고 힘을 썼다—한참 후에 "으악!" 하는 애기 울음소리가 들렸다. 봉염이는 어머니 곁으로 다가붙으며,

"애기?"

하고 부르짖었다.

어머니는 얼른 아기를 더듬어 그의 목을 꼭 쥐려 하였다.

그 순간 두 눈이 화끈 달며 파란 불꽃이 쌍으로 내달았다.

그리고 전신을 통하여 짜르르 흐르는 모성애! 그는 자기의 숨이 턱 막히며 쥐려는 손끝에 맥이 탁 풀리는 것을 느꼈다.

그는 땀을 낙수처럼 흘리며 비켜 누워 버렸다. 그리고 "아이고!" 하고 소리쳐 울었다.

4. 유모

아기를 죽이려다 죽이지 못하고 또 무서운 진통기를 벗어난 봉염의 어머니는 이제는 극도로 배고픔을 느꼈다. 지금 따끈한 미역국 한 사발이면 그의 몸은 가뿐해질 것 같다. 미역국! 지난날에는 남편이 미역국과 흰 이밥을 해가지고 들어와서 손수 떠 넣어 주던 것을… 하며 눈을 꾹 감았다. 비에 젖고 또 비에 젖은 헛간 바닥에서는 흙내에 피비린내를 품은 역한 냄새가 물큰물큰 올라왔다. 어떡하나? 내가 무엇이든지 먹고 살아야 저것들을 키울 터인데 무엇을 먹나, 누가 지금 냉수라도 짤짤 끓여다만 주어도 그 물을 마시고 정신을 차릴 것 같다. 그러나 그는 흙을 주워 먹기 전에는 아무것도 먹을 것이 없지 않은가, 봉염이를 깨울까, 그래서 이 집 주인에게 밥이나 좀 해달랄까, 아니 못 할 일이야, 무슨 장한 애를 낳았다고 그러랴. 그러면 어떻게? 오래지 않아 날이 밝을 터이니 아침에나 주인집에서 무엇이든지 얻어먹지… 하였다. 그리고 눈을 번쩍 떠서 뚫어진 헛간 문을 바라보았다. 아직도 캄캄하였다. 날이 언제나 새려나, 이 집에는 닭이 없는가 있는가 하며 귀를 기울였다. 사방은 죽은 듯이 고요하다. 간혹 채마밭에서 나는 듯 한 벌레 소리가 어두운 밤에 별빛 같은 그러한 느낌을 던져 주었다. 그는 아기를 그의 뛰는 가슴속에 꼭 대며 자기가 아무렇게 라도 살아야 할 것 같았다. 내가 왜 죽어, 꼭 산다. 너희들을 위하여 꼭 산다 하고 중얼거렸다. 애를 낳기 전에는 아니 보다도 이 아픔을 겪기 전에는 죽는다는 말이 그의 입에서 떠나지 않았고 또 진심으로 죽었으면 하고 생각도 많이 하였다. 그러나 마침 죽음과 삶의 경계선에서 아차아차한 고비를 넘기고 겨우 소생한 그는 어쩐지 죽고 싶지는 않았다. 오히려 삶의 환희를 느꼈다. 그가 하필 이번뿐만이 아니라 이러한 경우를 여러 번 당하였으나 그러나 남편의 생전에는 죽음에 대하여 한 번도 생각해 보지도 않았으며 역시 죽고 싶지도 않았다. 그래서 죽음이란 아무 생각 없이 대하였을 뿐이었다.

이튿날 봉염의 어머니는 곤히 자는 봉염이를 흔들어 깨웠다. 봉염이는 벌떡 일어났다.

"너 이거 내다가 빨아 오너라. 그저 물에 헹구면 된다."

피에 젖은 속옷이며 걸레뭉치를 뭉쳐서 그의 손에 들려주었다. 그때 봉염의 어머니는 어쩐지 딸이 어려웠다. 그리고 딸의 시선이 거북스러움을 느꼈다. 봉염이는 아직도 가슴이 울렁거리며 모두가 꿈속에 보는 듯 분명하지를 않고 수없는 거미줄 같은 의문과 공포가 그의 조그만 가슴을 꼭 채웠다. 그는 얼른 일어나 밖으로 나왔다. 그의 어머니는 딸이 나가는 것을 보고 저것이 추울 터인데 하며 자신이 끝없이 더러워 보였다.

봉염의 신발 소리가 아직도 사라지기 전에 그는 아기의 얼굴을 자세히 들여다보았다. 볼수록 뭉치 정이 푹푹 든다. 그리고 아기의 얼굴에 얼굴을 맞대지 않고는 견디지 못하였다. 주인집에서 깨어 부산하게 구는 소리를 그는 들으며 밥을 하는가, 밥을 좀 주려나, 좀 주겠지 하였다. 그리고 미역국 생각이 또 일어나며 김이 어린

미역국이 눈앞에 자꾸 어른거려 보인다. 따라서 배는 점점 더 고파왔다. 이제 몇 시간만 더 이 모양으로 굶었다가는 그가 아무리 살고 싶어도 살 수가 없을 것 같았다. 그는 이러한 생각에 겁이 펄쩍 났다. 무엇을 좀 먹어야 할 터인데 그는 눈을 뜨고 사면을 휘돌아보았다. 아직도 헛간은 컴컴하다. 컴컴한 저편 구석으로 약간씩 보이는 파뿌리! 그는 어제 저녁에 주인 여편네가 오늘 장에 내다 팔 파를 헛간으로 옮겨 쌓던 생각을 하며 옳다! 아무 게라도 좀 먹으면 정신이 들겠지 하고 얼른 몸을 솟구어 파뿌리를 뽑았다. 그러나 주인이 나오는 듯하여 그는 몇 번이나 뽑은 파를 입에 대다가도 감추곤 하였다. 마침내 그는 파를 입 속에 넣었다. 그리고 우쩍 씹었다. 그때 이가 시끔하며 딱 맞찔린다. 그래서 그는 얼굴을 찡그리며 입을 쩍 벌린 채 한참이나 벌리고 있었다.

침이 턱밑으로 흘러내릴 때에야 그는 얼른 손으로 침을 몰아넣으며 이 침이라도 목구멍으로 삼켜야 그가 살 것 같았다. 그는 다시 파를 입에 넣고 이번에는 씹지는 않고 혀끝으로 우물우물하여 목으로 넘겼다. 넘어가는 파는 왜 그리도 차며 뻣뻣한지, 그의 목구멍은 찢어지는 듯 눈물이 쑥 비어졌다. '파를 먹구도 사는가' 그는 이렇게 생각하며 헛간 문 사이로 보이는 하늘을 멍하니 쳐다보았다.

그때 신발 소리가 나며 헛간 문이 홱 열린다.

"어머이, 용애 어머이를 빨래터에서 만났어. 그래서 지금 와!"

말이 채 마치기 전에 용애 어머니가 들어온다. 봉염이 어머니는 얼결에 일어나 그의 손을 붙들고 소리를 내어 울었다. 용애 어머니는 싼더거우서 한집안같이 가까이 지내었던 것이다. 그래서 봉염이를 따라 이렇게 왔으나 그들의 참담한 모양에 반가움이란 다 달아

나고 내가 어째서 여기를 왔던가 하는 후회가 일었다. 그리고 뭐라고 위로 할 말조차 생각나지 않았다.

"아니 봉염이 어머이 이게 어찌 된 일이오."

한참 후에 용애 어머니는 입을 열었다. 봉염이 어머니는 울음을 그치고,

"다 팔자 사나워 그렇지요. 왜 죽지 않고 살았겠수… 그런데 언제 나려왔수. 여기를?"

"우리? 작년에 모두 왔지. 우리 동네서는 모두 떠났다오. 토벌난 통에 모두 밤도망들을 했지. 어디 농사할 수가 있어야지. 그래 여기 내려오니 이리 어렵구려."

봉염이 어머니는 퍽 반가웠다. 그리고 용애 어머니를 놓쳐서는 안 될 것을 번개같이 깨달으며 모든 것을 숨김없이 말하고 사정하리라고 결심하였다.

"용애 어머이 난 아이를 낳았다오. 어젯밤에 이걸… 어떡하우. 사람 하나 살리는 셈치고 날 며칠 동안만 집에 있게 해주. 어떡허겠수. 나 같은 년 만나기만 불찰이지…"

그는 말끝에 또다시 울었다. 용애 어머니를 만나니 남편이며 봉식의 생각까지 겹쳐 일어나는 동시에 어째서 남은 다 저렇게 영감이며 아들딸을 데리고 다니며 잘사는데 나만이 이런 비운에 빠졌는가 하는 생각이 들었던 것이다.

용애 어머니는 한참이나 난처한 기색을 띠다가 한숨을 푹 쉬었다.

"그러시유. 할 수 있소."

용애 어머니는 더 물으려고도 안 하고 안 나오는 대답을 이렇게 겨우 하였다. 뒤에서 가슴을 졸이고 있던 봉염이까지 구원받은

듯 하여 한숨을 호 내쉬었다.

"고맙수. 그 은혜를 어찌 갚겠수."

봉염의 어머니는 떨리는 음성으로 이렇게 말하고 봉염에게 아기를 업혀 주었다. 용애 어머니는 이렇게 모녀를 데리고 가나? 남편이 뭐라고 나무라지나 않으려나? 하는 불안에 발길이 무거워졌다.

용애네 집으로 온 그들은 사흘을 무사히 지냈다. 용애 어머니는 남의 빨래 삯을 맡아 날이 채 밝지도 않아서 빨랫가로 달아나고 용애 아버지는 철도공사 인부로 역시 그랬다. 그래서 근근이 살아가는 것을 보는 봉염의 어머니는 그들을 마주 바라볼 수 없이 어려웠다. 그래서 얼른 일어나고 말았다. 그날 저녁 봉염의 어머니는 빨랫가에서 돌아오는 용애 어머니를 보고"나두 남의 빨래를 하겠으니 좀 맡아다 주."

용애 어머니는 눈을 크게 떴다.

"어서 더 눕고 있지, 웬일이오… 어려워 말우."

용애 어머니는 갑자기 무슨 생각이 난 듯이 눈을 껌뻑이더니 다가앉았다. 부엌에서는 용애와 봉염이 종알거리는 소리가 들렸다.

"아니, 저 나 빨래 맡아다 하는 집엔 젖유모를 구하는데… 애가 딸렸다더라도 젖만 많으면 두겠다구 해. 그 대신 돈이 좀 적겠지만… 어떠우?"

봉염의 어머니는 귀가 번쩍 뜨였다.

"참말이요? 애가 있어도 된대요?"

용애 어머니는 이 말에는 우물쭈물하고,

"하여간 말이야, 한 달에 십이삼 원을 받으면 집세 얻어서 봉염이와 애기는 따로 있게 하고 애기에겐 봉염의 어머니가 간간이 와서 젖을 멕이고 또 우유를 곁들이지 어떠하나. 큰애 같지 않아 갓 난애니까 저게서 알면 재미는 좀 적을게요. 그러니 우선은 큰애라고 속이고 들어가야지. 그러니 그렇게만 되면 그 벌이가 아주 좋지 않우."

봉염의 어머니는 벌이 자리가 난 것만 다행으로 가슴이 뛰도록 기뻤다.

"그러면 어떻게든지 해서 들어가도록 해주우." 하였다.

그리고 돈만 그렇게 벌게 되면 이 집에 신세진 것은 꼭 갚아야겠다 하며 자는 아기를 돌아보았을 때 저것을 떼고 남의 애에게 젖을 먹여? 하였다.

며칠 후에 몸이 다소 튼튼해진 봉염의 어머니는 드디어 젖유모로 채용이 되어 애기와 봉염이를 떨어치고 가게 되었다. 그리고 봉염이와 아기는 조그만 방을 세 얻어 있게 하였다. 그 후부터 아기는 봉염이가 맡아서 길렀다. 아기는 매일같이 밤만 되면 불이 붙는 것처럼 울고 자지 않았다. 그때마다 봉염이는 아기를 업고 잠 오는 눈을 꼬집어 당기면서 방 안을 거닐었다. 그리고 나중에는 아기와 같이 소리를 내어 울면서 어두운 문밖을 내다보곤 하는 때가 종종 있었다.

이렇게 지나기를 한 일 년이 되니 아기는 우는 것도 좀 나아지고 오줌이며 똥도 누겠노라고 낑낑대었다. 봉염이는 아기를 잘 거두어 주다가도 애가 놀러 왔는데 자꾸 운다든지 제 장난감을 흩뜨려 놓는다든지 하면 아기를 사정없이 때리었다. 그리고 미처 오줌과 똥을 누겠노라고 못 하고 방바닥에 싸놓으면 사뭇 죽일 것같이 아기를 메치며 때리곤 하였다. 그것은 아기가 미워서 때리는 게 아니고 제 몸이 고달프고 귀찮으니 그렇게 하는 것이었다. 아기의 이름은 봉염의 이름자를 붙여서 봉희라고 지었다. 봉희는 이젠 우유를 안 먹고 간간이 어머니의 젖과 밥을 먹었다. 그는 이제야 겨우 빨빨 기었다. 그리고 때로는 오뚝 일어서고 자착자착 걸었다. 그러나 눈치는 아주 엉뚱하게 밝았다. 그러므로 어떤 때는 똥과 오줌을 방바닥에 싸놓고도 언니가 때릴 것이 무서워서 "으아" 하고 때리기 전부터 미리 울곤 하였다. 그리고 어떤 때는 봉염이가 동무와 놀 양으로 봉희를 보고 자라고 소리치면 봉희는 잠도 안 오는 것을 눈을 꼭 감고서 땀을 뻘뻘 흘리며 자는 체하였다. 그가 돌이 지나도록 자란 것은 뼈도 아니요 살도 아니요 눈치와 머리통뿐이었다. 머리통은 조그만 바가지 통만은 하였다. 그리고 머리통이 몹시도 굳었다. 그러나 이 머리통을 싸고 있는 머리카락은 갓 낳던 그대로 노란 것이 아스스하였다. 어쨌든 그의 전체에서 명 붙어 보이는 곳이란 이 머리통같이도 보이고, 혹은 이 머리통이 너무 체에 맞지 않게 크므로 못 이겨서 오래 살지 못하고 죽을 것같이도 무겁게 보이곤 했다.

봉희는 어머니를 알아보았다. 그래서 어머니가 왔다 갈 때마다 그는 번번이 울었다. 그때마다 삼 모녀는 서로 붙안고 한참씩이나 울다가 헤지곤 하였다.

어느 여름날이다. 봉염이는 열병에 걸려 밥도 못 지어 먹고서 자리에 누워 있었다. 온몸이 불같이 뜨거워서 미처 어디가 아픈지도 알아 낼 수가 없었다. 곁에서 봉희는 "앵앵" 울었다. 봉염이는 어머니나 와주었으면 하면서 어제 먹다 남은 밥을 봉희의 앞에 놔주었다. 봉희는 울음을 그치고 밥을 퍼 넣는다. 봉염이는 눈을 딱 감고 팔을 이마에 올려놓았다. 그러다 신발 소리 같아 눈을 번쩍 떠서 보면 어머니는 아니요, 곁에서 봉희가 밥그릇 쥐어 당기는 소리다. 그는 화가 버럭 났다.

"잡놈의 계집애 한자리에서 먹지 여기저기 다니며 버려 놓니!"

눈을 부릅떴다. 봉희는 금시 울음이 터져 나오는 것을 참으며 입을 비죽비죽하였다. 그리고 문을 돌아보았다. 필시 봉희도 어머니를 찾는 것이라고 봉염이는 얼른 생각되었을 때 그는 "어머니!" 하고 소리치고 싶은 충동을 강하게 받았다. 그는 입술을 꼭 다물고 한참이나 울 듯 울듯이 봉희를 바라다보았다.

"봉희야, 너 엄마 보고 싶니? 우리 갈까?"

그는 누가 시켜 주는 듯이 이런 말을 쑥 뱉었다. 봉희는 말끄러미 보더니 밥술을 뎅그렁 놓고 달려온다. 봉염이는 아차 내가 공연한 말을 했구나! 후회하면서 봉희를 힘껏 껴안았다. 그때 두 줄기 눈물이 그의 볼에 뜨겁게 흘러내리는 것을 그는 깨달았다.

"어머이는 왜 안 나와. 오늘은 꼭 올 차례인데. 그렇지 봉희야!"

봉희는 아무것도 모르고, "응." 하고 대답할 뿐이었다.

"어서 밥 머. 우리 봉희는 착해."

봉염이는 봉희의 머리를 내려쓸고 내려놓았다. 봉희는 또다시 밥술을 쥐고 밥을 먹었다. 봉염이는 멍하니 천장을 바라보았다. 언제인가 어머니가 와서 깨끗이 쓸어 주고 가던 거미줄은 또다시 연기같이 슬어 붙었다. '어머니는 거미줄이 슬었는데도 안 온다니' 하였다. 그 후에도 어머니는 몇 번이나 왔건만 그 기억은 아득하여 이런 말을 하지 않고는 견디지 못하였다. 그는 돌아누우며 어머니가 조반을 먹고서 명수를 업고 문밖을 나오나… 에크 이젠 되놈의 상점은 지났겠다. 이젠 문 앞에 왔는지도 모르지 하고, 다시 문편을 흘금 바라보았다. 그러나 신발 소리는 들리지 않았다. 오직 봉희가 술 구는 소리뿐이다.

그는 벌떡 일어나서 문을 탁 열어 젖혔다. 봉희는 어쩐 까닭을 모르고 한참이나 언니를 말끄러미 바라보다가 발발 기어왔다.

그는 코에서 단김이 확확 내뿜는 것을 깨달으며 팔싹 주저앉았다.

밖에는 곁집 부인이 흰 빨래를 울바자에 바삭바삭 소리를 내며 널고 있었다. 바자 밖으로 넘어오는 손끝은 흡사히 어머니의 다정한 그 손인 듯, 그리고 금시로 젖비린내를 가득히 피우는 어머니가 저 바자 밖에 서 있는 듯하였다. 그는 젖비린내 속에 앉아 있으면 어쩐지 맘이 푹 놓이고 평안함을 느꼈다.

그는 못 견디게 어머니 품에 자기의 다는 몸을 탁 안기고 싶었다. 그는 목이 마른 듯하여 물을 찾았다. 그래서 봉희가 밥 말아 먹던 물을 마셨지마는 어쩐지 더 답답하였다.

이렇게 자리에 못 붙고 안타까워하던 그는 어느새 잠이 들었다가 무엇에 놀라 후닥닥 깨었다.

그의 얼굴에 수없이 붙었던 파리 소리만이 왱왱 하고 났다.

그는 얼른 봉희가 없는 데 정신이 바짝 들었다.

뒤이어 어머니가 왔었나? 그래서 봉희만 데리고 어디를 나갔나 하는 생각이 들자 그만 발악을 하고 울고 싶었다.

그는 미친 듯이 달려 일어났다. 그래서 밖으로 뛰어나가니 어머니와 봉희는 보이지 않았다. 그리고 찌는 듯한 더위는 마당이 붉어지도록 내리쪼인다. 어디 갔을까? 어머니가? 하고 울 밖에까지 쫓아나갔다가 앞집 부인을 만났다.

"우리 어머이 못 봤우?"

"못 봤어… 왜 어디 아프냐? 너."

어머니 못 봤다는 말에 더 말하고 싶지 않은 그는 눈이 벌게서 찾아다니다가 방으로 들어왔다. 그때 뒤뜰에서 무슨 소리가 나므로 벌떡 일어나 뛰어나갔다.

저편 뜨물 동이 옆에는 봉희가 붙어 서서 그 큰 머리를 숙이고 마치 젖 빨듯이 입을 뜨물 동이에 대고 뜨물을 꼴깍꼴깍 들이마시고 있다. 그리고 머리털은 햇볕에 불을 댄 것처럼 빨갛다.

5. 어머니의 마음

사흘 후에 봉염이는 드디어 죽고 말았다. 그의 어머니는 할 수 없이 유모를 그만두고 명수네 집에서 나오게 되었으며 봉희 역시 몹시 앓더니 그만 죽었다. 형제나 죽는 것을 본 주인집에서는 그를 나가라고 성화 치듯 하였다. 그는 참다못해서 주인마누라와 아우성을 치면서 싸웠다. 그리고 끌어내기 전에는 움직이지 않을 뜻을 보이고 하루 종일 방 안에 누워 있었다. 전날에 그는 미처 집세를 못 내도 주인 대하기가 거북하였는데 지금은 어디서 이러한 대담함이 생겼는지 그 스스로도 놀랄 만하였다.

이제도 그는 주인마누라와 한참이나 싸웠다. 만일 주인마누라가 좀 더 야단을 쳤다면 그는 칼이라도 가지고 달라붙고 싶었다. 그러나 다행히 주인마누라는 그 눈치를 채었음인지 슬그머니 들어가고 말았다.

“흥! 누구를 나가래. 좀 안 나갈걸, 암만 그래두.”

이렇게 중얼거리며 그는 문편을 노려보았다. 그리고 좀 더 싸우지 않고 들어가는 주인마누라가 어쩐지 부족한 듯하였다. 그는 지금 땅이라도 몇 십 길 파고야 견딜 듯한 분이 우쩍우쩍 올라왔던 것이다.

분이 내려가더니 잠깐 잊었던 봉염이 봉희, 명수까지 뻔히 떠오른다. 생각하면 할수록 그들은 자기가 일부러 죽인 듯했다. 그가 곁에 있었으면 애들이 그러한 병에 걸렸을는지도 모르거니와 설사 병에 걸렸다하더라도 죽기까지는 않았을 것 같았다. 그는 가슴을 탁탁 쳤다.

"남의 새끼 키우느라 제 새끼를 죽인단 말이냐… 이년들 모두 가면 난 어쩌란 말이. 날 마자 데려가라."

하고 소리를 내어 울었다. 그러나 음성도 이미 갈리고 지쳐서 몇 번 나오지 못하고 콱 막힌다. 그리고는 목구멍만 찢어지는 듯했다. 그는 기침을 칵칵 하며 문밖을 흘끔 보았을 때 며칠 전 일이 불현듯이 떠올랐다.

그날 밤 비는 좍좍 퍼부었다. 봉염의 어머니는 봉염이가 앓는 것을 보고 가서 도무지 잠들 수가 없었다. 그래서 밤중에 그는 속옷 바람으로 명수의 집을 벗어났다. 그가 젖 유모로 처음 들어갔을 때 밤마다 옷을 벗지 못하고 누웠다가는 명수네 식구가 잠만 들면 봉희를 찾아와서 젖을 먹이곤 하였다. 이 눈치를 챈 명수 어머니는 밤마다 눈을 밝히고 감시하는 바람에 그 후로는 감히 옷을 입지 못하고 누웠다가는 틈만 있으면 벗은 채로 달려오는 때가 종종 있었던 것이다. 그 밤, 낮에 다녀온 것을 명수 어머니가 뻔히 아는 고로 다시 가겠단 말을 못 하고 누웠다가 그들이 잠든 틈을 타서 소리 없이 문을 열고 나온 것이다. 사방은 지척을 분간할 수 없이 어두우며 몰아치는 바람결에 굵은 빗방울은 그의 벗은 어깨를 사정없이 내리쳤다. 그리고 눈이 뒤집히는 듯 번갯불이 번쩍이고 요란한 천둥소리가 하늘을 때려 부수는 듯 아뜩아뜩하였다.

그러나 그는 지금 아무것도 무서운 것이 없었다. 오직 그의 앞에는 저 하늘에 빛나는 번갯불같이 딸들의 신변이 각일각으로 걱정되었던 것이다.

그가 숨이 차서 집까지 왔을 때 문밖에 허연 무엇이 있음에 그는 깜짝 놀랐다. 그러나 그것은 봉염인 것을 직각하자 그는 와락 달려들었다.

"이년의 계집애 뒈지려고 예가 누웠냐?"

비에 젖은 봉염의 몸은 불같았다. 그는 또다시 아뜩하였다. 그리고 간폭을 긁어 내는 듯 함에 그는 부르르 떨었다. 따라서 젖유모고 무엇이고 다 집어뿌리겠다는 생각이 머리가 아프도록 났다. 그러나 그들이 방까지 들어와서 가지런히 누웠을 때 그의 머리에는 또다시 불안이 불 일듯 하였다. 명수가 지금 깨어서 그 큰집이 떠나갈 듯이 우는 것 같고 그리고 명수 어머니 아버지까지 깨어서 얼굴을 찡그리고 자기의 지금 행동을 나무라는 듯, 보다도 당장에 젖 유모를 그만두고 나가라는 불호령이 떨어지는 듯, 아니 떨어진 듯, 그는 두 딸의 몸을 번갈아 만지면서도 그의 손끝의 감촉을 잃도록 이런 생각만 자꾸 들었다. 그는 마침내 일어났다. 자는 줄 알았던 봉희가 젖꼭지를 쥐고 달려 일어났다. 그리고 "엄마!" 하고 울음을 내쳤다. 봉염이는 차마 어머니를 가지 말란 말은 못 하고 흑흑 느껴 울면서 어머니의 치마 깃을 잡고, "조금만 더…" 하던 그 떨리는 그 음성—그는 지금도 들리는 듯하였다. 아니 영원히 잊히지 않을 것이다.

그는 벌떡 일어났다. 그리고 이 모든 생각을 하지 않으려고 방안을 빙빙 돌았다. 그러나 불똥 튀듯 일어나는 이 쓰라린 기억은 어쩔 수가 없다. 그리고 명수의 얼굴까지 떠올라서 핑핑 돌아간다. 빙긋빙긋 웃는 명수.

"그놈 울지나 않는지…"

나오는 줄 모르게 이렇게 중얼거리고는 그는 억지로 생각을 돌리려고 맘에 없는 딴말을 지껄였다.

"에이 이놈의 자식 너 때문에 우리 봉희 봉염이는 죽었다. 물러가라!"

그러나 명수의 얼굴은 점점 다가온다. 손을 들어 만지면 만져질 듯이… 그는 얼른 손등을 꽉 물었다. 손등이 아픈 것처럼 그렇게 명수가 그립다. 그리고 발길은 앞으로 나가려고 주춤주춤하는 것을 꾹 참으며 어제 이맘때 명수의 집까지 갔다가도 명수 어머니에게 거절을 당하고 돌아오던 생각을 하며 맥없이 머리를 떨어뜨리었다. '흥! 제 자식 죽이고 남의 새끼 보고 싶어 하는 이 어리석은 년아, 왜 죽지 않고 살아 있어? 왜 살아, 왜 살아, 그때 죽었으면 이 고생은 하지 않지' 하며 남편의 죽은 것을 보고 따라 죽을까? 하던 그때 생각을 되풀이하였다. 그리고 자신이 이러한 비운에 빠지게 된 것은 남편이 죽었기 때문이라고 단정하였다. 그리고 남편을 죽인 공산당, 그에게 있어서는 철천지원수인 듯했다. 생각하면 팡둥도 그의 남편이 없기 때문에 그에게 그러한 일을 감행하지 않았던가. 그렇다 모두가 공산당 때문이다. 그때 공산당이라고 경비대에게 죽었다는 봉식이가 떠오르며 팡둥의 그 얼굴이 선명하게 나타난다.

"이놈 내 아들이 공산당이라구… 내쫓으려면 그냥 내쫓지 무슨 수작이냐, 더러운 놈… 봉식아 살았느냐 죽었느냐?"

그는 봉식이를 부르고 나니 어떤 실끝 같은 희망을 느꼈다. 국자가엘 가자, 그래서 봉식이를 찾자, 할 때 그는 가기 전에 명수를 봐야겠다는 생각이 불쑥 일어난다. 명수 명수야! 하고 입 속으로 부르며 무심히 그는 그의 젖꼭지를 꼭 쥐었다. 지금쯤은 날 부르고 울지 않는가?… 그는 와락 뛰어나왔다. 그러나 명수 어머니의 그 얼굴이 사정없이 그의 앞을 콱 가로막는 듯했다. 그는 우뚝 섰다.

"이년! 명수를 왜 못 보게 하니. 네가 낳기만 했지 내가 입때 키우지 않았니. 죽일 년, 그 애가 날 더 따르지, 널 따르겠니. 명수는 내 거다."

하고 눈을 부릅떴다. 그러나 다음 순간에 명수의 머리카락 하나 자유로 만져 보지 못할 자신인 것을 깨달을 때 그는 머리를 푹 숙였다.

고요한 밤이다. 이 밤의 고요함은 그의 활활 타는 듯한 가슴을 눌러 죽이려는 듯했다. 이러한 무거운 공기를 헤치고 물큰 스치는 감자 삶은 내! 그는 지금이 감자철인 것을 얼핏 느끼며 누구네가 감자를 이리도 구수하게 삶는가 하며 휘돌아보았다. 그리고 뜨끈한 감자 한 톨 먹었으면 하다가 흥! 하고 고소를 하였다. 무엇을 먹고 살겠다는 자신이 기막히게 가련해 보였던 것이다. 그는 벽을 의지해서 하늘을 멍하니 바라보았다. 하늘에는 달이 둥실 높이 떴고 별들이 종종 반짝인다. 빛나는 별, 어떤 것은 봉염의 눈 같고 봉희의 눈 같다. 그리고 명수의 맑은 눈 같다. 젖을 주무르며 쳐다보던 명수의 그 눈.

"에이 이놈 저리 가라!"

그는 또다시 이렇게 중얼거렸다. 그리고 봉희 봉염의 눈을 생각하였다. 엄마가 그리워서 통통 붓도록 울던 그 눈들, 아아 이 세상에서야 어찌 다시 대하랴…! 공동묘지에나 가볼까 하고 그는 충충 걸어 나올 때 달 아래 고요히 놓인 수없는 묘지들이 휙 지나친다. 그는 갑자기 싫은 생각이 냉수같이 그의 등허리를 지나친다. 여기에 툭 튀어나오는 달 같은 명수의 그 얼굴, 그는 멈칫 서며 죽음이란 참말 무서운 것이다 하며 시름없이 저편을 바라보았다. 그때 그는 무엇에 놀란 사람처럼 후닥닥 달려 나왔다.

앞집 처마 끝 그림자와 이 집 처마 끝 그림자 사이로 눈송이같이 깔리어 나간 달빛은 지금 명수가 자지 않고 자기를 부르며 누워 있을 부드러운 흰 포단과 같았던 것이다. 그러나 그것은 그의 볼을 사정없이 후려치는 듯한 달빛이었다. 그는 두 손으로 볼을 쥐고 그 달빛을 밟고 섰다. 그리고 "명수야!" 하고 쏟아져 나오는 것을 숨이 막히게 참으며 조금도 이지러짐이 없는 저 달을 쳐다보았다. 그의 눈에는 어느덧 눈물이 술술 흐른다. 그리고 정이란 치사한 것이다! 라고 생각하였다.

그는 문득 그의 그림자를 굽어보며 이제로부터 자신은 살아야 하나 죽어야 하나가 의문이 되었다. 맘대로 하면 당장이라도 죽어서 아무것도 잊으면 이 위에 더 행복은 없을 것 같다. 그러고 나니 그의 몸은 천근인 듯, 이 무게는 죽음으로써야 해결할 것 같다. 죽으면 어떻게 죽나? 양잿물을 마시고… 아니 그것은 못 할 게야 오장육부가 다 썩어 내리고야 죽으니 그걸 어떻게… 그러면 물에 빠져… 그의 앞에는 핑핑 도는 푸른 물결이 무섭게 나타나 보인다. 그는 흠칫하며 벽을 붙들었다. 사는 날까지 살자. 그래서 봉식이도 만나보고 그놈들 공산당들도 잘되나 못되나 보구. 하늘이 있는데 그놈들이 무사할까 부야. 이놈들 어디 보자. 그는 치를 부르르 떨었다. 마침 신발 소리가 나므로 그는 주인마누라가 또 싸우러 나오는가 하고 안방 편으로 머리를 돌렸다. 반대 방향에서,

"왜 거기 섰수?"

그는 휘근 돌아보자 용애 어머니임에 반가웠다. 그리고 저가 명수의 소식을 가지고 오는 듯싶었다.

"명수 봤수?"

"명수? 아까 낮에 잠깐 봤수."

"울지? 자꾸 울 게유!"

용애 어머니는 그를 물끄러미 바라보며 아까 명수가 발악을 하고 울던 생각을 하였다. 그리고 봉염의 어머니 역시 얼마나 명수를 보고 싶어 한다는 것을 즉석에서 알 수가 있었다.

"어제 갔댔수? 명수한테."

"예, 그년이, 죽일 년이 애를 보게 해야지 흥! 잡년 같으니."

용애 어머니는 잠깐 주저하다가,

"가지 말아요. 명수 어머니가 벌써 어서 알았는지 봉염이 봉희가 염병에 죽었다구 하면서 펄펄 뜁디다. 아예 가지 말아유."

그는 용애 어머니마저 원망스러워졌다.

"염병은 무슨 염병, 그 애들이 없는 데야 무슨 잔수작이래유. 그만두래. 내 그 자식 안 보면 죽을까, 뭐 안 가 안 가유 흥!"

명수 어머니가 앞에 서 있는 듯 악이 바락바락 치밀었다. 그의 기색을 살피는 용애 어머니는,

"그까짓 말은 그만둡시다 우리! 저녁이나 해자셨수?"

치맛길을 휩싸고 쪼그려 앉은 용애 어머니에게서는 청어 비린내가 물큰 일어난다. 그는 갑자기 자기가 배가 고파서 이렇게 더 어렵다는 것을 알았다. 그리고 용애 어머니에게 말하여 식은 밥이라도 좀 먹어야겠다 하였다.

"오늘도 또 굶었구려. 산 사람은 먹어야지유! 내 그럴 줄 알고 밥을 좀 가져오렸더니… 잠깐 기대리우 내 얼른 가져올게."

용애 어머니는 얼른 일어나서 나간다. 봉염의 어머니는 하반신이 끊어지는 듯 배고픔을 느끼며 겨우 방 안으로 들어가서 쾅 하고 누워 버렸다. 용애 어머니는 왔다.

"좀 떠보시유. 그리고 정신을 차려유. 그러구 살 도리를 또 해야지… 저 참 이 남는 장사가 있수?"

봉염의 어머니는 한참이나 정신없이 밥을 먹다가 용애 어머니를 바라보았다.

"아주 이가 많이 남아유. 저, 거시기 우리 영감도 그 벌이 하러 오늘 떠났다오."

"무슨 벌이유?"

벌이라는 말에 그의 귀는 솔깃하였다. 용애 어머니는 음성을 낮추며,

"소금장사 말유."

"붙잡히면 어찌유?"

봉염의 어머니는 눈을 둥그렇게 떴다.

"그러기에 아주 눈치 빠르게 잘 해야지. 돈벌이하라면 어느 것이나 쉬운 것이 어디 있수. 뭐."

그는 이렇게 말하면서 먼 길을 떠난 영감의 신변이 새삼스럽게 더 걱정이 되었다. 한참이나 그들은 잠잠하고 있었다.

"봉염의 어머니두 몸이 튼튼해지거들랑 좀 해봐유. 조선서는 소금 한 말에 삼십 전 안에 든다는데 여기 오면 이 원 삼십 전! 얼마나 남수."

그의 말에 봉염의 어머니는 기운이 버쩍 나면서도 다시 얼핏 생각하니 두 딸을 잃은 자기다. 남들은 아들딸을 먹여 살리려고 소금 짐까지 지지만 자신은 누구를 위하여…? 마침내 자기 일신을 살리려라는 결론을 얻었을 때 그는 너무나 적적함을 느꼈다. 그러나 아무리 자기 일신일지라도 스스로 악을 쓰고 벌지 않으면 누가 뜨물 한 술이나 거저 줄 것일까? 굶는다는 것은 차라리 죽음보다

도 무엇보다 무서운 것이다. 보다도 참기 어려운 것은 그것이다. 요전까지는 그의 정신이 흐리고 온 전신이 나른하더니 지금 밥술을 입에 넣으니 확실히 다르지 않은가. 그리고 가슴을 누르는 듯하던 주위의 공기가 가뿐해 오지 않는가. 살아서는 할 수 없다, 먹어야지… 그때 그는 문득 중국인의 헛간에서 봉희를 낳고 파뿌리를 씹던 생각이 났다. 그는 몸서리를 쳤다. 그리고 그 동안에 그는 명수네 집에 비록 맘 고통은 있었을지라도 배고픈 일은 당하지 않았다는 것을 처음으로 느꼈다. 그는 명수의 얼굴을 또다시 머리에 그리며 명수가 못 견디게 자꾸 울어서 명수 어머니가 할 수 없이 날 또다시 데려가지 않으려나? 하면서 밥술을 놓았다.

"왜 더 자시지. 이젠 아무 생각도 말구 내 몸 튼튼할 생각만 해유."

"튼튼할… 흥 사람의 욕심이란… 영감 죽어, 아들 딸…"

그는 음성이 떨리어 목멘 소리를 하면서 문편을 시름없이 바라보았다. 달빛에 무서우리만큼 파리해 보이는 그의 얼굴을 바라보는 용애 어머니는 나가는 줄 모르게 한숨을 쉬었다.

그리고 하늘도 무심하다 하며 달빛을 쳐다보았다.

"그럼 어쩌우 목숨 끊지 못하구 살 바에는 튼튼해야지. 지나간 일은 아예 생각지 말아유."

이렇게 말하는 용애 어머니는 그의 곁으로 다가앉으며 흐트러진 그의 머리를 만져 주었다.

그는 얼핏 명수가 젖을 먹으며 그 토실토실한 손으로 그의 머리카락을 쥐어뜯던 생각이 나서 적이 가라앉았던 가슴이 다시 후닥닥 뛴다. 그는 무의식간에 용애 어머니의 손을 덥석 쥐었다.

"명수 지금 잘까유?"

말을 마치며 용애 어머니 무릎에 그는 머리를 파묻고 소리를 내어 울었다. 어느덧 용애 어머니 눈에서도 눈물이 흘렀다.

"울지 마우. 그까짓 남의 새끼 생각지 말아유. 쓸데 있수?"

"한 번만 보구는… 난 안 볼래유. 이제 가유, 네 용애 어머니."

자기 혼자 가면 물론 거절할 것 같으므로 그는 용애 어머니를 데리고 가려는 심산이었다.

용애 어머니는 아까 입에 못 담게 욕을 하던 명수 어머니를 얼핏 생각하며 난처해하였다.

그래서 그는 언제까지나 잠잠하고 있었다. 봉염이 어머니는 벌떡 일어났다. 그리고 용애 어머니의 손을 잡아끌었다.

"봉염의 어머니, 좀 진정해유. 우리 내일 가봅시다."

하고 그를 꼭 붙들어 주저앉히었다. 달빛은 여전히 그들의 얼굴에 흐르고 있다.

6. 밀수입

북국의 가을은 몹시도 스산하다. 우레 같은 바람 소리가 대지를 뒤흔드는 어느 날 밤 봉염의 어머니는 소금 너 말을 자루에 넣어서 이고 일행의 뒤를 따랐다. 그들 일행은 모두가 여섯 사람인데 그 중에 여인은 봉염의 어머니뿐이었다. 앞에서 걷는 길잡이는 십여 년을 이 소금 밀수로 늙었기 때문에 눈 감고도 용이하게 길을 찾아가는 것이다. 그러므로 그들은 이 길잡이에게 무조건 복종을 하였다. 그리고 며칠이든지 소금 짐을 지는 기간까지는 벙어리가 되어야 하며 그 대신 의사 표시는 전부 행동으로 하곤 하였다.

그들은 열을 지어 나란히 걸었다. 바람은 여전히 불었다. 그들은 앞에 사람의 행동을 주의하며 이 바람 소리가 그들을 다그쳐

오는 어떤 신발 소리 같고 또 어찌 들으면 순사의 고함치는 소리 같아 숨을 죽이곤 하였다. 그리고 어제도 이 근방 어디서 소금 짐을 지다 총에 맞아 죽은 사람이 있다지 하며 발걸음 옮김을 따라 이러한 불안이 저 어둠과 같이 그렇게 답답하게 그들의 가슴을 캄캄케 하였다.

남들은 솜옷을 입었는데 봉염의 어머니는 겹옷을 입고 발가락이 나오는 고무신을 신었다. 그러나 추운 것은 모르겠고 시간이 지날수록 머리에 인 소금자루가 무거워서 견딜 수 없다. 머리 복판을 쇠뭉치로 사정없이 뚫는 것 같고 때로는 불덩이를 이고 가는 것처럼 자꾸 따가웠다. 그가 처음에 소금자루를 일 때 사내들과 같이 엿 말을 이렸으나 사내들이 극력 말리므로 애수한 것을 참고 너 말을 이게 된 것이다. 그런 것이 소금자루를 이고 단 십 리도 오기 전에 이렇게 머리가 아팠다. 그는 얼굴을 잔뜩 찡그리고 두 손으로 소금자루를 조금씩 쳐들어 아픈 것을 진정하였으나 아무 쓸데도 없고 팔까지 떨어지는 듯이 아프다. 그는 맘대로 하면 이 소금자루를 힘껏 쥐어뿌리고 그 자리에서 자신도 그만 넌쩍 죽고 싶었다. 그러나 그것은 공연한 맘뿐이었다. 발길은 여전히 사내들의 뒤를 따라간다. 사내들과 같이 저렇게 나도 등에 져보더라면… 이제라도 질 수가 없을까. 그러려면 끈이 있어야지 끈이… 좀 쉬어 가지 않으려나 쉬어 갑시다. 금시로 이러한 말이 입 밖에까지 나오다는 칵 막히고 만다. 그리고 여전히 손길은 소금자루를 들어 아픈 것을 진정하려 하였다.

이마와 등허리에서는 땀이 낙수처럼 흘러서 발밑까지 내려왔다. 땀에 젖은 고무신은 왜 그리도 미끄러운지 걸핏하면 그는 쓰러지려 하였다. 그래서 그는 정신을 바짝 차리면 벌써 앞에 신발 소리는 퍽 멀어졌다. 그는 기가 나서 따라오면 숨이 칵칵 막히고 옆구리까지 결린다. 두 말이나 일 것을… 그만 쏟아 버릴까? 어쩌누? 소금자루를 어루만지면서도 그는 차마 그리하지는 못하였다.

어느덧 강물 소리가 어렴풋이 들린다. 그들은 이 강물 소리만 들어도 한결 답답한 속이 좀 풀리는 듯하였다. 강가에 가면 이 소금 짐을 벗어 놓고 잠시라도 쉴 것이며 물이라도 실컷 마실 것 등을 생각하였던 것이다. 그러면서도 강 저편에 무엇들이 숨어 있지나 않을까? 하는 불안이 강물 소리를 따라 높아진다. 봉염의 어머니는 시원한 강물 소리조차도 아픔으로 변하여 그의 고막을 바늘끝으로 꼭꼭 찌르는 듯 이 모양대로 조금만 더 가면 기진하여 죽을 것 같았다. 마침 앞에 사내가 우뚝 서므로 그도 따라 섰다. 바람이 무섭게 지나친 후에 어디선가 벌레 울음소리가 물결을 따라 들렸다. 낑 하고 앞에 사내가 앉는 모양이다. 그도 털썩 하고 소금자루를 내려놓으며 쓰러졌다. 그리고 얼른 머리를 두 손으로 움켜쥐며 바늘로 버티어 있는 듯한 눈을 억지로 감았다. 그러면서도 앞에 사내들이 참말로 다들 앉았는가. 나만이 이렇게 쓰러졌는가 하여 주의를 게을리 하지 않았다.

아픈 것이 진정되니 온몸이 후들후들 떨린다. 그는 몸을 웅크릴 때 앞에 사내가 그를 꾹 찌른다. 그는 후닥닥 일어났다. 사내들의 옷 벗는 소리에 그는 한층 더 정신이 바짝 들었다. 그는 잠깐 주저하다가 옷을 훌훌 벗어 돌돌 뭉쳐서 목에 달아매었다. 그때 그는 놀릴 수 없이 아픈 목을 어루만지며 용정까지 이 목이 이 자리에 붙어 있을까? 하는 의문이 들었다. 그리고 사내가 이어 주는 소금자루를 이고 다시 걷기 시작하였다.

벌써 철버덕철버덕 하는 물소리가 나는 것으로 보아 앞에 사람은 강물에 들어선 모양이다. 벌써 그의 발끝이 모래사장을 거쳐 물속에 들어간다. 그는 으스스 추우며 알 수 없는 겁이 버쩍 들어서 물결을 굽어보았다. 시커멓게 보이는 그 속으로 물결 소리만이 요란하였다. 그리고 뭉클뭉클 내리 밀치는 물결이 그의 몸을 울려 주었다. 그때마다 머리끝이 쭈뼛해지며 오한을 느꼈다. 그리고 흑 하고 숨을 들이마셨다.

물이 깊어 갈수록 발밑에 깔린 돌이 굵어지며 걷기도 몹시 힘들었다. 그것은 돌이 께느른한 해감탕(바닷물 따위에서 흙과 유기물이 썩어서 이루어진 진흙탕) 속에 묻히어 있기 때문이다. 그래서 걸핏하면 미끈하고 발끝이 줄달음을 치는 바람에 정신이 아득해지곤 하였다. 봉염의 어머니는 몇 번이나 발이 미끄러지고 또 곱디디(발을 접질리게 디디다)었다. 물은 젖가슴을 확실히 지나쳤다. 그때 그의 발끝은 어떤 바위를 디디다가 미끈하여 달음질쳐 내려간다. 그 순간 온몸이 화끈해지도록 그는 소금자루를 버티고 서서 넘어지려는 몸을 바로잡으려 하였다. 그러나 벌어지는 다리와 다리를 모두는 수가 없었다. 그리고 소리를 쳐서 앞에 사내들에게 구원을 청하려 하나 웬일인지 숨이 막히고 답답해지며 암만 소리를 질러도 나오지도 않거니와 약간 나오는 목소리도 물결과 바람결에 묻혀 버리곤 하였다. 그는 죽을힘을 다하여 왼발에 힘을 들이고 섰다. 그때 그는 죽는 것도 무서운 것도 아뜩하고 다만 소금자루가 물에 젖으면 녹아 버린다는 생각만이 미끄러져 내려가는 발끝으로부터 머리털끝까지 뻗치었다.

앞서 가는 사내들은 거의 강가까지 와서야 봉염의 어머니가 따르지 않는 것을 눈치 채고 근방을 찾아보다가 하는 수 없이 길잡이가 오던 길로 와보았다. 길잡이는 용이하게 그를 만났다. 그리고 자기가 조금만 더 지체하였더라면 봉염이 어머니는 죽었으리라 직각되었다. 그는 봉염이 어머니의 손을 잡아 일으키며 일변 소금자루를 내리어 자기의 어깨에 메었다. 그리고 그의 발끝에 밟히는 바위를 직각하자 봉염이 어머니가 이렇게 된 원인이 여기 있는 것을 곧 알았다. 그리고 자기는 이 바위 옆을 훨씬 지나쳐 길을 인도하였는데 어쩐 일인가 하며 봉염이 어머니의 손을 꼭 쥐고 걸었다.

봉염의 어머니는 정신이 흐릿해졌다가 이렇게 걷는 사이에 정신이 조금 들었다. 그러나 몸을 건사하기 어렵게 어지러우며 입 안에서 군물이 실실 돌아 헛구역질이 자꾸 나온다. 그러면서도 머리에는 아직도 소금자루가 있거니 하고 마음대로 머리를 움직이지 못하였다. 그들이 강가까지 왔을 때 맘을 졸이고 있던 나머지 사람들은 욱 쓸어 일어났다. 그리고 저마다 두 사람을 어루만지며 어떤 사람은 눈물까지 흘리었다. 자기들의 신세도 신세려니와 이 부인의 신세가 한층 더 불쌍한 맘이 들었다. 동시에 잠 한 잠 못 자고 오롯이 굶어 오며 자기들을 기다리고 있을 아내와 어린것들이며 부모까지 생각하고는 뜨거운 한숨을 푸푸 쉬었다.

그 순간이 지나가니 또다시 맘이 졸이고 무서워서 잠시나마 가만히 앉아 있을 수가 없었다. 그래서 그들은 이번에는 봉염의 어머니를 가운데 세우고 여전히 걸었다. 이번에는 밭고랑으로 가는 셈인지 봉염이 어머니는 발끝에 조 벤 자국과 수수 벤 자국에 찔리어서 견딜 수 없이 아팠다. 그는 몇 번이나 고무신을 벗어 버리려 했으나 그나마 버리지는 못하였다. 그는 언제나 이렇게 맘을 내고도 한 번도 그의 속이 흡족하게 실행하지는 못하였다. 그저 망설였다. 나중에는 고무신이 찢어져 조뿌리나 수수뿌리에 턱턱 걸려 한참씩이나 진땀을 뽑으면서도 여전히 버리지는 못하였다.

그들이 어떤 산마루턱에 올라왔을 때,

"누구냐? 손들고 꼼짝 말고 서라. 그렇지 않으면 쏠 터이다!"

이러한 고함소리와 함께 눈이 부시게 파란 불빛이 "쏴" 하고 그들의 얼굴에 비친다. 그들은 이 불빛이 마치 어떤 예리한 칼날 같고 또 그들을 향하여 날아오는 총알 같아서 무의식간에 두 손을 번쩍 들었다. 그리고 이젠 소금을 빼앗겼구나! 하고 그들은 저만큼 속으로 생각하였다. 이렇게 단정은 하면서도 웬일인지 저들이 공산당이 아닌가! 혹은 마적단인가 하며 진심으로 그리 되었으면 하고 바랐다. 공산당이나 마적단들에게는 잘 빌면 소금 짐 같은 것은 빼앗기지 않기 때문이었다.

길잡이로부터 시작하여 깡그리 몸 뒤짐을 하고 난 저편은 꺼풋하고 불을 끄고 한참이나 중얼중얼하였다. 그들은 불을 끄니 전신이 소름이 오싹 끼치며, 저놈들이 칼을 빼어 들었는가! 혹은 총부리를 겨누었는가 하여 견딜 수 없이 안타까웠다. 그때 어둠 속에서는,

"여러분! 당신네들이 왜 이 밤중에 단잠을 못 자고 이 소금 짐을 지게 되었는지 아십니까!"

쇳소리 같은 웅장한 음성이 바람결을 타고 높았다 떨어진다. 그들은 옳다! 공산당이구나! 소금은 빼앗기지 않겠구나. 저들에게 뭐라구 사정하면 될까 하고 두루 생각하였다. 저편의 음성은 여전히 흘러나왔다. 그들은 말하는 시간이 지날수록 어서 말을 그치고 놓아 보냈으면 하였다. 그리고 이 산 아래나 혹은 이 산 저편에 경비대가 숨어 있어 우리들이 공산당의 연설을 듣고 있는 것을 들으면 어쩌나 하는 불안이 자꾸 일어난다. 봉염의 어머니는 저편의 연설을 듣는 사이에 싼더거우 있을 때 봉염이를 따라 학교에 가서

선생의 연설 듣던 것이 얼핏 생각하며 흡사히도 그 선생의 음성 같았다. 그는 머리를 번쩍 들며 저편을 주의해 보았다. 다만 칠 같은 어둠만이 가로막힌 그 속으로 음성만 들릴 뿐이다. 그는 얼른 우리 봉식이도 저 가운데나 섞이지 않았는가 하였으나 그는 곧 부인하였다. 그리고 봉식이가 보통아이와 달라 똑똑한 아이니 절대로 그런 축에는 섞이지 않았을 것이라고 단정되었다. 이렇게 생각하고 나니 봉식이에 대한 불안은 적어지나 저들의 말하는 것이 어쩐지 이 소금자루를 빼앗으려는 수단 같기도 하고 저 말을 그치고 나면 우리를 죽이려는가 하는 의문이 자꾸 들었다.

어둠 속에서 연설이 끝난 후에 원로에 잘 다녀가라는 인사까지 받았다. 그들은 얼결에 또다시 걸었다. 그러면서도 저들이 우리를 돌려보내는 것처럼 하고 뒤로 따라오며 총질이나 하지 않으려나 하여 발길이 허둥거렸다. 그러나 그들이 산을 넘어 밭머리로 들어설 때 비로소 안심하고 …(원문 탈락)… 한숨 끝에 탄식하였다.

봉염의 어머니는 조급한 맘을 진정할수록 저들이 의심할 수 없는 공산당들이었구나! 하였다. 그리고 아까 그들의 앞에서 꼼짝하지 못하고 섰던 자신을 비웃으며 세상에 제일 못난 것은 자기라 하였다. 남편을 죽이고 자기를 이와 같은 구렁에 빠뜨린 저들 원수를 마주서고도 말 한마디 못 하고 떨고 섰던 자신! 보다도 평시에 저주하고 미워하던 그 맘조차도 그들 앞에서는 감히 생각도 못 한 자기. 아아! 이러한 자기는 지금 살겠노라고 소금자루를 지고 두 다리를 움직인다. 그는 기가 막혀서 웃음이 나올 지경이었다. 그리고 못난 바보일수록 살겠다는 욕망은 더 크다고 깨달았다. 동시에 한 가지 의문 되는 것은 저들이 어째서 우리들의 소금 짐을 빼앗지 않고 그냥 보내었을까가 의문이었다. 그렇게 사람 죽이기를 파리 죽이듯 하고 돈과 쌀을 잘 빼앗는 그놈들이… 하며 그는 이제야 저주하기 시작하였다.

그들은 낮에는 산 속에서 혹은 풀숲에서 숨어 지내고 밤에만 걸어서 사흘 만에야 겨우 용정까지 왔다. 집까지 온 봉염의 어머니는 소금자루를 얻다가 감추어야 좋을지 몰라 한참이나 망설이다가 낡은 상자 안에 넣어서 방 한구석에 놓고야 되는 대로 주저앉았다. 방 안에는 찬바람이 실실 돌고 방바닥은 얼음덩이같이 차다. 그는 머리와 발가락을 어루만지며 목이 메어서 울었다. 집에 오니 또다시 봉염이며 봉희며 명수까지 선하게 보이는 듯 하였던 것이다. 그들이 곁에 있으면 이렇게 쓰리고 아픈 것도 한결 나을 것 같다. 그는 한참이나 울고 난 뒤에 사흘 동안이나 지난 생각을 하며 무의식간에 몸서리를 쳤다. 그리고 이 눈물도 여유가 있어야 나온다는 것을 알았다. 그는 으흠 하고 신음을 하며 누울 때 소금 처치할 것이 문득 생각한다. 남들은 벌써 다 팔았을 터인데 누가 소금 사러 오지 않는가 하여 문편을 흘금 바라보다가 내가 소금 짐을 져왔는지, 이고 왔는지, 누가 알아야지 그만 내가 일어나서 앞집이며 뒷집을 깨워서 물어 볼까? 그러다가 참말 순사를 만나면 어떻게, 하며 그는 부스스 일어나려 하였다. 아! 소리를 지르도록 다리뼈 마디가 맞질리어 그는 한참이나 진정해 가지고야 상자 곁으로 왔다.

그는 잠깐 귀를 기울여 밖을 주의한 후에 가만히 손을 넣어 소금자루를 쓸어 만졌다. 이것을 팔면 얼만가… 팔 원하고 팔십 전! 그러면 밀린 집세나 마저 물고… 한 달 살까? 이것을 밑천으로 무슨 장사라도 해야지. 무슨 장사…? 하며 그는 무심히 만져지는 소금덩이를 입에 넣으니 어느덧 입 안에는 군물이 스르르 돌며 밥이라도 한술 먹었으면 싶게 입맛이 버쩍 당긴다. 그는 입맛을 다시며 침을 두어 번 삼킬 때 소금이란 맛을 나게 한다. 아무리 좋은 음식이나 소금이 들지 않으면 맛이 없다. 그렇다! 하였다. 그때 그는 문득 남편과 아들딸이 생각하며 그들이 있으면 이 소금으로 장을 담가서 반찬해서 먹으면 얼마나 맛이 있을까! 그러나 그들을 잃은 오늘에 와서 장을 담을 생각인들 할 수가 있으랴! 그저 죽지 못해 먹는 것이다. 그는 한숨을 푹 쉬었다. 생각하니 자신은 소금 들지 않은 음식과 같이 심심한 생활을 한다. 아니 괴로운 생활을 한다. 이렇게 괴로운… 하며 그는 머리를 슬슬 어루만졌다. 머리는 얼마나 일그러지고 부어올랐는지 만질 수도 없이 아프고 쓰리었다. 그는 얼굴을 상자에 대며, 봉식아, 살았느냐 죽었느냐 이 어미를 찾으렴… 난 더 살 수 없다!

어느 때인가 되어 무엇에 놀라 그는 벌떡 일어났다. 벌써 날은 환하게 밝았는데 어떤 양복쟁이 두 명이 소금자루를 내놓고 그를 노려보고 있다. 그는 그들이 순사라는 것을 번개같이 깨닫자 풀풀 떨었다.

"소금표 내놔!"

관염(官鹽)은 꼭 표를 써주는 것이다. 그때 그는 숨이 콱 막히며 앞이 캄캄해 왔다. 그리고 얼른 두만강에서 소금자루를 빠뜨리지 않으려고 죽을힘을 다하였었던 그때와 흡사하게도 그의 신경이 날카로워지는 것을 느꼈다. 그때는 길잡이가 와서 그의 손을 잡아 살아났지만 아아! 지금에 단포와 칼을 찬 저들을 누가 감히 물리치고 자기를 구원할까?

"이년! 너 사염(私鹽, 소금이 전매품이었을 때 개인이 허가 없이 파는 소금)을 팔러 다니는 년이구나. 당장 일어나라!"

순사는 그의 눈치를 채고 이것이 관염이 아닌 것을 곧 알았다. 그래서 그는 이렇게 소리치며 그의 손을 잡아 낚아챘다.

지하촌

글 _ 강경애

해는 서산 위에서 이글이글 타고 있다. 칠성이는 오늘도 동냥자루를 비스듬히 어깨에 메고 비틀비틀 이 동리 앞을 지났다. 밑 뚫어진 밀짚모자를 연신 내려쓰나, 이마는 따갑고 땀방울이 흐르고 먼지가 연기같이 끼어, 그의 코밑이 매워 견딜 수 없다.

"이애 또 온다."

"어 아."

동리서 놀던 애들은 소리를 지르며 달려온다. 칠성이는 조놈의 자식들 또 만나는구나 하면서 속히 걸었으나, 벌써 애들은 그의 옷자락을 툭툭 잡아당겼다.

"이애 울어라 울어."

한 놈이 칠성의 앞을 막아서고 그 큰 입을 헤벌리고 웃는다. 여러 애들은 죽 돌아섰다.

"이애! 이애, 네 나이 얼마?"

"거게 뭐 얻어오니 ? 보자꾸나."

한 놈이 동냥자루를 툭 잡아채니, 애들은 손뼉을 치며 좋아한다. 칠성이는 우뚝 서서 그중 큰놈을 노려보고 가만히 서 있었다. 앞으로 가려든지 또 욕을 건네면, 애들은 더 흥미가 나서 달라붙는 것임을 잘 알기 때문이다.

"바루 바루 점잖은데."

머리 뾰죽 나온 놈이 나무꼬챙이로 갓 누운 듯한 쇠똥을 찍어 들고 대들었다. 여러 놈은 깔깔거리면서 저마다 쇠똥을 찍어들고 덤볐다. 칠성이도 여기는 참을 수 없어서 막 서두르며 내달아갔다.

두 팔을 번쩍 들고 부르르 떨면서 머리를 비틀비틀 꼬다가 한 발 지척 내디디곤 했다. 애들은 이 흉내를 내며 따른다. 앞으로 막아서고 뒤로 따르면서 깡충깡충 뛰어 칠성의 얼굴까지 똥칠을 해놓는다. 그는 눈을 부릅뜨고,

“이, 이놈들!”

입을 실룩실룩하다가 겨우 내놓는 말이다.

“이, 이놈들!”

하고 또한 흉내를 내고는 대굴대굴 굴면서 웃는다. 쇠똥이 그의 입술에 올라가자, 앱…투… 하고 침을 뱉으면서 무섭게 눈을 떴다.

“무섭다, 바루 바루.”

애들은 참말 무섭게 보았는지 슬금슬금 꽁무니를 빼기 시작하였다. 칠성이는 팔로 입술을 비비치고 떠들며 돌아가는 애들을 물끄러미 바라보았다. 웬일인지 자신은 세상에서 버림을 받은 듯 그렇게 고적하고 분하였다.

그들이 물러간 후에, 신작로는 적적하고 죽 뻗어 나가다가, 조밭을 끼고 조금 굽어진 저 앞이 뚜렷했다. 그 위에 수수밭 그림자 서늘하고… 그는 걸었다. 옷에 묻은 쇠똥을 털었으나 떨어지지 않을 뿐 아니라. 퍼렇게 물이 든다. 그는 어디라 없이 멍하니 바라보다가 산 밑으로 와서 주저앉았다.

긴 풀에 잔바람이 홀홀히 감기고 이따금 들리는 벌레소리, 어디 샘물이 있는가 싶었다. 그는 보기 싫게 돋은 머리를 벅벅 긁어당기며 무심히 앞을 보았다. 수림 속에 햇발이 길게 드리웠고. 짹짹 하는 새소리 처량하게 들리었다. 난 왜 병신이 되어 그놈의 새끼들한테까지 놀림을 받나 하고 불쑥 생각하면서 곁의 풀대를 북 뽑았다.

손목은 찌르르 울렸다.

큰녠이가 살까! 그는 눈이 멀고도 사는데, 난 그보다야 훨씬 낫지. 강아지의 털같이 보드라운 털을 가진 풀 열매를 바라보며 이렇게 생각하였다. 큰녠이가 천천히 떠오른다. 곱게 감은 눈, 고것 참! 그는 진저리를 쳤다. 그리고 곁에 놓인 동냥자루를 보면서 오늘 얻어온 것 중에 가장 맛있고 좋은 것으로 큰 녠에게 보내야 하지 하였다. 어떻게 보낼까? 밤에 바자 위로 넘겨줄까. 큰녠이가 나와 바자 곁에 서 있어야 되지. 그럼 누가 나오라고는 해둬야지. 누가 그래. 안 되어.

그럼 칠운이 들려서 보내야지. 아니, 아니, 큰 녠의 어머니가 알게 되고 또 우리 어머니 알지, 안 되어. 낮에 김들 매러 간 다음에 몰래 바자로 넘겨주지. 그는 가슴이 설레어서 부스스 일어나고 말았다.

가죽을 벗겨낼 듯이 내려 쬐던 해도 어느덧 산 속으로 숨어버리고, 어디선가 불어오는 바람이 풀잎을 살랑살랑 흔들고 그의 몸에 스며든다. 그는 동냥자루를 매만지다가, 어깨에 메고 지척하고 발길을 내디디었다.

하늘은 망망한 바다와 같이 탁 터지고, 저 멀리 붉은 너울이 유유히 떠돌고 있다. 그는 밀짚모자를 젖혀 쓰고 산 밑을 떠났다. 걸음에 따라 쇠똥냄새가 물씬하고 났다.

그가 산모퉁이를 돌아 동리 앞까지 왔을 때, 그의 동생인 칠운이가 아기를 업고 쪼루루 달려온다.

“성 이제 오네. 히, 자꾸자꾸 봐도 안 오더니.”

큰 눈에 웃음을 북실북실 띄고 형의 곁으로 다가서는 칠운이는 시커먼 동냥자루를 덥석 쥐어 무엇을 얻어온 것을 어서 알려고 하였다.

"오늘도 과자 얻어왔어?"

"아아니."

칠성이는 얼른 동냥자루를 옮기고 주춤 물러섰다. 칠운이는 따라섰다.

"나 하나만 응야. 성아."

침을 꿀떡 넘기고 새카만 손을 내민다. 그 바람에 아기까지 두 손을 쭉 펴들고 칠성이를 말끔히 쳐다본다.

"이, 이 새끼는…"

칠성이는 홱 돌아섰다. 칠운이는 넘어질 듯이 쫓아갔다.

"응야 성아, 나 하나만."

"없, 없어…"

형은 눈을 치떴다. 칠운이는 금시로 눈물이 글썽글썽해서 형을 보았다.

"난 어마이 오면 이르겠네. 씨. 도무지 안 준다고, 아까 어마이가 밭에 가면서 아기 보라면서 저 성이 사탕 얻어다준다고 했는데, 씨, 난 안 준다고 다 일러, 씨 흥."

칠운이는 입을 비쭉 하더니, 주먹으로 눈물을 씻는다. 아기는 영문도 모르고 으아 하고 울음을 내쳤다.

주위는 감실감실 어두워오는데, 칠운이는 흑흑 느껴 울면서 그들의 어머니가 올라가 있을 저 산을 바라보고 뛰어간다.

"어머이. 어머이." 하고 칠운이가 목메어 부르면, 번번이 아기도, "엄마, 엄마." 하고 또랑또랑히 불렀다, 응응 하는 앞산의 반응은 어찌 들으면 어머니의 -왜-하는 대답 같기도 했다. 칠성이는 칠운이와 영애가 보이지 않는 것만 다행으로 돌아서 걸었다.

동네는 어둠에 푹 싸여 아무 것도 보이지 않으나, 동네 앞으로 우뚝 서 있는 늙은 홰나무만이 별을 따려는 듯 높아 보였다. 그는 이제 어떻게 해서라도 큰년이를 만날 것과, 또 얻어온 이 과자를 큰 년의 손에 꼭 쥐어줄 것을 생각하며 걸었다.

"칠성이냐?"

어머니의 음성이 들린다. 그는 돌아보았다. 나무를 한 짐 이고 이리로 오는 어머니의 얼굴은 보이지 않으나, 웬일인지 그의 머리가 숙어지는 듯해서 번쩍 머리를 들었다.

"왜 오늘 늦었느냐?"

아까 밭에서 산으로 올라갈 때 몇 번이나 아들이 나오는가 하여 눈이 가물가물 해지도록 읍 길을 바라보아도 안 보이므로 어디가 넘어져 애를 쓰는가, 또 애새끼들한테서 돌팔매질을 당하는가 하여 읍에까지 가볼까 하였던 것이다. 칠성이는 어머니의 이 같은 물음에 애들에게 쇠똥칠 당하던 것이 불시에 떠오르고, 코허리가 살살 간지럽기 시작하였다.

어머니는 갈잎 냄새를 확 풍기면서 그의 곁으로 다가선다. 그 큰 짐을 이고서 아기까지 둘러업었다.

"어마이, 나 사탕 성은 안 준다야 씨."

칠운이는 어머니의 치맛귀를 잡고 늘어진다. 그 바람에 어머니는 앞으로 쓰러질 듯했다가 도로 서서 한 손으로 칠운이를 어루만졌다.

"저놈의 새, 새끼, 주 죽이고 말라."

칠성이는 발길로 칠운이를 차려 하였다. 어머니는 또 쓰러질 듯 막아섰다.

"그러지 말어라. 원 그것이 해 종일 아기 보느라 혼났다. 허리에는 땀띠가 좁쌀 알 같이 쪽 돋았구나. 여북 아프겠니. 원.”

어머니는 말끝에 한숨을 푹 쉬인다. 칠성이는 문득 쇠똥 내를 물큰 맡으면서 화를 버럭 올리었다.

“누, 누구는 가만히 앓아 있었나!”

“아니 그렇게 하는 말이 아니어, 칠성아.”

어머니는 목이 메어 다시 말을 계속하지 못한다. 그들은 잠잠히 걸었다.

집에 온 그들은 나뭇단 위에 되는 대로 주저앉았다. 어머니는 칠성의 마음을 위로하느라고 이 말 저 말을 끄집어냈다.

“올해는 웬 살 쐬기 그리 많으냐. 손이 얼벌벌하구나.”

어머니는 그 손을 한번쯤 들여다보고 싶은 것을 참고 아이를 어루만지다가 젖을 꺼냈다. 칠운이는 나뭇단을 퉁퉁 차면서 흥흥거린다. 칠성이는 동생들이 미워서 더 앉아 있을 수가 없어 일어났다. 그는 어둠 속을 휘 살피고 큰년이가 저 속에 어디 섰지 않는가 했다.

방으로 들어온 칠성이는 이제 툇돌에 움찔린 발가락을 엉덩이로 꼭 눌러 앉고 일변 칠운이가 들어오지 않는가 귀를 기울이며 문을 길었다. 그리고 동냥자루를 가만히 쏟았다. 흩어지는 성냥과 쌀알 흐르는 소리. 솜털이 오싹 일어, 그는 몸을 움찔하면서 얼른 손을 내밀어 하나하나 만져보았다. 역시 그 안에 있는 돈 생각이 나서, 돈마저 꺼내 가지고 우두커니 들여다보았다, 비록 방안이 어두워서 그 모든 것이 보이지 않으나, 눈곱같이 눈구석에 박혀 있는 듯했다.

성냥갑 따로, 쌀과 과자부스러기 따로 골라 놓고 문득 큰년이를 생각하였다. 어느 것을 주나, 얼른 과자를 쥐며 이것을 주지, 하고 하나 집어 입에 넣었다. 바작 소리가 이 사이에 돌고 달큼한 물이 사르르 흐른다. 그는 입맛을 다시고 나서 칠운이가 엿듣는가? 다시 한 번 조심했다.

그는 온 손에 땀이 나도록 쥐고 있는 돈을 펴서 보고 한 푼 한 푼 세어보다가, 이것으로 큰년의 옷감을 끊어 다 주면 얼마나 큰년이가 좋아할까, 고의 가슴은 씩씩 뛰었다. 고것 왜 우리 집엘 안 올까, 오면 내가 돈도 주고 이 과자도 주고 또 큰년이가 달라는 것이면 내 다 주지, 응 .그래. 이리 생각되자 그는 어쩐지 마음이 송구해졌다. 해서 성냥갑과 과자부스러기를 한데 싸서 저편 갈자리(삿자리, 갈대를 엮어서 만든 자리)밑에 밀어놓고, 돈도 거기에 넣은 담에 쌀만 아랫방에 내려놓았다. 그리고 뒷문 곁으로 바싹 다가앉아서 큰년네 바자를 바라다보았다.

바자에 호박넌출이 엉키었고 그 위에 벌들이 팔팔 날았다. 어떻게 만날까, 그는 무심히 발가락을 쥐고 아픔을 느꼈다. 서늘한 바람이 그의 볼 위에 흘러내렸다. 그는 안타까웠다. 지금 이 발끝이 아픈 것보다도 어딘가 모르게 또 아픈 것을 느낀다.

“이애 밥 먹어.”

칠성이는 놀라 돌아다보았다. 어머니가 샛문 밖에 서 있다는 것을 알자, 웬일인지 가슴 한구석에 공허를 아득하게 느꼈다,

“왜 은을 걸었나?”

어머니는 문을 잡아챘다. 과자를 달라거나 돈을 달래려고 저 미도 문을 잡아 흔드는 것 같다. 그는 와락 미운 생각이 치올랐다,

“난, 난 안 먹어!”

꽥 소리쳤다. 전신이 후루루 떨린다.

“장에서 뭐 먹고 왔니?”

어머니의 음성은 가늘어진다. 언제나 칠성이가 화를 낼 땐 어머니는 저리도 기운이 없어진다. 한참 후에,

"좀 더 먹으렴."

"시, 싫여."

역시 소리를 질렀다. 그러나 어머니는 뭐라고 웅얼웅얼하더니 잠잠해버린다. 칠성이는 우두커니 앉았노라니 자꾸만 갈자리 속에 넣어둔 과자가 먹고 싶어 가만히 갈자리를 들썩하였다. 먼짓내 싸하게 올라오고 빈대 냄새 역하다. 그는 자리를 도로 놓고, 내일 아침에 큰년이 줄 것인데 내가 먹으면 안 되지 하고, 획 돌아앉고도 부지중에 손은 갈자리를 어루쓸고(어루더듬다) 있다. 큰년이 줘야지, 냉큼 손을 떼고 문턱을 꽉 붙들었다.

마침 바람이 산들산들 밀려들어 이마에 흐른 땀을 선뜻하게 한다. 그는 얼른 적삼을 벗어 던지고, 그 바람을 안았다. 온몸이 가려운 듯하여 벽에다 몸을 비비 치니 어떤 쾌미가 일어, 부지중에 그는 몸을 사정없이 비비 치고 나니 숨이 차고 등가죽이 벗어져 아팠다. 그래서 벽을 붙들고 일어나 나왔다.

몸을 움직이니 아니 아픈 곳이 없다. 손끝에 가시가 박혔는지 따끔거리고 팔뚝이 쓰라리고 아까 다친 발가락이 새삼스러이 더 쏘고. 그는 꾹 참고 걸었다.

울바자 밑에 나란히 서 있는 부초 종 끝에 별빛인가도 의심나게 흰 꽃이 다문다문 빛나고, 간혹 맡을 수 있는 부초 냄새는 계집이 곁에 와 섰는가 싶게 야릇했다, 그는 바자 곁으로 다가섰다.

큰년에 집에선 모깃불을 피우는지 향긋한 쑥 냄새가 솔솔 넘어오고, 이따금 모깃불이 껌벅껌벅하는데 두런두런하는 소리에 귀를 세우니. 바자가 바삭바삭 소리를 내고, 호박잎의 솜털이 그의 볼에

따끔거린다. 문득 그는 바자 저편에 큰년이가 숨어서 나를 엿보지 나 않나 하자 얼굴이 확확 달았다.

어느 때인가 되어 가만히 둘러보니, 옷에 이슬이 촉촉하였고, 부초 꽃이 물속에 잠긴 차돌처럼 그 빛을 환히 던지고 있다, 모깃불도 보이지 않고 캄캄하며, 어디선가 벌레소리가 쓰르릉 하고 났다. 그는 방으로 들어서자 가슴이 답답하였다.

이튿날 아침에 눈을 뜨니, 벌써 뒤뜰은 햇빛으로 가득하였다. 칠성이는 일어나는 참에 어머니와 칠운이가 아직도 집에 있는가 살핀 담에 아무도 없음을 알고, 뒷문 턱에 걸터앉아서 큰년네 바자를 물끄러미 바라보았다. 큰년의 아버지 어머니도 김매러 갔을 테고, 고것 혼자 있을 터인데… 혹 마을꾼이나 오지 않았는지, 오늘은 꼭 만나야 할 터인데, 이런 생각을 하다가 무실히 그의 팔을 들여다보았다. 다 해진 적삼소매로 맥없이 늘어진 팔목은 뼈도 살도 없고, 오직 누렇다 못해서 푸른빛이 도는 가죽만이 있을 뿐이다. 갑자기 슬픈 마음이 들어 그는 머리를 들고 한숨을 푹 쉬었다. 큰년이가 눈을 감았기로 잘했지. 만일 두 눈이 둥글하게 띄었다면 이 손을 보고 십리나 달아날 것도 같다. 그러나 큰년이가 이 손을 만져보고 왜 이리 맥이 없어요, 이 손으로 뭘 하겠소, 할 때엔,— 그는 가슴이 답답해서 견딜 수 없다. 그저 한숨만 맥없이 내쉬고 들이쉬다가 문득 약이 없을까? 하였다. 약이 있기는 있을 터인데… 큰년네 바자 위에 둥글하게 심어 붙인 거미줄에는 수 없는 이슬방울이 대룽대룽했다. 저런 것도 약이 될지 모르지, 그는 벌떡 일어나 나왔다.

거미줄에서 빛나는 저 이슬방울들이 참으로 약이 되었으면 하면서, 그는 조심히 거미줄을 잡아당겼다. 팔은 맥을 잃고, 뿐만 아니라 자꾸만 떨리어 거미줄을 잡을 수도 없지만 바자만 흔들리고, 따라서 이슬방울이 후두두 떨어진다. 그는 손으로 떨어져 내려오는 이슬방울을 받으려고 했다. 그러나 한 방울도 그의 손에는 떨어지지 않았다.

"에이, 비 빌어먹을 것!"

그는 이런 경우를 당할 때마다 이렇게 소리치고 말없이 하늘을 노려보는 버릇이 있다. 한참이나 이러하고 있을 때, 자박자박하는 신발소리에 그는 가만히 머리를 돌리어 바라보았다. 호박잎이 그의 눈썹 끝에 삭삭 비비치자 눈물이 핑그르르 돈다. 눈물 속에 비치는 저 큰년이! 그는 눈가가 가려운 것도 참고 눈을 점점 더 크게 떴다.

빨래 함지를 무겁게 든 큰년이는 이리로 와서 빨래 함지를 쿵 내려놓고 일어난다. 눈은 자는 듯 감았고 또 어찌 보면 감은 듯 뜬 것 같이도 보이었다. 이제 빨래를 했음인지 양 볼에 붉은 점이 한 점 두 점보이고, 턱이 뾰족한 것이 어디 며칠 앓은 사람 같다. 큰년이는 빨래를 한 가지씩 들어 활활 펴 가지고 더듬더듬 바자에 넌다.

칠성이는 숨이 턱턱 막혀서 견딜 수 없다. 소리 나지 않게 숨을 쉬려니 가슴이 터지는 것 같고, 뱃가죽이 다 잡아 씌웠다. 그는 잠깐 머리를 숙여 눈물을 씻어낸 후에 여전히 들여다보았다. 지금 그의 머리엔 아무런 생각도 할 수 없다. 그저 큰년의 동작으로 가득했을 분이다. 큰년이는 한 가지 남은 빨래를 마저 가지고 그의 앞으로 다가온다. 그때 칠성이는 손이라도 쑥 내밀어 큰년의 손을 덥석 잡아보고 짚었으나, 몸은 움찔 뒤로 물러나지며 온 전신이 풀풀 떨리었다.

바삭바삭 빨래 널리는 소리가 칠성의 귓바퀴에 돌아내릴 때, 가슴엔 웬 새 새끼 같은 것이 수없이 팔딱거리고 귀가 우석우석 울고 눈은 캄캄하였다. 큰녀의 신발소리가 멀리 들릴 때 그는 비로소 몸을 움직일 수 있었고, 또 호박잎을 젖히고 들여다보았다. 큰녀이는 빈 함지를 들고 부엌문을 향하여 들어가고 있다. 그는 급하여 소리라도 쳐서 큰녀이를 멈추고 싶었으나 역시 마음뿐이었다. 큰녀의 해어진 치마폭 사이로 뻘건 다리가 두어 번 보이다가 없어진다. 또 나올까 해서 그 컴컴한 부엌문을 뚫어지도록 보았으나, 끝끝내 큰녀이는 나오지 않았다. 그는 "후" 하고 한숨을 내쉬고 물러섰다. 햇볕은 따갑게 내려쬔다. 과자나 들려줄 걸… 돈이나 줄 것을, 아니 돈은 내가 모았다가 치마나 해주지, 하고 다시 들여다보았다. 바자만 바삭바삭 소리를 내고 고요하다. 이제 큰녀의 손으로 널은 빨래는 희다 못해서 햇빛같이 빛나고. 그는 눈을 떼고 돌아섰다. 자기가 옷가지라도 해주지 않으면 큰녀이는 언제나 그 뻘건 다리를 감추지 못할 것 같다.

"성아, 나 사탕 좀…"

돌아보니, 칠운이가 아기를 업고 부엌문으로 나온다. 그는 도둑질이나 하다가 들킨 것처럼 무안해서 얼른 바자 곁을 떠났다. 칠운이는 저를 다그쳐 형이 저리도 급히 오는 것으로 알고 부엌으로 달아나다가 살짝 돌아보고 또 이리 온다.

"응야. 나 하나만…"

손을 내민다.

아기도 머리를 갸웃하여 오빠를 바라보고 손을 내민다. 아기의 조 머리엔 종기가 지질하게 났고, 거기에는 언제나 진물이 마를 사이 없다. 그 위에 가늘고 노란 머리카락이 이기어 달라붙었고 또 파리가 안타깝게 달라붙어 떨어지지 않는다. 아기는 자꾸 그 가는 손가락으로 머리를 쥐어 당기고, 종기딱지를 떼어 오물오물 먹고 있다.

아기는 그 손을 오빠 앞에 쳐들었다. 손가락을 모을 줄 모르고 짝 펴들고 조른다. 칠성이는 눈을 부릅떠 보이고 방으로 들어왔다. 칠운이는 문 앞에 딱 막아서서 흥흥거렸다.

"응야 성아, 한 알만 주면 안 그래."

시퍼런 코를 훌떡 들여 마신다.

"보. 보기 싫다!"

칠운이 역시 옷이 없어 잠뱅이(가랑이가 무릎까지 내려오도록 짧게 만든 홑바지)만 입었고, 그래서 저 등은 햇볕에 타다 못해서 허옇게 까풀이 일고 있으며, 아기는 그나마도 없어서 늘 벗겨두었다. 동생들의 이러한 모양을 바라보는 그는 눈에서 불이 확확 일어난다. 눈을 돌리어 벽을 바라보자 문득 읍의 상점에 첩첩이 쌓인 옷감이 생각났다. 그는 자기도 모르게 손을 번쩍 들어 칠운이를 치려했으나, 그 손은 맥을 잃고 늘어진다.

"난 그럼, 아기 안 보겠다야, 씨."

칠운이는 아기를 내려놓고 달아난다. 그러자 아기는 악을 쓰고 운다. 칠성이는 눈도 거들떠보지 않고 돌아앉아 파리가 우글우글 끓는 곳을 바라보니 밥그릇이 눈에 띄었다. 언제나 어머니는 그가 늦게 일어나므로 저렇게 밥바리(밥그릇)에 보를 덮어놓고 김매러 가는 것이다, 그는 슬그머니 다가앉아 술을 들고 보를 들치었다. 국에는 파리가 빠져 등등 떠다니고, 밥바리에 붙었던 수 없는 파리떼는 기급을 해서 달아난다. 그는 파리를 건져내고 밥을 푹 떠서 입에 넣었다. 밥이란 도토리뿐으로 밥알은 어쩌다가 씹히곤 했다.

씹히는 그 밥알이야말로 극히 부드럽고 풀기가 있으며, 그 맛이 달큼해서 기침을 할 지경이었다. 그러나 그 맛은 잠깐이고 또 도토리가 미끈하게 씹혀 밥맛이 쓰디쓴 맛으로 변한다. 그래서 도토리만은 잘 씹지 않고 우물우물해서 얼른 삼키려면 그만큼 더 넘어가지 않고 쓴 물을 뿌리며 혀끝에 넘나들었다.

얼마 후에 바라보니, 아기가 언제 울음을 그쳤는지 눈이 보숭보숭해서 발발 기어오다가, 오빠를 보고 멀거니 쳐다보다가는 그 눈을 밥그릇에 돌리고 또 오빠의 눈치를 살핀다. 칠성이는 그 듣기 싫은 울음을 그친 것이 대견해서 얼른 밥알을 골라 내처 주었다. 그러니 아기는 그 조그만 손으로 밥알을 쥐어 먹다가, 성이 차지 않아서 납작 엎드리어서 밥알을 쫄쫄 핥아 먹고는 또 말가니 오빠를 본다. 이번에는 도토리 알을 내처 주었다. 아기는 웬일인지 당길성 없게 도토리를 쥐고는 손으로 조모락조모락 만지기만 하고 먹지는 않는다.

"아, 안 먹게이!"

도토리를 분간해서 아는 아기가 어쩐지 미운 생각이 왈칵 들어 그는 이렇게 소리쳤다. 그러니 아기는 입을 비죽비죽 하다가 으아 하고 울었다.

"우, 울겠니!"

칠성이는 발길로 아기를 찼다. 아기는 눈을 꼭 감고 방바닥에 쓰러졌다. 그 바람에 아기 머리의 파리는 웅 하고 조금 떴다가 곧 달라붙는다. 칠성이는 재차 차려고 달려드니 아기는 코만 풀찐풀찐 하면서 울음소리를 뚝 끊었다. 그러나 그 눈엔 눈물이 샘솟듯 흐른다. 칠성이는 모른 체하고 돌아 앉아 밥만 퍼먹다가 캑하는 소리에 머리를 돌렸다.

아기는 언제 그 도토리를 먹었던지 캑캑 하고 게워놓는다. 깨느르르한 침에 섞이어 나오는 도토리 쪽은 조금도 씹히지 않은 그대로였고 그 빛이 약간 붉은 기가 이운 것을 보아 피가 묻어 나오는 것임을 알수가 있다. 아기의 얼굴은 발갛게 상기되고 목에 힘줄이 불쑥 일어났다.

그 찰나에 칠성이는 입에 문 도토리가 모래알 같아 씹을 수 없고, 쓴 내가 콧구멍 깊이 칵 올려 받쳐 견딜 수 없었다. 그는 술을 텡그 내치고 아기를 번쩍 들어 문밖으로 내놓았다. 그리고 뼈만 남은 아기의 볼기를 짝 붙이니, 얼굴이 새카매지면서도 여전히 느껴운다. 이번에는 밥그릇을 냅다 차서 요란스레 굴리고 윗방으로 올라오니, 게우는 소리에 몸이 오시러워서(걱정스럽다) 가만히 있을 수 없었다. 문득 갈자리 속의 과자를 생각하고 그것을 남김없이 꺼내다가 아기 앞에 팽개치고 뒤뜰로 나와 버렸다. 그는 빙빙 돌다가 침을 탁 뱉었다.

한참 만에 칠성이는 방으로 들어오니, 방안은 단 가맛속 같았다.

그는 앉았다 섰다 안달을 하다가, 머리를 기웃하여 보니, 아기는 손을 깔고 봉당에 엎드려 잠들었고, 게워놓은 자리엔 쉬파리가 날래 없는 듯이 벌벌 기고 있으며, 아기 머리와 빠끔히 벌린 입에는 잔 파리, 왕파리가 바글바글 둘러싼다. 과자! 그는 놀라 둘러보았다. 부스러기도 볼 수 없었다. 아기가 다 먹을 수 없고 필시 칠운이가 들어왔던 것이라 생각될 때 좀 남기고 줄 것을 하는 후회가 일며 칠운이를 보면 실컷 때리고 싶었다. 그는 달아나오면서 발길로 아기를 차고 나왔다. 손을 거북스레 깔고 모로 누운 꼴이 눈에 꺼리고 또 여윈 팔다리가 보기 싫어서 이러하고 나온 것이다.

아기 울음소리를 들으면서 그는 칠운이를 찾았다. 저편 버드나무 아래에 애들이 모여 떠든다, 옳지 저기 있구나 하고 씩씩거리며 그리로 발길을 떼어놓았다.

몰래몰래 오느라 했건만, 칠운이는 벌써 형을 보고서 달아난다. 애들은 수숫대를 시시하고 씹고 서서 칠성이를 힐끔힐끔 보다는 히히 웃었다. 어떤 놈은 칠성의 걸음 흉내를 내기도 한다.

칠운이는 조 밭으로 들어갔는지 보이지도 않는다. 그는 잡풀에 얽히어 넘어지니, 뒤로 따르던 애들은 허허 하고 웃고 떠든다. 칠성이는 겨우 일어나서 애들을 노려보았다. 이놈들도 달려들지나 않으려나 하는 불안이 약간 일어 이렇게 딱 버티어 보인 것이다. 애들은 무서웠던지 슬금슬금 달아난다. 애들 같지 않고 무슨 원숭이 무리가 먹을 것을 구하러 눈이 뒤집혀서 다니는 것 같았다. 이 동리 애들은 모두가 미운 애들만이 라고 부지중에 생각되어 한참이나 바라보다가 걸었다. 이마가 따갑고 발가락이 따가운데, 또 애들이 벗겨 버린 수숫대 껍질이 발끝에 따끔거린다. 애들은 내를 바라고 달아난다. 그 무리에 칠운이도 섞이었을 것이라고 그는 버드나무 아래로 왔다.

여기는 수숫대 껍질이 더 많고 또 소를 갖다 매는 탓인지 쇠똥이 지저분했다. 버드나무에 기대서서 그는 바라보았다. 저절로 그의 눈이 큰년네 집에 멈추고 또 큰년이를 만나볼 마음으로 가득하다. 지금 혼자 있을 텐데 가볼까, 그러나 누가 있으면… 무엇이 따끔하기에 보니 왕개미 몇 마리가 다리로 올라온다. 그는 툭툭 털고 다시 보았다.

멀리 큰년네 바자엔 빨래가 희게 널렸는데, 방금 날으려는 새와 같이 되룩되룩하여 쉬 하면 푸르릉 날 듯하다. 있기는 누가 있어,

김매러 다 갔을 터인데… 신발소리에 그는 돌아보았다. 개똥어머니가 어떤 여인을 무겁게 업고 숨이 차서 온다. 전 같으면,

“요새 성냥 많이 벌었겠구먼, 한 갑 선사하게나.”

하고 농담을 건넬 터인데 오늘은 울상을 하고 잠잠히 지나친다. 이마에 비지땀이 흐르고 다리가 비틀비틀 꼬이고 숨이 하늘에 닿고. 그는 머리를 들어보니 등에 업힌 여인인즉 죽은 시체 같았다. 흐트러진 머리 주제며, 입에 끓는 더품(거품) 꼴, 피투성이 된 옷! 눈을 크게 뜨고. 머리카락에 휩싸인 여인의 얼굴을 똑바로 보니 큰년의 어머니였다. 그는 놀랐다. 해서 뭐라고 묻고 싶은데 벌써 개똥어머니는 버드나무를 지나 퍽 갔다. 웬일일까? 어디 넘어졌나, 누구와 쌈을 했나 하고 두루 생각하다가 못 견디어 일어나 따랐다. 맘대로 하면 얼른 가서 개똥 어머니에게 어찌된 곡절을 묻겠는데, 다리가 말을 듣지 않고 점점 더 비틀거리기만 하고 앞으로 가지는 않는다, 그는 화를 더럭 내고 몸짓만 하다가 팍 거꾸러졌다. 한참이나 버둥거리다가 일어나서 천천히 걸었다, 큰년네 굴뚝에는 연기가 흐른다. 옳구나, 큰년의 어머니가 어찌해서 그 모양이 되었을까, 또다시 이러한 궁금증이 일어난다. 그가 큰년네 마당까지 오니, 큰년네 집으로 들어가고 싶어 발길이 자꾸만 돌려진다. 그런 것을 참고 무슨 소리나 들을까 하여 한참이나 왔다 갔다 하다가 집으로 왔다.

봉당에 들어서니 파리가 와그르. 끓는데 그 속에서 아기가 똥을 누고 있다. 깽깽 힘을 쓰니 똥은 안 나오고 밑이 손길같이 빠지고 거기서 빨간 핏방울이 뚝뚝 떨어진다. 아기는 기를 쓰느라 두 눈을 동그랗게 비켜 뜨니, 얼굴의 힘줄이 칼날같이 일어난다. 그 조그만 이마에 땀이 비 오듯 하고. 그는 못 볼 것이나 본 것처럼 머리를

돌리고 방으로 들어왔다. 마음대로 하면 아기를 칵 밟아 죽여 버리든지 어디 멀리로 들어다 버리든지 했으면 오히려 시원할 것 같다.

칠성이는 발길에 채여 구르는 도토리를 집어먹으며, 아기가 기쓰는 소리에 눈살을 잔뜩 찌푸리고 그만 뒤뜰로 나와 버렸다. 아기로 인하여 잠깐 잊었던 큰년 어머니의 생각이 또 나서 그는 바짝 곁으로 다가섰다.

"으아 으아."

하는 아기 울음소리에 머리를 돌렸다. 영애의 울음소리가 아니요, 아주 갓 난 어린 아기의 울음인 것을 직각하자 큰년의 어머니가 아기를 낳았는가 했다. 그러자 불안하던 마음이 다소 덜리나, 아기하고 입에만 올려도 입에서 신물이 돌 지경이었다. 지금 봉당에서 피똥을 누느라 병든 고양이 꼴을 한 그런 아기를 낳을 바엔 차라리 진자리에서 눌러 죽여 버리는 것이 훨씬 나을 것 같았다.

큰년이 같은 그런 계집애를 낳았나, 또 눈먼 것을… 그는 히 하고 웃음이 터졌다, 그 웃음이 입가에서 사라지기도 전에 왜 이 동네 여인들은 그런 병신만을 낳을까 하니, 어쩐지 이상하였다. 하기야 큰년이가 어디 나면서부터 눈멀었다니, 위선 나도 네 살 때에 홍역을 하고 난 담에 경풍이라는 병에 걸리어 이런 병신이 되었다는데, 하자 어머니가 항상 외던 말이 생각되었다.

그때 어머니는 앓는 자기를 업고, 눈이 길같이 쌓여 길도 찾을 수 없는 데를 눈 속에 푹푹 빠지면서 읍의 병원에를 갔다는 것이다. 의사는 보지도 못한 채 어머니는 난로도 없는 복도에 한 식경이나 서 있다가 하도 갑갑해서 진찰실 문을 열었더니 의사는 눈을 거칠게 떠 보이고 어서 나가 있으라는 뜻을 보이므로 하는 수없이 복도로 와서 해가 지도록 기다리는데 나중에 심부름하는 애가 나와서 어머니 손가락만한 병을 주고 어서 가라고 하였다는 것이다.

어머니는 그 말만 하면 흥분이 되어 의사를 욕하고 또 세상을 원망하는 것이다, 그때마다 그는 어머니를 핀잔하고 그 말을 막아 버리곤 하였다. 무엇보다도 불쾌하여 견딜 수 없었던 것이다.

약만 먹으면 이제라도 내 병이 나을까, 큰년의 병도—아니야, 이미 병신이 된 담에야 약을 쓴다고 나을까. 그래도 알 수가 있나, 어쩌다 좋은 약만 쓰면 나도 남처럼 다리, 팔을 제대로 놀리고 해서 동냥도 하러 다니지 않고 내 손으로 김도 매고 또 산에 가서 나무도 쾅쾅 찍어오고, 애새끼들한테서 놀림도 받지 않고 … 그의 가슴은 으쩍하였다. 눈을 번쩍 떴다. 병원에나 가서 물어볼까—그까짓 놈들이 돈만 알지 뭘 알아. 어머니의 하던 말 그대로 되풀이하고 맥없이 주저앉았다.

큰년네 집도 조용하고, 아기의 울음소리도 그쳤는데 배가 쌀쌀 고팠다. 그는 해를 짐작해보고, 어머니가 이제 들어오면 얼굴에 수심을 띠고 귀밑에 머리카락을 담뿍 흘리고서, 너 왜 동냥하러 가지 않았니. 내일은 뭘 먹겠니, 할 것을 머리에 그리며 무심히 서 있는 대싸리 나무를 바라보았다.

혹시 이 대싸리(댑싸리) 나무가 내 병에 약이 되지나 않을까, 그는 대싸리 나무 냄새를 코밑에 서늘히 느끼자 이러한 생각이 불쑥 일어, 대싸리 나무 곁으로 가서 한입 뜯어 물었다. 잘강잘강 씹으니 풀냄새가 역하게 일며 욱하고 구역질이 나온다. 그래도 눈을 꾹 감고 숨도 쉬지 않고 대강 씹어서 삼켰다. 목이 찢어지는 듯이 아프고 맑은 침이 자꾸만 흘러내린다. 그는 이 침마저 삼켜야 약이 될 듯해서 눈을 꿈쩍거리면서 그 침을 삼키고 나니 까닭 없이 두 줄기 눈물이 주르르 흘러내린다.

그는 하늘을 바라보고 제발 이 손을 조금만이라도 놀려서 어머니가 하는 나무를 내가 하도록 합시사 하였다. 평소에 이런 생각을 한 번도 해본 적이 없건만, 어머니가 나무를 무겁게 이고 걸음도 잘 걷지 못하는 것을 보아도 무심했건만, 웬일인지 이 순간에 이러한 생각이 일었다.

한참이나 꿈쩍 않고 있던 그는 손을 가만히 들어보고 이번에나 하는 마음이 가슴에서 후다닥거렸다. 하나 손은 여전히 떨리어 옴츠러든다. 갑자기 욱 하고 구역질을 하자, 땅에 머리를 쾅! 들이쪼고 훌쩍훌쩍 울었다.

아주 캄캄해서야 어머니는 돌아왔다. 또 산으로 가서 나무를 해이고 온 것이다.

"어디 아프냐?"

어둠 속에 약간 드러나는 어머니의 윤곽은 피로에 싸여 넘어질 듯하다. 그리고 짙은 풀 냄새가 치마폭에 흠씬 배어 마늘 냄새 같이 강하게 풍겼다.

"이 애야, 왜 대답이 없어?"

아들의 몸을 어루만지는 장작개비 같은 그 손에도 온기만은 돌았다.

칠성이는 어머니의 손을 뿌리치고 돌아누웠다. 어머니는 물러앉아 아들의 눈치를 살피다가 혼자 하는 말처럼,

"어디가 아픈 모양인데, 말을 해야지 잡놈 같으니라구."

이 말을 남기고 일어서 나갔다. 한참 후에 어머니는 푸성귀 국에다 밥을 말아 가지고 들어와서 아들을 일으켰다. 칠성이는 언제나처럼 어머니 팔목에서 뚝 하는 소리를 들으면서 일어나 앉아 떨리는 손으로 술을 붙들었다.

"이 애야, 어디 아프냐?"

아까와 달리 어머니 옷 가에 그을음 내가 풍기고, 숨소리에 따라 밥내 구수한 데, 무겁던 몸이 가벼워진다.

"아, 아니."

마음을 졸이던 끝에 비로소 안심하고 아들이 국 마시는 것을 들여다보았다.

"에그, 큰년네 어머니는 오늘 밭에서 아기를 낳았다누나. 내 남없이 가난한 것들에서 새끼가 무어겠니."

아까 버드나무 아래서 본 큰년의 어머니가 떠오르고 으아, 으아 울던 아기 울음소리가 들리는 듯, 또 영애의 그 꼴이 선히 나타난다. 그는 눈살을 찌푸렸다.

"글쎄 새끼가 왜 태워, 진절머리 나지."

한숨 섞어 어머니는 이렇게 탄식하고, 빈 그릇을 들고 나가버린다. 칠성이는 방안이 덥기도 하지만, 큰년의 일이 궁금해서 그만 일어나 나왔다.

뜰 한 모퉁이에 쌓여 있는 나뭇단에서 짙은 풀 냄새가 산 속인 듯싶게 흘러나오고, 검푸른 하늘의 별들은 아기 눈같이 예쁘다.

왱왱거리는 모기를 쫓으면서 나무 말리어 모아놓은 곳에 주저앉았다. 마른 갈잎이 버석버석 소리를 내고 더운 김에 밑이 뜨뜻하였다. 어머니가 저리로부터 온다.

"칠성이냐? 왜 나왔니."

버석 소리를 내고 곁에 앉는다. 땀내와 영애의 똥내가 훅 끼치므로. 그는 머리를 돌리었다. 어머니는 젖을 꺼내 아기에게 물리고 한숨을 푹 쉰다. 무슨 말을 하려나 하고 칠성이는 어머니의 눈치를 살피나. 안타깝게 병든 고양이 새끼 같은 영애를 어루만지기만 하고. 쉽사리 입을 열지 않았다.

해종일 김매기에 그 몸이 고달팠겠고. 더구나 산에 가서 나무를 해오려기에 그 몸이 지칠 대로 지쳤으련만, 또 아기에게서라도 시달림을 받으니. 오늘날이라도 잠만 들면 깨지 못할 것 같다. 그렇게 피로한 몸을 돌아보지 않는 어머니가 어딘지 모르게 미웠다.

"계집애는 자지도 않아!"

칠성이는 보다 못해서 꽥 소리쳤다. 영애는 젖꼭지를 문 채 울음을 내쳤다

어머니는 그 애가 어디 자게 되었니, 몸이 아픈데다 해 종일 굶었고 또 이리 젖이 안 나니까, 하는 말이 혀끝에서 뚝 떨어지려는 것을 꾹 참으니 눈물이 핑그르르 돌았다.

"오오, 널 보고 안 그런다. 어서 머…"

겨우 말을 마치자 눈물이 줄줄 흘렀다. 문득 어머니는 이 눈물이 젖으로 흘러서 영애의 타는 목을 추겨주었으면 가슴이 이다지도 쓰리지 않으련만 하였다.

한참 후에 어머니는,

"글쎄 살지도 못할 것이 왜 태어나서 어미만 죽을 경을 치게 하겠니. 이제 가 보니 큰년네 아기는 죽었더구나. 잘되기는 했더라만… 에그 불쌍하지. 얼마나 밭고랑을 타고 헤맸는지, 아기 머리는 그냥 흙투성이라더구나. 그게 살면 또 병신이나 되지 뭘 하겠니. 눈에 귀에 흙이 잔뜩 들었더라니, 아이구 죽기를 잘했지, 잘했지!"

어머니는 흥분이 되어 이렇게 중얼거린다. 칠성이도 가슴이 답답해서 숨을 크게 쉬었다. 그리고 자신도 어려서 죽었더라면 이 모양은 되지 않을 것을 하였다.

"사는 게 뭔지, 큰년네 어머니는 내일 또 김매러 가겠다더구나.

하루쯤 쉬어야 할 텐데, 이게, 이게 어느 때냐. 그럴 처지가 되어야지. 없는 놈에게 글쎄 자식이 뭐냐. 웬 자식이냐."영애를 낳아놓고 그 다음날로 보리마당질 하던, 그 지긋지긋하던 때가 떠오른다. 하늘이 노랗고 핑핑 돌고, 보리이삭이 작았다 커 보이고, 도리깨를 들 때 내릴 때 아래서는 무엇이 뭉클뭉클 나오다가 나중엔 무엇이 묵직하게 매어 달리는 듯해서 좀 만져보았으나, 사이도 없고 또 남들이 볼까 꺼리어 그냥 참고 있다가 소변보면서 보니 허벅다리에 피가 흔전했고, 또 주먹 같은 살덩이가 축 늘어져 있었다. 겁이 더럭 났지만, 누구보고 물어보기도 부끄럽고 해서 그냥 내버려두었더니, 그 살덩이가 오늘까지 늘어져서 들어갈 줄 모르고 또 무슨 물을 줄줄 흘리고 있다.

그것 때문에 여름에는 더 덥고 또 고약스런 악취가 나고, 겨울엔 더하고 항상 몸살이 오는 듯 오삭오삭 추웠다, 먼 길이나 걸으면 그 살덩이가 불이 붙는 듯 쓰라리고, 또 염증을 일으켜 퉁퉁 부어서 걸음 걸을 수가 없으며, 나중에 주위로 수 없는 종기가 나서, 그것이 곪아터지느라 기막히게 아팠다. 이리 아파도 누구에게 아프다는 말도 할 수 없는 그런 종류의 병이었다.

어머니는 지금도 척척히 늘어져 있는 그 살덩이를 느끼면서 한숨을 푹 쉬었다

갈잎이 바삭바삭 소리를 낸다. 마침 영애는 젖꼭지를 "깍" 물었다.

"아이그!"

소리까지 내치고도 얼른 칠성이가 이런 줄을 알면 욕할 것이 싫어서 그 다음 말은 뚝 그치고 손으로 영애의 머리를 꼭 눌러 아프다는 뜻을 영애에게만 알리었다. 그러고도 너무 눌렀는가 하여

누른 자리를 금시로 어루만져 주었다.

"정말 오늘 그 난시에 글쎄 큰년네 집에는 손님이 와서 방 안에 앉아도 못 보고 갔다누나."

칠성이는 머리를 들었다. 어디서 불려오는 모기 쑥 냄새는 향긋하였다.

"전에부터 말 있는 그 집에서 왔다는데 넌 정 모르기 쉽겠구나. 읍에서 무슨 장사를 한다나. 꽤 돈푼이나 있다더라. 한데, 손을 이때까지 못 보았다누나. 해서, 첩을 여남은두 넘어 얻었으나 이때까지 못 낳았단다. 에그 그런 집에나 태지."

어머니는 영애를 잠잠히 내려다본다. 칠성이는 이야기하면서도 아기를 생자하는 어머니가 보기 싫었다. 하나 다음 말을 들으려니 가만히 앓아 있었다.

"그런데 어찌어찌 하다가 큰년의 말이 났는데 사내는 펄쩍 뛰더란다. 그래두 안으로 맘이 켕기어서 그러하다고 하더니, 하필 오늘 같은 날, 글쎄 선보러 왔다갔다니 큰년이는 이제 복 좋을라! 언제 봐도 덕성스러워. 그 애가 눈이 멀었다 뿐이지 못하는 게 뭐 있어야지. 허드렛일이나 앓아 하는 일이나 훵 잡았으니 눈뜬 사람보다 낫다. 이제 그런 집으로 시집가게 되고 달덩이 같은 아들을 낳아 놀게다. 아이그 좀 잘살아야지…

"눈먼 것을 얻어다 뭐를 배!"

칠성이는 뜻밖에 이런 말을 퉁명스레 내친다. 그의 가슴은 지금 질투의 불길로 과 찼고, 누구든지 큰년이만 다친다면 사생을 결단하리라 하였다. 이러구 나니 머리에 열이 오르고 다리, 팔이 떨리었다,

"그래, 시, 시집가기로 됐나?"

어머니는 아들의 눈치를 살피고 어쩐지 대답하기가 어려웠다. 동시에 저것도 계집이 그리우려니 하자 불쌍한 마음이 들고 또 아들의 장래가 캄캄해 보이었다.

"아직은 되지 않았더라마는…"

이 말에 그의 마음은 다소 가라앉은 듯하나, 웬일인지 슬픈 생각이 들어 그는 일어났다.

"들어가 자거라. 내일은 일찍이 읍에 가게 해. 어떡허겠니?"

칠성이는 화를 버럭 내고 어머니 곁을 떠나 되는대로 걸었다. 발걸음에 따라 모기 쑥 냄새 없어지고 산뜻한 공기 속에 풀 냄새 가득히 흐른다. 멀리 곡식에 비벼 치는 소리 바람결에 은은하고, 산기를 띤 실바람이 그의 몸에 싸물싸물 기고 있다, 잠뱅이 가랑이 이슬에 젖고, 벌레소리 발끝에 채여 요리 졸졸졸, 고리 쓸쓸쓸… 그는 우뚝 섰다. 저 앞은 지척을 분간할 수 없는 어둠으로 덮였고, 하늘 아래 저 불타산의 윤곽만이 검은 구름같이 뭉실뭉실 떠 있다. 그 위에 별들이 너도나도 빛나고, 별빛이 눈가에 흐르자 눈물이 핑그르르 돌며 통곡이라도 하고 싶었다. 저 산도, 저 하늘도 너무나 그에겐 무심한 것 같다.

"이 애야, 들어가자."

어머니의 기운 없는 음성이 들린다.

"왜. 왜 쫓아 다녀유."

칠성의 마음에 잠겼던 어떤 원한이 일시에 머리를 들려고 하였다.

"제발 들어가. 이리 나오면 어쩌겠니."

어머니는 그의 손을 붙들었다. 칠성이는 뿌리치려 했으나 힘이 부친다. 길 풀이 그들의 옷에 비비칙 실실 소리를 낸다. 어머니는 절반 울면서 사정을 하였다. 그는 어머니 손에 붙들리어 돌아오면서, 오냐 내일 저를 만나보고 시집가는지 안 가는지 물어보고, 또 나한테 시집 오겠니도 물어야지 할 때. 가슴은 씩씩 뛰고 어떤 실 같은 희망이 보인다.

"날 보고 네 동생들을 봐라."

어머니는 이러한 말을 하여 아들을 달래려고 한다. 칠성이는 말없이 그의 집까지 왔다.

이튿날 일부러 늦게 일어난 칠성이는, 오늘은 기어코 큰년이를 만나 무슨 말이든지 하리라, 만일 시집가기로 되었다면… 그는 아득하였다. 그때는 그만 죽여 버릴까, 나는 그 칼에 죽지하고 뒤뜰로 나와서 바자 곁에 다가섰다. 큰년네 집은 고요하고, 뜨물동이에서 왕왕거리는 파리 소리만이 간혹 들릴 뿐이다. 가자! 바자에서 선뜻 물러섰다. 눈에 마주 띄는 저 앞의 큰 차돌은 웬일인지 노랗게 보이었다.

그는 숨이 차 서방으로 들어왔다. 옷을 이 모양을 하고 가, 하고 굽어보았다. 쇠똥 자국이 여기저기 있고, 군데군데 해졌고. 뭘 눈이 멀었는데 이게 보이나, 그럼 만나서는 뭐라구 말을 해야지, 그는 천장을 바라보고 생각하였다. 입가에 흐르는 침을 몇 번이나 시 하고 들이마시나, 그저 캄캄한 것뿐이다, 생전 말이리 그는 못 해본 것처럼 아득하였다.

내가 병신임을 제가 아나, 하는 불안이 불쑥 일어 맥이 탁 풀린다. 네까짓 것에게 시집가…하는 큰년의 말이 들리는 듯해서 그는 시름없이 밖을 내다보았다, 바자에 얽힌 호박넌출 박넌출, 그 옆으로 옥수숫대, 썩 나와서 살구나무. 작고 큰 대싸리가 아무 기탄없이 하늘을 바라보고 가지가지를 쭉쭉 쳤으니, 잎잎이 자유스럽게 미풍에 흔들리지 않는가. 웬일인지 자신은 저러한 초목만큼도 자유롭지 못한 것을 전신에 느끼고 한숨을 후 쉬었다.

한참 후에 칠성이는 마음을 단단히 먹고 마당으로 나와서, 큰년네 집 앞으로 몇 번이나 왔다 갔다 하다가, 싸리문을 가만히 밀고 껑충 뛰어들었다.

봉당문도 꼭 닫히었고 싸리비만이 한가롭게 놓여 있다. 얼떨결에 봉당 문을 삐걱 열었을 때 고양이 한 마리가 야옹하고 튀어나간다. 그는 어찌 놀랐는지 숨이 하늘에 닿을 것처럼 뛰었다. 봉당으로 들어서서 한참이나 망설이다가 방문을 열어보았다. 무거운 공기만이 밀려나오고 큰년이는 없었다. 시집을 갔나? 하고 얼른 생각하면서, 부엌으로 뒤뜰로 인기척을 찾으려 하였으나 조용하였다. 그는 이러하고 언제까지나 있을 수가 없어서 발길을 돌리려 했을 때 싸리문 소리가 났다. 그는 얼떨결에 기둥 이편으로 와서 그 뒤 멍석 곁에 바싹 다가섰다. 부엌에서 소리가 덜그렁 나더니 큰년이가 빨래 함지를 이고 들어온다. 그의 눈은 캄캄해지고 정신이 나른해진다, 큰년이가 그를 알아보고 이리 오는 것만 같고, 그의 눈은 먼 것이 아니요. 언제나 창틈으로 볼 수 있는 별눈을 빠끔히 뜨고서 쳐다보는 듯했다. 숨이 차서 견딜 수 없으므로 멍석 아래 뒤로 돌아가며 숨을 죽이었으나, 점점 더 숨결이 항항거리고 멍석 눈에 코가 닿아서 기절을 할 지경이었다, 큰년이는 뒤뜰로 나간다. 짤짤끄는 신발소리를 들으면서 머리를 내밀어 밖을 살피고 발길을 옮기려 했으나 온몸이 비비꼬이어 한 보를 옮길 수가 없다. 어색하여 그만 집으로 가려고도 했다. 그의 몸은 돌로 된 것 같았으나 마침 빨래 널리는 소리가 바삭바삭 나자, 큰년이가 읍으로 시집간다! 하는 생각이 들며. 발길이 허둥하고 떨어진다.

큰년이는 빨래를 바자에 걸치다가 휘끈 돌아보고 주춤한다. 칠성이는 차마 큰년이를 쳐다보지 못하고 우두커니 서 있었다.

"누구요?"

"……."

"누구야요?"

큰년의 음성은 떨려 나왔다. 칠성이는 무슨 말이든지 해야 할 터인데. 입이 딱 붙고 떨어지지 않는다. 한참 후에 발길을 지척하고 내디디었다.

"난 누구라고…"

큰년이는 바자 곁으로 다가서고, 머리를 다소곳 한다. 곱게 감은 그의 눈두덩은 발랑발랑 떨렸다. 칠성이는 자기를 알아보는 것을 알고 조금 마음이 대담해졌다. 이번엔 밖이 걱정이 되어 연방 눈이 고리로만 간다.

"나가! 야, 어머니 오신다."

큰년이는 암팡지게 말을 했다. 어려서 음성이 그대로 남아 있다.

"너, 너 시집간다지. 조, 좋겼구나!"

"새끼두 별소리 다 하네. 나가 야."

큰년이는 빨래를 조몰락거리고 서서 숨을 가볍게 쉰다. 해어진 적삼 등에 흰 살이 불룩 솟아 있다. 칠성이는 무의식간에 다가섰다.

"아이구머니!"

큰년이는 바자를 붙들고 소리쳤다. 칠성이는 와락 겁이 일어 주춤 물러서고 나갈까도 했다. 앞이 캄캄해지고 또 빙글빙글 돌아가는 것 같았다.

"어머니 오신다야."

칠성이는 잠깐 눈을 감았다가 덜덜 떨리어 나오는 소리에 눈을 떴다. 등어리로 흘러 내려온 삼단 같은 머리채는 큰년의 냄새를 물씬물씬 피우고 있다, 칠성이는 얼른 큰년의 발을 짐짓 밟았다. 큰년이는 얼굴이 새빨개서 발을 빼어 가지고 저리로 간다. 손에 들었던 빨래는 맥없이 툭 떨어진다.

재가 돌을 집어치우려고 저러나 하고 겁을 먹었으나. 큰년이는 바자 곁에 다가서서 바자를 보시락보시락 만지고 있는데, 댕기꼬리는 풀풀 날린다. 야물야물하던 말도 쑥 들어가고 애꿎은 바자만 만지고 있다.

"사탕두 주구, 옷 옷감두 주 주께. 시집 안 가지?"

큰년이는 언제까지나 잠잠하고 있다가 조금 머리를 드는 체하더니,

"누구…사탕…히…"

속으로 웃는다. 칠성이도 따라 웃고,

"응 야, 안, 안 가지?"

"내가 아니, 아버지가 알지."

이 말엔 말이 막힌다. 그래서 우두커니 섰노라니,

"어서 나가 야."

큰년이는 얼굴을 돌린다. 곱게 감은 눈에 눈썹이 가무레하게 났는데, 그 눈썹 끝에 걱정이 대글대글 맺혀 있다.

"그럼 시집 가, 가겠니"

큰년이는 머리를 푹 숙이고, 발끝으로 돌을 굴리고 있다. 칠성이는 슬픈 마음이 들어 울고 싶었다.

"안, 안 안 가지, 응 야"

큰년이는 대답 대신으로 한숨을 푹 쉬고 머리를 들려다가 돌아선다. 그때 어린애 울음소리가 들렸다, 칠성이는 놀라 뛰어나왔다.

집에 오니, 칠운이가 아기를 부엌바닥에 내려 굴리고 띠로 아기를 꽁꽁 동이려고 한다. 아기는 다리, 팔을 함부로 놀리고 발악을 하니, 칠운이는 사뭇 죽일 고기 다루듯 아기를 칵칵 쥐어박는다.

"이 계집애 자겠니, 안 자겠니. 안 자면 죽이고 말겠다."

시퍼런 코를 쌍 줄로 흘리고서 주먹을 겨누어 보인다. 아기는 바르르 떨면서 눈을 꼭 감고 눈물을 졸졸 흘리고 있다.

"그러구 자라, 이 계집애."

칠운이는 아기 옆에 엎어지고, 한 손으로 그의 허리를 꼬집어 당긴다.

"어마이. 난 여기 자꾸자꾸 아파서 아기 못 보겠다야 씨… 흥."

코를 혀끝으로 빨아올리면서 칠운이는 이렇게 중얼거렸다. 그 눈에 졸음이 가득하더니. 그만 씩씩 자버린다.

칠성이는 무심히 이 꼴을 보고 봉당으로 들어섰다.

"엄마!"

자는 줄 알았던 아기가 눈을 동글하게 뜨고 오빠를 바라본다. 칠성이는 머리끝이 쭈뼛하도록 놀랐다. 해서 이 결에 발을 들어 찰 것처럼 하고 눈을 딱 부릅떠 보이니, 아기는 그 얇은 입술을 비죽비죽하며 눈을 감는다.

"엄마! 엄마!"

아기는 그 입으로 이렇게 부르고 울었다. 칠성이는 방으로 들어와서 빙빙 돌다가 뒤뜰로 나와 큰년이가 아직도 그 자리에 서 있으면 하고, 바자를 가만히 뻐개고 들여다보니. 큰년이는 보이지 않고 빨래만이 가득히 널려 있었다.

방으로 들어와서 벽에 걸린 동냥자루를 한참이나 바라보면서 큰녀의 옷감 끊어다 줄 궁리를 하고, 그러면 큰녀이와 그의 부모들도 나에게로 뜻이 옮겨질지 누가 아나 하고, 동냥자루를 벗겨 메고서 밀짚모를 비스듬히 젖혀 쓴 다음에 방문을 나섰다. 눈결에 보니 아기는 무엇을 먹고 있으므로 그는 머리를 돌리며 보았다. 아기는 띠 동친 데서 벗어나와 아궁이 곁에 오줌을 눈 듯 한데, 그 오줌을 쪽쪽 핥아 먹고 있다.

"이애! 이 계집애."

칠성이는 이렇게 버럭 소리를 지르고 밖으로 나왔다. 뜨거운 물 속에 들어서는 듯 전신이 후끈하였다. 신작로에 올라서며 그는 옷을 바로 하고 모자를 고쳐 쓰고 아주 점잖은 양하였다. 이제부터는 이래야 할 것 같다. 에헴! 하고 큰기침도 하여보고 걸음도 천천히 걸으려 했다. 이러면 애들도 달려들지 못하고, 어른들도 놀리지 못할 테지 라고 할 때 큰녀이가 떠오른다. 슬며시 돌아보니, 벌써 그의 마을은 보이지 않고 수수밭이 탁 막아섰다. 수수밭 곁으로 다가서니 싱싱한 수숫잎 내가 훅 끼치고 등허리가 근질근질하게 땀이 흘러내린다. 두어 번 몸을 움직이고 어디라 없이 바라보았다.

수수밭머리로 파랗게 보이는 저 불타산은 몇 발걸음 옮기면 올라갈 듯이 그렇게 가까와 보인다. 그의 집 창문 곁에 비켜서서 맘 놓고 바라볼 수 있는 것은 저 산이요, 또 이런 수수 밭머리에서 숨어가며 바라볼 수 있는 것은 저 산이다.

그는 한숨을 푹 쉬었다. 언제나 저 산을 바라볼 때엔 흩어졌던 마음이 한데 모이는 듯하고, 또한 깜박 잊었던 옛날 일이 한두 가지 생각되곤 하였다.

먼 산에 아지랑이 아물아물 기는 어느 봄날, 그는 자리에서 일어나 창문 곁에 서너, 동무들이 조그만 지게를 지고 지팡이를 지게에 끼웃이 꽂아 가지고 열을 지어 산으로 가고 있다. 어찌나 부럽던지 한숨에 뛰어나와서 우두커니 바라볼 때, 언제나 나도 이 병이 나아서 재들처럼 지팡이를 저리 꽂아 가지고 나무하러 가보나, 난 어른이 되면 저 산에 가서 이런 굵은 나무를 탕탕 찍어서 한 짐 잔뜩 지고 올 테야… 여기까지 생각한 그는 흠 하고 코웃음 쳤다. 뼈 마디마디가 짜릿해오고 가슴이 죄어지는 것 같다. 두어 번 머리를 설레설레 흔들고 터벅터벅 걸었다. 지금 그의 앞엔 큰년이가 있을 따름이다.

이틀 후-

칠성이는 그의 마을로부터 육 리나 떨어져 있는 송화읍 어귀에 우두커니 서 있었다. 읍에 와서 돌아다니나 수입이 잘 되지 않으므로, 이렇게 송화읍까지 오게 되었고, 피래서야 겨우 큰년의 옷감을 인조견으로 바꾸어 가지고 돌아오는 길이었던 것이다.

이 밤이나 어디서 지낼까 망설이다, 어서 발리 이 옷감을 큰년의 손에 쥐어주고 싶은 마음. 또는 큰년의 혼사 사건이 궁금하고 불안해서 그는 가기로 결정하고 걸었다.

쳐다보니 별도 없는 하늘, 검정 강아지 같은 어둠이 눈 속을 아물아물하게 하는데, 웬일인지 마음이 푹 놓이고, 어떤 희망으로 그의 눈은 차차로 열렸다. 산과 물은 그의 맘속에 파랗게 솟아 있는 듯, 그렇게 분명히 구별할 수 있고, 신작로에 깔린 자갈돌은 심심하면 장난치기 알맞았다.

사람들이 연락부절하고. 자동차가 먼지를 피우며 달아나는 그 낮길 보다는 오히려 이 밤길이 그에게는 퍽 좋게 생각되었다.

그래서 다리 아픈 것도 모르고 걸었다.

가다가 우뚝 서면 산 냄새 그윽하고 또 가다가 들으면 물소리 돌돌 하는데, 논물냄새 확 풍기고, 간혹 산새 울음 끊었다 이어질 제, 멀리 깜박여오는 동네의 등불은 포르릉 날아오는 것 같다가도. 다시 보면 포르릉 날아간다.

그가 숨을 크게 쉴 때마다 가슴에 품겨 있는 큰년의 옷감은 계집의 살결 같아 조약돌을 밟는 발가락이 짜르르 울리었다. '고것 어떡허나.' 그는 무의식간에 입을 쩍 헐리고 무엇을 물어 당길 것처럼 하였다. 지금 큰년이와 마주섰던 것을 그려본 것이다. 이제 가서 옷감을 들려주면 큰년이는 너무 좋아서 그 가무레한 눈썹 끝에 웃음을 띄울 테지. 가슴은 소리를 내고 뛴다.

차츰 동녘 하늘이 바다와 같이 훤해 오는데, 난데없는 빗방울이 뚝뚝 떨어진다. 그는 놀라 자꾸 뛰었으나 비는 더 쏟아지고, 멀리서 비 몰아오는 소리가 참새 무리들 건너듯 했다. 그는 어쩔까 잠시 망설이다가 빗발에 묻히어 어림해 보이는 저 동리로 부득이 발길을 옮겼다. 큰년의 옷감이 아니면 이 비를 맞으면서도 가겠으나. 모처럼 끊은 이 옷감이 비에 젖을 것이 안 되어 동네로 발길을 옮긴 것이다.

한참 오다가 돌아보니. 신작로가 뚜렷이 보이고, 어쩐지 마음이 수선해서 발길이 딱 붙는 것을 겨우 떼어놓았다.

동네까지 오니, 비에 젖은 밀짚 냄새 콜콜 올라오고, 변소 옆을 지나는지 거름 내가 코밑에 살살 기고 있다. 그는 어떤 집 처마 아래로 들어섰다. 몸이 오솔오솔 춥고 눈이 피로해서 바싹 벽으로 다가서서 웅그리고 앉았다. 그의 마을 앞에 홰나무가 보이고, 큰년이가 나타나고… 눈을 번쩍 떴다.

빗발 속에 날이 밝았는데, 먼 산이 보이고 또 지붕이 옹기종기

나타나고, 낙숫물 소리 요란하고. 그는 용기를 내어 일어나 둘러보았다.

그가 서고 있는 이 집이란 돈푼이나 좋이 있는 집 같았다. 우선 벽이 회벽으로 되었고, 지붕은 시커먼 기와로 되었으며 널판자로 짠 문의 규모가 크고 또 주먹 같은 못이 툭툭 박힌 것을 보아 짐작할 수 있었다. 그의 얼었던 마음이 다소 풀리는 듯하였다.

흰 돌로 된 문패가 빗소리 속에 적적한데, 칠성이는 눈썹 끝이 희어지도록 이 문패를 바라보고 생각을 계속하였다. —오냐, 오늘은 내게 무슨 재수가 들었나보다. 이 집에서 조반이나 톡톡히 얻어먹고 돈이나 쌀이나 큼직이 얻으리라 —얼른 눈을 꾹 감아보고, '눈도 먼 체할까. 그러면 더 불쌍하게 봐서 쌀이랑 돈을 더 줄지 모르지.' 애써 눈을 감고 한참을 견디려 했으나, 눈두덩이 간지럽고 속눈썹이 자꾸만 떨리고 흰 문패가 가로 세로 나타나고, 못 견디어 눈을 뜨고 말았다.

어떡허나, 내 옷이 너무 희지, 단숨에 뛰어나와서 흙물에 주저앉았다가 일어나 섰던 자리로 왔다. 아까보다 더 춥고 입술이 떨린다. 그는 대문 틈에 눈을 대고 안을 엿보려 할 때. 신발소리가 절벅절벅 나므로 날래 몸을 움직이어 비켜섰다. 대문은 요란스런 소리를 내고 열렸다. 언제나 칠성이는 머리를 푹 숙이고 어떤 사람의 시선을 거북스럽게 느꼈다.

"웬 사람이야?"

굵직한 음성, 머리를 드니 사내는 눈이 길게 찢어졌고 이 집의 고용인인 듯 옷이 캄캄하다.

"한술 얻어먹으러 왔슈."

"오늘은 첫새벽부터야."

사내는 이렇게 지껄이고 나서 돌아서 들어간다. 이 집의 인심은 후하구나, 다른 집 같으면 으레 한두 번은 가라고 할 터인데 하고 어깨가 으쓱해서 안을 보았다.

올려다 보이는 퇴위에 높직이 앉은 방은 사랑인 듯했고, 그 옆으로 조그만 대문이 좀 비딱해 보이고, 그리고 안 대청마루가 잠깐 보인다. 사랑채 왼편으로 죽 달려 이 문간에 와서 멈춘 방은 얼른 보아 창고인 듯, 앞으로 밀짚 낟가리들이 태산같이 가리어 있다. 밀짚대에서 빗방울이 다룽다룽 떨어진다. 약간 누른빛을 띠었다. 뜰이 휘휘하게 넓은데 빗물이 골이 져서 흘러내린다.

저리로 들어가야 밥술이나 얻어먹을 텐데, 그는 빗발 속에 보이는 안대문을 바라보고, 서먹서먹한 발길을 옮겼다. 중대문을 들어서자, 안 부엌으로부터 개 한 마리가 쏜살같이 달려 나온다. 으르렁 하고 달려들므로 그는 개를 얼릴 양으로 주춤 물러서서 혀를 쩍쩍 채었다, 개는 날카로운 이를 내놓고 뛰어오르며 동냥자루를 즉 물고 늘어진다. 그는 아찔하여 소리를 지르고 중문 밖으로 튀어 나오자, 사랑에 사람이 있나 살피며 개를 꾸짖어줬으면 했으나 잠잠하였다. 개는 눈을 뒤집고서 앞발을 버티고 뛰어오른다. 칠성이는 동냥자루를 입에 물고 몸을 굽혔다 폈다 하다가도 못 이겨서 비슬비슬 쫓겨 나왔다. 개는 여전히 따라 큰 대문에 와서는 칠성이가 용이히 움직이지 않으므로 으르렁 달려들어 잠방이 가랑이를 물고 늘어진다. 그는 악 소리를 지르고 달아 나왔다. 아까 나왔던 사내가 안으로부터 나왔다.

"워리 워리."

개는 들은 체하지 않고 비죽한 주둥이로 자꾸 짖었다. 저놈의 개를 죽일 수가 있을까 하는 마음이 부쩍 일어 그는 휘 돌아서서 노려볼 때 사내는 손짓을 하여 개를 부른다. 그러니 개는 슬금슬금 물러나면서도 칠성에게서 눈을 떼지 않았다.

갑자기 속이 매식해지고 등어리가 오싹하더니, 온몸에 열이 화끈 오른다, 개를 찾았으나 보이지 않고, 큰 대문만이 보기 싫게 버티고 있었다. 또 가볼까 하는 마음이 다소 머리를 드나, 그 개를 만날 것을 생각하니 진저리가 났다. 해서 단념하고 시죽시죽 걸었다.

비는 바람에 섞이어 모질게 갈겨 치고, 나무 흔들리는 소리. 도랑물 흐르는 소리에 귀가 뻥뻥할 지경이다. 붉은 물이 이리 몰리고 저리 몰리는 그 위엔 밀짚이 허옇게 떠 있고, 파랑새 같은 나뭇잎이 뱅글뱅글 떠돌아간다.

비에 젖은 옷은 사정없이 몸에 착 달라붙고 지동치듯 부는 바람결에 숨이 혹혹 막힌다. 어쩔까 하고 둘러보았으나 집집이 문을 꼭 잠그고 아침 연기만 풀풀 피우고 있다. 혹 빈집이나 방앗간 같은 게 없나 했으나 눈에 뜨이지 않고, 무거운 눈엔 그 개가 자꾸만 어른거리고 또 뒤에 다그쳐 오는 것 같다. 개에게 찢긴 잠뱅이 가랑이가 걸음에 따라 너덜너덜하여 그의 누런 다리 마디가 훤히 들여다보이고, 푹 눌러쓴 밀짚모에선 방울져 떨어지는 빗방울이 눈물같이 건건한 것을 입술에 느꼈다. 문득 그는 큰년의 옷감이 젖는구나 생각되자 소리를 내어 칵 울고 싶었다.

그는 우뚝 섰다. 들은 자욱하여 어디가 산인지 물인지 분간할 수 없고, 곡식대들이 미친 듯이 날뛰는 그 속으로 무슨 큰 짐승이 웡웡 우는 듯한 그런 크고도 굵은 소리가 대지를 울린다.

지금 그는 빗발에 따라 마음만은 앞으로 가고 싶은데, 발길이 딱 붙고 떨어지지 않는다.

바라보니 동네도 거반 지나온 셈이요, 앞으로 조그만 집이 두 셋이 남아 있다. 그리로 발길을 돌렸으나 들에 미련이나마 있는 듯 자주자주 멍하니 들을 바라보았다.

그가 개에게 쫓긴 것이 이번뿐이 아니요, 때로는 같은 사람한테도 학대와 모욕을 얼마든지 당하였건만, 오늘 일은 웬일인지 견딜 수 없는 분을 일으키게 된다.

"이 친구 왜 그러구 섰수."

그는 놀라 보니 자기는 어느덧 조그마한 집 앞에 섰고, 그 조그만 집은 연잣간이라는 것을 알았다. 머리를 돌리고 내다보는 사내는 얼른 보아 사오십 되었겠고, 자기와 같은 불구자인 거지라는 것을 즉석에서 알았다. 사내는 쫑긋이 웃는다. 그는 이리 찾아오고도 저 사내를 보니 들어가고 싶지 않아 머뭇거리다도 하는 수없이 들어갔다. 쌀겨 냄새 가득히 흐르는 그 속에 말똥내도 훅훅 풍겼다.

"이리 오우, 저 옷이 젖어서 원…"

사내는 나무다리를 짚고 일어나서 깔고 앉았던 거적자리를 다시 펴고 자리를 내놓고 비켜 앉는다. 칠성이는 얼른 희뜩희뜩 세인 머리털과 수염을 보고 늙은 것이 내 동냥해온 것을 뺏으려나 하는 겁이 나고 싫어졌다.

"그 옷 땜에 칩겠수. 우선 내 헌옷을 입고 벗어서 말리우."

사내는 그의 보따리를 뒤적뒤적하더니.

"자 입소. 이리 오우."

칠성이는 돌아보았다. 시커먼 양복인데 군데군데 기운 것이다, 그 순간 어디 좋은 옷 얻었는데, 나도 저런 게나 얻었으면 하면서 이상한 감정에 싸여 사내의 웃는 눈을 정면으로 보았을 때 동냥자루나 뺏을 사람 같지 않았다. 그는 머리를 숙이고 소매에서 떨어지는 물방울을 보았다. 사나이는 나무다리를 짚고 이리로 온다.

"왜 이러구 섰두. 자 입으시우."

"아, 아니유."

칠성이는 성큼 물러서서 양복저고리를 보았다. 난 생전 입어보지 못한 그 옷 앞에 어쩐지 가슴까지 두근거린다.

"허! 그 친구 고집 대단한데. 그럼 이리 와 앉기나 해유."

사내는 그의 손을 끌고 거적자리로 와서 앉힌다. 눈결에 사내의 뭉퉁한 다리를 보고 못 본 것처럼 하였다.

"아침 자셨수?"

칠성이는 이 자가 내 동냥자루에 아침 얻어온 줄을 알고 이러는가 하며, 힐끔 동냥자루를 보았다. 거기에서도 물이 떨어지고 있다.

"아니유."

사내는 잠잠하였다가,

"안 되었구려. 뭘 좀 먹어야 할 터인데…"

사내는 또 무슨 생각을 하듯 하더니. 그의 보따리를 뒤진다.

"자, 이것 적지만 자시유."

신문지에 싼 것을 내들어 펴 보인다. 그 종이엔 노란 조밥이 고실고실 말라가고 있다.

밥을 보니 구미가 버쩍 당기어 부지중에 손을 내밀었으나. 손이 말을 안 듣고 떨리어서 흠칫하였다. 사내는 이 눈치를 채었음인지 종이를 그의 입 가까이 갖다 대고,

"적어 안 되었수."

부끄럼이 눈썹 끝에 일어 칠성이는 눈을 내려 뜨고 애꿎이 코를 들여 마시며 종이를 무릎에 놓고 입을 대고 핥아먹었다. 신문지

냄새가 사이에 나들고 약간 쉬인 듯한 밥알이 씹을수록 고소하였다. 입맛을 다실 때마다 좀 더 있으면 하는 아쉬운 마음이 혀끝에 날름거리고 사내 편을 향한 귓바퀴가 어쩐지 가려운 듯 따가 움을 느꼈다.

"적어서 원…"

사내의 이러한 말을 들으며 신문지에서 입을 떼고 히 하고 웃어 보이었다. 사내도 따라 웃고 무심히 칠성의 다리를 보았다.

"어디 다쳤나보! 펴가 나우."

허리를 굽히어 들여다본다. 칠성은 얼른 아픔을 느끼고 들여다보니, 잠뱅이 가랑이에 피가 빨갛게 묻었고, 다리엔 방금 선혈이 흐르고 있다. 별안간 속이 무쭉해서 그는 다리를 움츠리고 머리를 들었다. 바람결에 개 비린내 같은 것이 흠씬 끼친다.

"개. 개한테 그리 되었지우."

"아, 그 기와집 가셨수… 그 개를 길러도 흉악한 개를 기르거든. 흥! 한 놈이 아니우, 어디 이리 내놓우, 개에게 물린 것이 심상히 여길 것이 못 되우."사내는 그의 다리를 잡아당기었다. 그는 얼른 다리를 치우면서도, 코 안이 싸해서 몇 번 코를 움직일 때 뜻하지 않은 눈물이 주르르 흘러내린다. 사나이는 이 눈치를 채고 허허 웃으면서 고의 등을 가볍게 두드렸다.

"이 친구 우오. 울기로 하자면… 허허, 울어선 못쓰오."

칠성이는 머리를 번쩍 들어 사내를 바라보니, 눈에 분노의 빛이 은은하였다. 다시 다리로 시선이 옮겨질 때. 가슴이 턱 막히고 목에 무엇이 가로질리는 것 같아, 시름없이 머리를 숙이고 무심히 부드러운 먼지를 쥐어 상처에 발랐다.

"아이고! 먼지를 바르면 되우?"

사내는 칠성이 손을 꽉 붙들었다. 칠성이는 어린애 같이 히 웃고 나서,

"이러면 나유."

"아 원, 그런 일 다시는 하지 마우. 약이 없으면 말지, 그런 일 하면 되우? 더 성해서 앓게 되우."

칠성이는 약간 무안해서 다리를 움츠리고 밖을 바라보았다. 사내는 또다시 무슨 생각에 깊이 잠기는 것 같다.

바람이 비를 안고 싸싸 밀려들고, 천장에 수 없는 거미줄은 끊어져 연기같이 나부꼈다. 바라 뵈는 버드나무의 잎은 팔팔 떨곤 아래로 시뻘건 물이 활활 소리를 내고 흐른다. 어깨 위가 어찔해서 돌아보면 큰 매매히 쌀겨를 뽀얗게 쓰고서 얼음 같은 서늘한 기를 품품 피우고 있다.

"배안의 병신이우?"

사내는 문득 이렇게 물었다. 칠성이는 머리를 숙이고 머뭇머뭇하다가,

"아, 아니유."

"그럼 앓다가 그리 되었구려… 약 써봤수?"

칠성이는 또다시 말하기가 힘든 듯이 우물쭈물하고 다리만 보았다. 한참 후에,

"아, 아니유, 못 못 썼어유."

"흥! 생다리도 꺾이는 지경인데. 약 못 쓰는 것쯤이야, 허허."

사내는 허공을 향하여 웃었다. 그 웃음소리에 소름이 오싹 끼쳐 힐끔 사내를 보았다. 눈을 무섭게 뜨고 밖을 내다보는데, 이마엔 퍼런 힘줄이 불쑥 일었고, 입은 꼭 다물고 있다.

"허. 치가 떨려. 내 왜 그리 어리석었는지 지금만 같으면, 지금

이라면 죽더라도 해볼걸. 왜 그 꼴이었어! 흥!"

칠성이는 귀를 밝혀 이 말을 새겨들으려 했으나 무엇을 의미한 말인지 알 수가 없었다. 사내는 칠성이를 돌아보았다. 눈 아래 두어 줄의 주름살이 돌아가신 그의 아버지와 흡사했다.

"이 친구, 나도 한 가정을 가졌던 놈이우. 공장에선 모범 공인이었구. 허허 모범 공인—다리가 꺾인 후에 공장에서 나오니, 계집은 달아나고, 어린 것들은 배고파 울고, 부모는 근심에 지레 돌아가시구… 허 말해서 뭘하우."

사내는 칠성이를 딱 쏘아본다. 어쩐지 칠성의 가슴은 까닭 없이 두근거려, 차마 사내를 정면으로 보지 못하고 꺾인 다리를 보았다. 그리고 사내의 다리 밑에 황소같이 말없는 땅을 보았다.

어느덧 밖은 안개비로 자욱하였고, 먼 산이 눈물을 머금고, 구불구불 솟아 있으며, 빗소리에 잠겼던 개구리소리가 그의 동네 앞인가도 싶게 했고 또한 큰년의 뒷매가 홰나무 아래 어른거려 보인다. 칠성이는 부스스 일어났다.

"난, 난 집에 가겠수."

사내도 따라 일어났다.

"아. 집이 있수? … 가보우."

칠성이는 머리를 드니 사내가 곁에 와서 밀짚모를 잘 씌워주고 빙긋이 웃는다. 어머니를 대한 것처럼 어딘가 모르게 의지하고 싶은 생각과 믿는 마음이 들었다.

"잘 가우—, 세월 좋으면 또 만나지."

대답 대신으로 그는 마주 웃어 보이고 걸었다. 한참이나 오다가 돌아보니, 사내는 우두커니 서 있다. 주먹으로 눈을 닦고 보고 또 보았다.

길 좌우에 늘어앉은 조밭 수수밭은 고랑마다 물이 충충했고, 조이삭, 수수이삭이 절반 넘어져 물에 잠겨 있다. 올해도 흉년이구나 할 때, 어디서 맹하니 또 어디서 꽁하는 소리가 들렸다. 저 멀리 귀 시끄럽게 우짖는 개구리소리는 무심한데. 이제 그 어딘가 곁에서 맹꽁 한 그 소리는 사람의 음성같이 무게가 있었다.

안개비 나슬나슬(가늘고 짧은 털이나 풀 따위가 보드랍고 성긴 모양) 내려온다. 조금 말라오려던 옷이 또 축축이 젖고, 눈썹 끝에 안개비 엉기어 마음까지 묵중하고 알 수 없는 의문이 뒤범벅이 되어 돌아간다.

그가 그의 마을까지 왔을 때는 다시 빗발이 굵어지고 바람이 슬슬 불기 시작하였다. 언제나 시원해 보이는 홰나무도 찡그린 하늘 아래 우울해 있고, 동네 뒤로 나지막이 둘려 있는 산도 빗발에 묻히어 잘 보이지 않았다. 그러나 큰년이가 물동이를 이고 이 비를 맞으면서도 저 산 아래 박우물로 달려가지나 않나 하는 생각이, 집집의 울바자며 채마 밑의 긴 바자가 차츰 선명히 보일 때 선뜻 들어 그의 발길을 허둥거렸다.

집에까지 오니 어머니는 눈물이 그득해서 나왔다.

"이놈아, 어미 기다릴 것도 생각지 않고 어딜 그리 다니느냐."

어머니는 동냥자루를 받아 쥐고 쿨적쿨적 울었다. 칠성이는 잠잠히 방으로 들어오니, 빗물 받는 그릇으로 절반 차지했고, 뚝뚝 듣는 빗소리가 장단 맞추어 났다. 칠성이는 그만 우두커니 서서 어쩔 줄을 몰랐다. 몸은 아까보다 더 춥고 떨리어서 견딜 수 없다.

칠운이와 아기는 아랫목에 누워 있고 아기 머리엔 무슨 헝겊으로 허옇게 싸매 있었다. 그들의 그 작은 몸에도 빗방울이 간혹 떨어진다.

"아무 데나 앉으렴. 어쩌겠니… 에그, 난 어젯밤 널 찾아 읍에 가서 밤새 싸다니다 왔다. 오죽해야 술집 문까지 두드렸겠니. 이놈아, 어딜 가면 간다고 하지 이게 뭐이." 이번에는 소리까지 내어 운다. 남편을 잃은 뒤 그나마 저 병신 아들을 하늘같이 중히 의지해 살아가는 어머니의 마음을 엿볼 수가 있다. 칠운이는 울음소리에 벌떡 일어났다.

"성 왔네! 성 왔네!"

눈을 잔뜩 움켜쥐고 뛰었다. 그 통에 파리는 우그르르 끓고, 아기까지 키성키성 보챈다. 칠운이는 두 손으로 눈을 비비치고 형을 보려다는 못 보고 또 비비 친다.

"이 새끼야. 고만두라구. 그러니 더 아프지. 에그 너 없는 새 저것들이 자꾸만 앓아서 죽겠다. 거게다 눈까지 덧치니. 그런데 이 동리는 웬일이냐. 지금 눈병 때문에 큰일이구나. 아이 어른 모두 눈병에 걸려 눈을 못 뜬다." 칠성이는 지금 아무 말도 귀에 거치지 않고. 비새지 않는 곳에 누워 한잠 푹 들고 싶었다. 칠운이는 마침내 응응 울다가 무슨 생각을 하고 뒷문 밖으로 나가더니 오줌을 내뻗치며 그 오줌을 눈에 바른다.

"잘 발라라. 눈두덩에만 바르지 말고 눈 속에까지 발러… 저것도 반가워서 저리도 눈을 뜨려는구. 어제는 성아, 성아 찾더구나."

어머니는 또 운다. 칠성이는 등에 선뜻 떨어지는 빗방울을 피하여 앉으니, 이번에는 콧등에 떨어져 입술에 흐른다. 그는 콧등을 후려치고 화를 버럭 내었다.

"제, 제길"

"글쎄 비는 왜 오겠니. 바람이나 불지 말아야 할 터인데, 저 바람! 기껏 키운 조는 다 쓰러져 싹이 싸겠구나. 아이구, 이 노릇을 어찌해야 좋으냐. 하느님 맙소사." 두 손을 곧추 들고 애걸한다, 그예 머리는 비에 젖어 이기어 붙었고, 눈은 눈곱에 탁 엉기었고, 그 속으로 핏줄이 뻘겋게 일어 눈이 시커메서 바라볼 수 없는데, 시커먼 옷에 천정 물이 어룽어룽 젖었다.

칠성이는 얼른 샛문 턱에 걸터앉아 눈을 딱 감아버렸다. 눈이 자꾸만 피곤하고 그래선 새 속눈썹이 가시 같아 눈 속을 꼭꼭 찌른다.

그는 눈을 두어 번 굴렸을 때 문득 방앗간이 떠오른다.

"어제 개똥네 논에 동이 터졌는데, 전부 쓸려 나갔다누나. 에구 무서워. 저게 무슨 바람이냐. 저 바람! 우리 밭은 어쩌나."

어머니는 밖으로 뛰어나간다, 칠운이는 울면서 따르다가 문턱에 걸려 공중 나가넘어지고 시재 가르려는 소리를 하였다. 칠성이는 눈을 부릅떴다.

"저 저놈의 새끼, 주 죽이고 말까부다."

어머니는 얼른 칠운이를 업고 물러나서 정신없이 밖을 바라보고. 또 나갔다가 들어왔다. 칠운이를 때리다가 중얼중얼하며 돌아간다.

칠성이는 이 꼴이 보기 싫어 모로 앉아 눈을 감았다. 무엇에 놀라 눈을 뜨니, 아랫목에 누워 할락할락하는 아기가 일어나려다 쓰러지고 소리 없는 울음을 입으로 운다. 머리를 갈자리에 비비 쳐도 시원치 않은지 손이 올라가서 헝겊을 쥐고 박박 할퀴는 소리란 징그러워 들을 수 없었다.

칠성이는 눈을 안 뜨자 하다도 어느새 문득 뜨게 되고 아키의 저 노란 손가락이 머리를 쥐어뜯는 것을 보게 된다. 조놈의 계집애는 죽었으면! 하면서 눈을 감는다.

바람은 점점 더 세차게 분다, 살구나무 꺾이는 소리가 뚝뚝 나고, 집 기둥이 쏠리는지 씩꺽 쿵! 하는 소리가 샛문에 울렸다. 칠운이는 방으로 들어와서 눕는다.

"성아, 내일은 눈약도 얻어오렴. 개똥이는 저 아버지가 읍에 가서 눈약 사왔다는데, 그 약을 넣으니까 눈이 낫다더라, 응야."

칠성이는 잠잠히 들으며 얼른 가슴에 품겨 있는 큰년의 옷감을 생각하였다. 차라리 눈약이나 사올 것을 하는 마음이 잠깐 들었으나 사라지고, 어떻게 큰년에게 이 옷감을 들려줄까 하였다.

부엌에서 성냥 긋는 소리가 들리더니 어머니가 들어온다,

"아궁에 물이 가득하니 이를 어쩌냐. 저것들도 아무 것도 못 먹었는데… 너두 배고프겠구나."

이런 말을 하고 밖으로 나가더니 곧 뛰어 들어온다.

"큰년네 논두 동이 터졌단다. 그리 튼튼하던 동두, 저를 어쩌니."

칠성이는 눈을 둥그렇게 떴다.

"좀 자려무나. 요 계집애야, 왜 자꾸만 머리를 뜯니. 조놈의 계집애는 며칠째 안 자고 새웠단다. 개똥어머니가 쥐 가죽이 약이라기, 쥐를 잡아 저리 붙였는데 자꾸만 떼려구 저러니 아마 나으려구 가려운 모양이지."

그렇다고 해줘야 어머니는 맘이 놓일 모양이다. 큰년네 말에 칠성이는 눈을 떴는데 딴 푸념을 하니 듣기 싫었다. 하나 꾹 참고,

"그래. 큰년네두 논이 떴대?"

"그래! 젖이 안 나니…"

어머니는 연방 아기를 보고 그의 젖을 주물러본다, 명주 고름 끈같이 말큰(연하고 부드러운 느낌이 날 정도로 말랑하다)거린다.

아기는 점점 더 할딱할딱 숨이 차오고, 이젠 손을 놀릴 기운도 없는지 손이 귀밑으로 올라가고는 맥을 잃고 다르르 굴러 떨어진다. 어머니는 바람소리를 듣더니,

"이전 우리 조는 못쓰게 되었겠다! 큰년네 논이 뜨는데 겐디겠니… 참 큰년이는 복 좋아, 글쎄, 이런 꼴 안 보렴인지 어제 시집 갔단다."

"큰년이가?"

칠성이는 버럭 소리쳤다. 그의 가슴에 고이 안겨 있던 큰년의 옷감은 돌같이 딱 맞질리운다. 어머니는 아들의 태도에 놀라 바라보았다.

"어마이 저것 봐!"

칠운이는 뛰어 일어나서 응응 운다. 그들은 놀라 일시에 바라보았다.

아기는 언제 그 헝겊을 찢었는지, 반쯤 헝겊이 찢어졌고, 그리로부터 쌀알 같은 구데기가 설렁설렁 내달아오고 있다.

"아이구머니 이게 웬일이야 응, 이게 웬일이어."

어머니는 와락 기어가서 헝겊을 잡아 젖히니, 쥐 가죽이 딸려 일어나고 피를 문 구더기가 아글아글 떨어진다.

"아가, 아가 눈 떠, 눈 떠라 아가!"

이 같은 어머니의 비명을 들으며 칠성이는 "엑!" 소리를 지르고 우둥퉁퉁 밖으로 나와 버렸다.

비는 잘콱 쏟아지고 바람은 미친 듯 몰아치는데, 가다가 우르릉 쾅쾅 하고 하늘이 울고 번갯불이 제멋대로 쭉쭉 찢겨나가고 있다.

칠성이는 묵묵히 저 하늘을 노려보고 있었다.

어둠

글 _ 강경애

툭 솟은 광대뼈 위에 검은빛이 돌도록 움쑥 패인 눈이 슬그머니 외과 실을 살피다가 환자가 없을 알았던지 얼굴을 푹 숙이고 지팡이에 힘을 주어 붕대를 감은 다리를 철철 끌고 문안으로 들어선다.

오래 깎지 못한 머리카락은 남바위나 쓴 듯이 이마를 덮어 꺼칠꺼칠하게 귀밑까지 흘러내렸으며 땀에 어룽진 옷은 유리같이 싯누래서 몸에 착 달라붙어 뼈마디를 환히 드러내고 있다. 소매로 나타난 수숫대 같은 팔에 갑자기 뭉뚝하게 달린 손이 지팡이를 힘껏 다시 쥐었다. 금방 뼈마디가 허옇게 나올 것 같다.

의사는 회전의자에 앉아 의서를 보다가 흘끔 돌아보았으나 못 볼 것을 본 것처럼 얼른 머리를 돌리고 검실검실한 긴 눈썹에 싫은 빛을 푸르르 깃들이고서 여전히 책에 열중한 체한다. 저편 침대 곁에서 소곤소곤 지껄이던 간호부들은 입을 다물고 우두커니 서 있다. 그중에 제일 나이 들어 보이는 간호부가 환자를 바라보자 얼굴이 해쓱해서? 오빠? 하고 부르려했으나 다시 보니 오빠는 아니었다.

가시로 버티는 듯한 눈을 억지로 내려 떴다. 마룻바닥은 캄캄하였다. 귀가 울고 가슴이 달막거린다. 꼭 오빠였다. 조금도 틀림없는 오빠이었다. 한데 눈 한 번 깜박일새 그가 제일 싫어하는 무료과의 입원한 환자가 아니었던가. 내가 미쳤나, 소리를 쳤더라면 어쩔 뻔했어, 하고 다시 환자를 바라보았다. 오빠는 저러한 불쌍한 사람을 위하여 목숨까지 바친 셈인가! 이러한 생각이 불쑥 일어나

자 그의 조그만 가슴이 화끈 뜨거워진다. 그는 얼른 알코올 십뿌(찜질수건)를 가지고 환자의 곁으로 가서 붕대에 손을 대었다. 오빠는 참으로 이런 사람을 위했음인가? 머리가 어찔해지고 손끝이 포들포들 떨린다. 풀리는 붕대에서는 살 썩은 내가 뭉클뭉클 일어난다. 참말 오빠는 사형을 당하였어, 거짓 소리가 아닐까. 손은 환부를 꾹 눌러 누런 고름을 뽑으면서 맘으로는 이리 분주하였다.

뻘건 피가 고름에 섞여 주르르 흘러내린다. 그는 손에 힘을 주었다, 퉁퉁 부은 환부에 손이 움쑥 들어가며 다리뼈 마디에 맞질리운다. 발그레한 손끝에 피와 고름이 선뜻 묻혀진다. 오빠의 얼굴이 선히 떠오른다. 오빠는 목숨까지 바쳤거든 나는 요만 병자를 대하기도 싫어했구나. 눈이 캄캄해지고 형용할 수 없는 감격이 토실이 부은 그의 눈두덩에까지 흔흔히 올라오고 있다.

고름은 멈춰지고 피만 흐르매 알코올 십뿌로 환부를 박박 문지르고 핀셋으로 니바노루 가제를 집어 어웅한 환부 속을 헤치고 깊이 밀어 넣은 담에 소독한 가제에다 부로시 십뿌를 싸서 환부에 덮고 노란 유지를 놓아 붕대를 감아 주었다. 환자는 이마에 흐르는 땀을 손등으로 부비치고 나서 지팡이를 짚고 일어나 나간다. 땀내에 머리카락 쉰내인 듯한 내가 후끈 끼친다. 그는 물러났다. 적삼깃을 쓰적이는 환자의 머리털이며 고름을 이겨 붙여 말린 듯한 잠방이 밑, 저는 필시 부모도 처자도 없는 게로구나, 하고 돌아서서 스팀 곁에 있는 세면기에 손을 넣었다. 나도 단지 어머님뿐만이 아닌가, 크레졸 물이 그의 손에 가볍게 부딪칠 때 이리 생각되었다. 귀밑에 땀이 뽀르르 흘러내린다.

그는 보느라 없이 의사를 보았다. 양미간을 찌푸린 채 책을 보고 있다. 기분이 좋지 못할 때 언제나 저 모양을 한다. 그런 험한 환자가 다녀간 뒤라 그런지 의서 가운데 난해의 문구가 있어 그런지 딱히 집어댈 수는 없었다. 그러나 그는 뜻하지 않은 옛일을 문득 회상하고 코웃음 치지 않을 수가 없었다.

십년 전 의사가 이 병원에 갓 부임했을 때는 모든 일에 열과 피가 움직였다. 특히 빈한한 환자에게 한 하여는 수술료 같은 것은 반감하였고 또는 사정만 하면 한 푼도 받지 않았다. 그래서 원장과도 말다툼이 잦았으며, 한때는 사직한다는 말까지 있어 시민들까지 우려하였던 것이다.

때는 흘렀다. 거기에 따라 인심도 흐른 것인가, 십년 전 의사와 오늘의 그는 딴 사람인 것처럼 변하여진 것이다. 하필 의사뿐이랴, 오빠가 떠난 후에 영실의 맘과 몸까지도 엄청나게 달라졌다는 것을 비로소 지금 느끼는 것이다.

우리는 없는 놈이니까 같은 없는 놈을 동정하여야 하고 보다도 이러한 생지옥을 벗어나기 위하여 싸우지 않으면 안 된다, 누이야.

어떤 날 밤중에 길 떠나면서 매어달리는 그 누이에게 이르던 오빠의 말, 결국 오빠는 그 길에서 돌아오지 못하고 말았다.

"오빠 너무해, 너무해, 어머니는 어쩌구 저 모양이 되어, 온 세상이 우리 모녀를 업신여겨 보고 해치려는데…"

그는 커튼으로 눈을 옮겼다. 대낮 햇볕에 주홍빛으로 물들여진 커튼은 눈물에 어리어 뿌옇기도 하고 어찌 보면 캄캄도 하였다.

열두 시를 땅땅 친다. 뒤이어 웅 하고 일어나는 저 사이렌 소리. 병원을 즈르릉 울려 준다.

"너의 오빠는 사형 당하였단다. 우웅우웅."

외치는 듯 호소하는 듯 땅을 울리고 하늘에 솟았다 툭 끊어져 버렸다.

의사는 책을 덮어놓고 일변 수건을 내어 얼굴을 씻으면서 일어나 밖으로 나간다. 가죽 슬리퍼 끄는 저 소리, 그는 문득 신발소리를 따라 귀를 세웠음을 발견하고 스스로 조소하지 않을 수가 없다. 이젠 의사는 그를 잊은 지 오래였고 이미 딴 여자와 약혼까지 하지 않았나. 그런데 왜 자신은 그를 잊지 못하고 입때까지 생각하나. 호! 나오는 한숨을 언제나 꿈쩍 삼키였다가 한참만에야 가만히 내뿜었다.

믿던 사나이도 변하였고, 행여나 나오면 나오게 되면, 하고 주야로 기다리던 오빠마저 영원히 가버리었다. 오빠가 나오면 어머님께도 숨긴 이 비밀을 이야기하여 억울함을 설치하고자 했건만 그 희망조차 툭 끊지 않으면 안 되게 되었다. 번득이는 카제관(罐, 양처로 만든 용기)을 바라보자 눈에 핏줄이 따갑게 일어나는 듯해서 눈을 감고 침대에 걸어앉았다. 소매에서 크레졸 내가 솔솔 품기고 있다.

"아이 언니, 오빠를 생각하지? 그러지 말아요, 이젠 그리된 것을 아끼라메(체념) 해야지 어쩐다나."

효숙이가 깨울하여 본다. 눈에 동정의 빛이 짜르르하다. 통통한 볼에 윤기가 돌고 엷은 입술 사이로 담은 담은한 이가 구슬같이 둥글다.

"어서 소지나 해요."

효숙의 뒤에서 물끄러미 바라보는 나까가와(中川)를 보았다.

"너무 슬퍼하지 말아요, 이상."

머리를 끄떡해 보인다. 그는 한숨을 후 쉬었다. 말로나마 동무들은 이리 위로하여 주건만 정작 위로하여 줄 의사만은 입을 다문 채 오히려 모르는 체한다. 이것이 무엇보다도 괘씸하고 분하여서 그 앞에서는 조금도 슬픈 빛을 띠지 않으려 적심을 다 기울이는 것이다.

효숙이는 영실의 눈이 까스스해지는 것을 보고 돌아서서 양동이를 가지고 수도 곁으로 가서 솨르르 수도를 틀어 놓았다. 머리에 꽂힌 모자는 깨울 하였고, 그 밑으로 토실한 목덜미가 나부룩한 머리에 덮이었다. 나까가와는 눈을 껌벅이면서 주사기, 핀셋, 존데 같은 기계를 한 줌 쥐고 소독 가마(消: 독)곁으로 와서 나사를 틀어 놓으니 물이 쌀쌀 끓고 더운 김이 팡팡 기어오른다. 거기에 기계들을 집어넣고 물러난다. 금시코 밑에 땀이 송알송알 맺히었다.

영실이는 힘없는 다리를 옮겨서 그의 사무상으로 왔다. 손은 벌써 흐트러진 책상 위를 정동하는 것이다. 누런 뚜껑을 한 의서에서 호르르 오르는 담배 냄새와 가오루(향기) 내, 그는 의사의 숨결을 문득 볼에 느낀다. 일변 눈을 찌푸리고 생각을 돌리려 효숙의 분주한 양을 바라보았다. 약간 푸른 기를 띤 새하얀 간호부복에서 또한 의사의 옷 갈피를 홀연히 발견하는 것이다. 그는 하는 수 없이 천장을 바라보았다. 오빠는 사형 당하였다. 천장에 시커멓게 써지는 것을 또한 보게 된다.

효숙이는 걸레로 마루를 닦고 책상, 의자, 도다나(찬장)를 닦으면서 열심히 조잘거리고 있다. 머리 까딱이는 몸짓하는 게 나까가와 보다 훨씬 능란한 것 같다. 나까가와는 푸시시한 머리를 소독가마에서 오르는 김에 뽀얗게 적시우고 서서 기계를 꺼내어 하나하나 탈지면으로 닦으며, "그래, 참말" 하고 효숙의 말을 받고 있다. 그들은 아무 걱정도 없어 보인다.

소제가 끝나자 둘이는 머리를 까딱해 보이고 밖으로 통통 뛰어나간다. 이어 점심 종소리가 댕그릉 댕그릉 울려온다. 그는 엊저녁부터 굶었건만 밥 먹고 싶지 않았다. 이십여 일 전 의사가 약혼할 당시부터 굶기 시작한 것이 그 후로 한두 끼는 예사로 굶게 되는 것이다. 보다도 그때로부터 밥맛을 잃어버렸다.

그는 복도로 통한 문을 닫고 포켓에 손을 넣었다. 신문이 바스락 만져진다. 몸이 흠칫해지고 솜채가 오스스해진다. 손을 빼어 볼에 대었다. 잘못 본 것이라면 얼마나 좋을까, 혹시 알 수가 있나, 손은 다시 포켓 속으로 들어간다. 땀이 뿌찐뿌찐 나고 팔이 후루루 떨린다. 신문을 쥐었다. 놓았다. 망설였다. 살금살금 끌어내었다. 눈에 칼날이 스치는 듯 산득산득해서 바로 볼 수가 없다. 절반 버그러진 사형수들의 사진 틈에 목이 상큼하게 패인 오빠가 툭 뛰어들었다. 그는 머리를 돌리고 같은 사람도 있지, 이름으로 눈을 옮기자 신문을 와락 접어 던졌다. 순간 철사로 그를 숨 쉴 수 없어 꽁꽁 동였음을 느낀다. 아무리 벗어나려야 날 수 없는 그런 철망에 감긴 것을… 오빠! 어머님께 뭐라고 하라우! 이때까지는 속여 왔지만 이제는 뭐라고… 어제 이맘때 의사의 손을 거쳐 떨어지던 이 신문 호외! 얼마나 기막힌 소식이었던가. 그는 당장에 기색하였던 것이다. 그때 아주 피어나지 말았던들 이 아픈 양은 당하지 않을 것을, 그는 부지중에 손등을 꽉 물어 떼었다. 피가 봉긋이 솟아오른다.

“오빠는 나쁜 사람이야. 그 어머님께 죽음을 뵈어. 너무해, 너무해, 어머님께 뭐라고 여쭐까.”

그는 벌떡 일어나 빙빙 돌았다. 어머니만 아니면 약이라도 먹고 금방 이 괴롬을 잊고 싶다. 한데 칠순이 다 된 어머니가 있지 않나. 아들이 나오면 만나보겠다고 눈이 깜깜하도록 기다리는 어머니가 있지 않나.

영실아, 우리가 사형 언도를 받은 것은 신문지상으로 벌써 알았겠구나. 하지만 봐라, 결코 우리는 죽지 않는다. 언제든지 나가서 어머니와 너를 대할 날이 있을 터이니 그때를 기다려라. 어머니께는 당분간 숨겨다오, 누이야 최후 심사에서 사형 언도를 받는 오빠에게서는 이러한 편지가 왔던 것이다. 온 세상이 뭐라고 떠들든지 그는 오빠의 이 말을 믿고 싶었으며 또한 믿어지던 것이다. 하나 결국은 사형을 당하고야 말지 않았나. 그는 신문을 와락 당기어 올올이 찢어 창밖으로 던졌다.

저편 정원엔 한창인 화단이 눈이 시릴 만큼 번거로웠고, 정원을 둘러싼 비수리나무 울타리는 요새 가지 깎음을 받아 가지런하게 돌아갔다. 거기엔 이제야 봄이 툭툭 쥐어 발렸다.

참일까, 거짓이지, 오늘이라도 오빠에게서 편지가 올지 모르지. 그는 시계를 쳐다보았다.

물소리가 났다. 누가 편지를 들고 들어오는 것 같아 왁 울음이 나오는 것을 참고 머리를 돌렸다. 의사가 무심히 들어오다가 흠칫하였으나 태연히 들어와서 의자에 걸어앉는다. 그의 손엔 아무것도 없었다. 일변 담배를 피워 문다.

코끝에까지 울음이 빼듯이 내어 민 것을 억지로 삼키려니 자꾸만 입이 비죽거려지고 숨이 가쁘다. 그러나 눈엔 독이 파랗게 서리고 있다. 혀를 꼭 깨물고 책상을 힘껏 붙들었다. 혀끝에서 피가 나는지 간간한 맛이 머리에까지 따끔따끔 느껴지고 있다. 의사는 성큼 일어나더니 도나다 곁으로 가서 담숙담숙 쌓아 놓은 알코올 십뿌를 집어 손을 닦고 있다.

"점심 먹었어?"

이 물음에 영실의 보풀락한 눈두덩은 찢어질 듯이 팽팽하여졌다.

"왜 대답이 없어?"

말끝에 씩 웃는다. 그의 말버릇이 그렇게만 지금에 있어서는 자신의 처지를 비웃는 웃음 같아 더 참을 수 없는 분이 왈칵 내밀치므로 눈을 쏘아 보았다.

포마드를 발라넘긴 머리카락은 보기 싫게 흔들거리고 거무칙칙

한 눈에 거만함이 숭글숭글 얽히었다. 의사는 그의 시선을 피하여 열심히 손끝만 보고 부비 친다. 전날에 고상해 보이던 그의 인격은 어디로 갔는지 흔적도 찾을 수 없고 머리에서 발끝에까지 야비함이 주르르 흘러내린다. 저런 사나이에게 귀한 처녀를 빼앗기었나, 보다도 오빠만을 고이 생각던 누이의 맑은 맘을 송두리째 빼앗기었나, 하니 자신의 어리석음이 기막히게 분하여진다. 그만 달려가서 저 사나이를 푹푹 찔러죽이고 싶다.

의사는 그의 눈치를 채었음인지 슬금슬금 나가버린다. 그는 의사가 보이지 않도록 쏘아보다가 일어나 위층 쯔메쇼(話所: 대기실)로 올라왔다.

활짝 열어젖힌 창으로 오빠를 잃은 저 하늘이 찰찰 넘쳐흐르고 책상 위의 두어 송이의 백합이 그 하늘을 갸웃이 바라보고 있다. 그는 의자에 털썩 주저앉아 하늘을 멍하니 바라보노라니 층대를 올라오는 신발소리가 아득히 들린다. 의사인가 싶어 휙 돌아보니 소사인 김 서방이 바쁘게 올라온다. 울어서 부은 눈을 아무에게도 보이기 싫어서 머리를 돌렸다. 한참 후에 무심히 머리를 돌리니 그의 옆에 김 서방이 우뚝 섰지 않느냐. 그는 와락 반가운 맘이 들어 벌떡 일어났다.

"편지 왔소?"

김 서방은 몇이 들어앉아 쭉 펴지 못하는 그의 굵단 손으로 반백이나 되는 머리를 어색하게 슬슬 어루만지며 차마 영실이를 바라보지 못하고 섰다.

"아니유."

"오늘은 꼭 편지가 와야 할 텐데 어쩌나!"

그는 애처로이 김 서방을 보았다. 입을 중긋중긋 하던 김 서방은 눈을 번쩍 떠서 마주 본다. 항상 벙글거리던 그 눈에 웃음이 간 곳 없고 슬픈 빛이 뚝뚝 흘러내린다. 저도 알았구나, 하자 눈물이 핑그르르 돌아 떨어진다. 그는 흐르는 눈물을 씻으려고도 아니하고 눈을 점점 더 크게 떠서 김 서방을 보았다. 얼굴은 캄캄하게 어리우나 왼편으로 깨울히 내려온 흰 수염 끝이 영실의 눈에 가득히 어리 운다.

"너무 너무 그렁마슈."

김 서방은 발끝을 굽어보고 이렇게 말하였다. 김 서방! 하고 힘껏 부르려 했으나 목이 메어 나가지 않았다.

이 병원에서 가장 오랜 연조를 가진 김 서방과 자신, 가장 가난한 처지에서 헤매는 김 서방과 자기, 그래서 의사와 자기 사이도 아는 것 같고 역시 오빠의 죽음에 대하여도 누구보다도 이해가 깊은 것을 깨달은 것이다.

밤 아홉시.

효숙이와 나까가와는 목욕탕에 들어가고 영실만이 대기실에 남아 있어 체온표에다 입원화자들의 체온과 맥박을 푸르고 붉은 연필로 그리고 있다. 손은 종이 위에서 넘노나 맘은 자꾸만 구숭숭해오고 초조했다. 무엇보다도 어머니가 오늘쯤은 어디서 이 소식을 듣고 나한테 쫓아오다가 길에서라도 졸도를 하지 않았는지 하는 불안이 시시각각으로 커가는 때문이다. 마침내 그는 체온표를 철썩 덮어놓았다. 연필이 따르르 떨어진다. 숙직 의사에게 말하고 잠깐 다녀오려니 일일이 사정을 늘어놓아야 할 테고 이해 없는 그들 앞에서 구구한 사정이란 기가 막히는 노릇이다. 이것들이 웬 목욕을 이리 오래 하누, 하고 층계 쪽을 바라보았다. 아래층 당구장에서는 한참 신이 나서 떠들고 있다.

어쩐지 저들과는 너무나 거리가 먼 곳에 있는 자신이라는 것을 새삼스레 느끼면서 두 손을 볼에 대고 한숨을 푹 쉬었다. 오빠가 사형을… 거짓말이지. 그럼, 아직 감옥 안에 계시어? 숨이 답답해지고 대답이 나오지 않는다. 내일까지 아무 소식이 없으면 휴가를 맡아가지고 경성 가봐야지, 그래야지 아무러면 오빠가 그리 되었을까, 신문에 난 것은 무어야! 그럼 그는 가슴이 오싹해서 일어나 빙빙 돌았다. 시커먼 사형수들의 사진이 얼씬얼씬 나타나고 있다. 참말일까? 그는 주위를 두리두리 살피다가 창 앞으로 왔다. 무의식간에 창문을 와르르 열고,

"참말일까요?"

허공을 향하여 소리쳤다. 밖에는 아무도 없다. 그는 따귀나 얻어맞은 것처럼 얼얼하여 우두커니 섰다. 싸늘한 바람이 그의 머리털에 비웃는 듯 조소하는 듯 팔팔 감기고 있다. 어둠을 뚫고 빛나는 전등불이 여기저기 흩어졌고 기기로부터 달려오는 긴 빛이 그의 눈가에 수없이 꽂히어 눈물을 가득히 어리게 한다. 원장의 집 곁에 간호부 기숙사가 있고 그 옆에 부원장인 외과의사의 저택이 유난히도 빛나는 전등을 문정에 달고 어둠 속에 뚜렷이 앉아 있다. 필시 지금쯤은 약혼한 계집이 찾아왔겠군, 불시에 이런 생각이 들자 불뚝 치달아 올라오는 질투심에 얼굴이 화끈 달았다. 그는 머리를 설레설레 흔들었다. 그러고 창을 등지고 서 버렸다.

영실이, 나는 그대를 떠나서는 한시도 살수가 없소. 내 손이 가기 전에 그 부드러운 흰 손이 더러운 환부를 깨끗이 씻어주었고, 그래서 내 손은 환부를 꼭 집어 알 수가 있소. 그 손! 그 예쁜 손은 영원히 내 것이요. 이러한 한 구절의 편지가 서늘한 바람을 타고 흘러 들어온다.

"악마!"

그는 부지중에 중얼거렸다. 그리고 창문을 요란스레 닫아버렸다. 이번엔 도다나 속의 수없는 기계들이 의사의 손! 영실의 손!

하고 속삭이는 듯하다.

그는 머리를 푹 숙이었다. 의사의 손과 그의 손이 합하면 어떠한 대수술도 무난히 돌파하지 않았던가. 나부죽한 손톱을 가진 약간 여윈 듯한 의사의 손! 까딱하면 무엇을 요구하는지를 알았고 또한 무슨 기계와 무슨 약을 들려 줄 것을 이 손이 알지 않았던가. 그는 얼른손등을 입에 대었다. 그만 탁 찍어 버리고 싶다.

내가 미쳤나? 그는 당구장에서 일어나는 환성에 깜짝 놀라 머리를 들었다. 지금 어머니는 어떻게 되었는지 모르면서.

"영식아! 영식아!"

오빠를 부르는 어머니의 음성이 금방 들리는 듯하다.

"언니 목욕해요"

효숙이와 나까가와는 층계를 올라오며 이렇게 말하였다. 그들의 얼굴은 빨갛게 상기되었고 하얀 손끝에서는 그림 냄새가 솔솔 풍기었다.

"저 나 잠깐만 집에 다녀올게. 병실에서 오거든 어지간하면 선생님께 알리지 말고 둘이서 처리해요. 저기 주사기랑 약이랑 준비 다 했으니, 응."

영신이는 도다나를 가리키고 나서 황황히 탈의소로 와서 옷을 갈아입고 층계를 내려뛰었다. 긴 복도를 지나 병원을 나왔다.

밖은 새까맣다. 하늘엔 별들이 싸늘해 있고 이따금 가로등만이 뽀얀 빛을 땅에 던지고 있다. 웬일인지 발길이 풍풍 빠지는 듯하고 다리마디가 자꾸만 꺾이려고 하였다. 신발소리만 나면 어머닌가 하여 살피게 되고, 늘 다니던 이 길이건만 어쩐지 처음 가는 골목같아 한참이나 돌아보곤 하였다. 너무 숨이 차서 가슴을 쥐고 후하고 숨을 길게 내쉬면 어둠이 새하얀 연기로 변하여 그의 갈한 목에 휘어 감기고 있다.

집에 오니 대문은 걸렸다. 얼른 문 사이로 방문을 살피니 불이 희미하다. 어머니가 계시구나. …맘이 다소 놓여서 대문을 가만히 붙들고 호하고 숨을 몰아쉬었다. 아직까지는 어머니가 모르시는 모양이나 내일이라도 누구에게서 듣고 묻는다면 무어라고 대답할까.

"어머님께는 당분간 숨겨다오 누이야!" 그는 부지중에 털썩 주저앉아다. 비록 오빠가 감옥에 있다 할지라도 모든 일을 이리 가르쳐 주었는데 이제부터는 누구의 지시를 받나! 우선 어머님께는 뭐라구 하나, 오빠 나는 어찌라우. 그는 발버둥 쳤다. 어젯밤에도 이리 와서 어머니는 차마 만나지 못하고 간 것이다. 어머니만 뵈오면 울음이 탁 나가서 아무리 숨기려야 숨길 수 없음을 깨달은 것이다. 그렇다고 언제까지나 어머님을 만나지 않을 수는 도저히 없는 일이고 내가 좀 대담해야지, 좀 더 침착해야지 하고 가만히 일어났다. 대문을 붙들고 어머니! 하고 부르려니 벌써 눈두덩이 무거워지고 목이 꽉 메어 음성이 나가지 않는다. 그는 눈두덩을 한번 부비고 얼결에 대문을 쿵 받았다.

"누구냐!"

어머니의 음성이 흘러나온다. 그는 얼른 몸을 피하였으나 울음이 왁 나오면서 픽 쓰러졌다. 아득히 들리는 신발소리. 그는 혀를 꼭 물고 발딱 일어났다. 이제야말로 정신을 차려서 어머니를 대하지 않으면 안 되리라 하였다. 대문이 삐꺽 열리면서 어머니의 흰옷이 새하얗게 보인다. 그는 아뜩하였으나 두 손에 힘을 주어 울타리를 꼭 붙들고,

"나! 나야 흑!"

말끝에 흑 소리가 턱을 차고 내달린다. 얼른 목을 꼭 쥐어 비틀고 섰노라니,

"서울서 소식 없니!"

하고 어머니는 딸의 곁으로 다가선다. 소르르 건너오는 잎담배 내에 그는 주춤 물러서며 얼굴을 울타리에 돌려대고 힘껏 부비 쳤다. 나무판자 울타리에서 뜨끔 찔리는 볼, 그는 볼에 무엇이 들어박히는 것을 느끼면서도 울음은 자꾸만 쓸어 나오려고 한다.

“어젯밤 꿈에 네 오빠가 왔기에 오늘은 무슨 소식이 있는가 해서 아까 기숙사에 갔더니 오늘 네가 당번이 되어 몹시 바쁘다고 장 간호부가 그냥 가라고 하기에 왔다마는, 소식 없니.”

딸의 몸을 어루만지려는 어머니. 비틀 하고 어머니에게로 쏠리려는 것을 그는 울타리를 꼭 붙들고 섰으나 자꾸만 쓸어 나오는 울음 땜에 견딜 수 없다. 그래서 그는 휙 돌아서 울타리를 붙들고 걸었다.

“이애야, 너 선생님헌테 무슨 꾸지람을 들었니. 왜 그러니.”

쫓아오는 어머니에게 그는 아무 말이라도 하여서 안심시켜야 할 것을 느끼었으나 좀처럼 입을 벌릴 수가 없었다. 어머니와 거리가 좀 멀어지자 목을 비틀었던 손을 놓고 입을 벌리고 속으로 울었다.

“이애야, 말이나 시원히 하여.”

어둠을 뚫고 들리는 어머니의 음성은 애처로웠다. 휘끈 머리를 돌리고,

“어머니 들어가라우.”

하고 말을 내놓았으나 그 말은 어머니의 귀에까지 들린 것 같지 않았다.

그는 숨을 몰아쉬고 크게 말을 하였으나 울음이 왁 쓸어 나온다. 그는 입을 꼭 다물고 섰다. 귀찮게 흐르는 눈물을 씻고 바라보니 대문 앞에 어머니가 그냥 서 있듯 어머니의 흰 옷이 잡힐 것 같다.

“어머니, 어쩔까!”

그는 울음 섞어 이렇게 부르자 와락 어머니에게로 달려가는 발길을 억지로 멈추고 걷다가 돌아보면 어머니는 아직도 서 있는 듯, 그만 우두커니 섰다. 그러다 어머니가 그를 쫓아 병원으로 오든지 그렇지 않으면 마을이라도 가려나 하는 맘이 자꾸만 들었던 것이다.

그는 살금살금 그의 집을 바라보고 걸었다. 대문 앞에 오니 어머니는 들어가신 듯 아무것도 보이지 않는다. 대문을 더듬더듬 쓸어보고야 다소 안심을 하고 돌아서 걸었다. 한참 오다가 보니 또 어머닌 듯 흰 그림자 어둠 속에 뚜렷하였다. 눈을 아프게 쥐어 당기고 다시 한 번 와 보리라 하고 뛰어온다. 구두가 자꾸만 엎어지려고 해서 구두를 벗어 들고 그의 대문 앞에 와서 문틈에 눈을 대니 방에는 아까보다 불빛이 환하다. 들어가서 어머니를 안심시킬까 하니 벌써 울음이 다투어 기어 나오므로 그는 눈에 손을 대고 엎어질 듯 돌아섰다.

그가 보통학교 앞에 오니 숨이 차 견딜 수가 없다. 그래 잠깐 멍하니 섰노라니 어둠 속에 시꺼멓게 솟아 있는 중앙학교가 맘에까지 소복이 스며드는 것 같았다. 또다시 가슴이 화끈해지며 오빠와 그가 손을 맞잡고 이 길로 학교에 드나들던 것이 어제인 듯 톡 튀어 오른다.

노닥노닥 기운 옷에 가방 한 개도 못 가지고 목수건 하나도 없이 어머니가 일본 집에서 얻어온 구멍이 송송 난 모슬린 책보를 들고 그 몇 번이나 오르내렸던고.

어머니는 눈만 뜨면 일터로 가기 때문에 그는 언제나 오빠 옆에 붙어 있었다. 오빠에게서 하나 둘을 배웠고 또한 오빠의 등에서 오줌똥을 싼 것이다. 그러다 자라서 이 학교에 다니게 되니 오빠는 언제나 그의 손을 꼭 잡고 교실에까지 바래다주고 그의 교실로 들어가던 것이다. 몸이 아파도 오빠에게 하소하였고 동무들과 쌈을 하고도 오빠에게 고하였고 장난하다 손끝이 상하여도 오빠의 입술에 호 함을 받았고. 그렇던 오빠! 오빠! 난 어쩌라우, 그는 어린애 같이 발을 동동 굴렀다.

어느 날 하학을 하고 나오니 눈이 와서 성 같이 쌓였다. 오빠는 그를 둘러업고 눈 속을 빠져 집으로 온다.

"눈 꼭 감어."

눈 속을 헤엄치는 오빠는 이렇게 말하고 뛰었다. 눈이 얼굴에 부딪치어서는 녹아 얼굴을 쓰라리게 하고 목덜미에 스며들어 꼭꼭 찌른다. 그는 마침내 앙앙 울었다. 집에 오니 어머니는 아직도 안 돌아왔고 눈바람에 문풍지가 다 뜯긴 방안은 밖에 보다 더 추운 것 같았다. 오빠는 그의 몸에 눈을 떨어주고 얼굴을 소매로 닦아주면서, "이제 어머니가 과자 얻어온다. 울지 말아야." 이렇게 얼리면서도 오빠도 쿨쩍쿨쩍 울고 문만 바라본다. 바람에 문풍지만 울려도 어머닌가, 옆집에서 무슨 소리만 나도 오누이는 달려 일어나, "어머니." 하고 문을 열어 잡으면 밖에는 눈만 내리고 그는 발악을 하고 어머니를 부르면 오빠는 그를 업고 방안을 빙빙 돌면서 훌쩍 훌쩍 울던 일… 그는 미친 듯이 일어나 걸었다. 목이 찢어지는 듯 가슴이 막혀서 견딜 수 없었던 것이다. 발길이 느려지면서 이 길 위에 오빠의 신발자국이 어딘가 남아 있을 것 같아 펄썩 주저앉는다. 휘끈 돌아보니 저편에서 사람이 오므로 화닥닥 일어났다. 꼭 어머니인 듯한 여인이 이리로 온다. 그는 서슴지 않고,

"어머니야."

하고 울면서 쫓아가니 어떤 낯모를 여인이 주저 하다가 지나친다. 그 여인이 보이지 않도록 바라보면서, 어머니가 지금쯤은 주무실까, 한 번 더 가보고 싶어서 발길을 돌리니 몸이 비틀하고 꼬이

면서 집에까지 갔다가 돌아올 수가 없을 것 같았다. 그는 구두를 신었다. 높이 솟은 병원 창문으로 빨갛게 흘러나오는 불빛을 보고 얼른 손에 든 구두 생각이 났고 맨발이 부끄러웠던 것이다.

기미년 토벌 난에 아버지를 잃어, 또 오빠를 이 모양으로 잃어, 우리집안은 무슨 못된 운수인가, 그는 돌연 이러한 생각을 하며 병원 현에 들어서니 병원 안이 떠들썩하였다. 수술 환자가 왔는가 하는 불안이 머리를 아프게 후려치자 두루두루 살피니 저편 수술실에는 전등불이 환하고 수술복을 입은 의사며 조수들 간호부들까지 한참 분주한 가운데 있다. 어쩌나, 그는 잠깐 망설였으나 위층 쯔메쇼(대기실)로 올라왔다.

“언니! 어서 어서 내려가요, 맹장염 환자가 왔다우, 빨리. 선생님이 자꾸만 부르시어. 우리는 혼났어. 그래서 사실대로 여쭈었더니 아주 성이 났어요, 얼른.”

효숙이는 공중 뛰어와서 영실이를 탈의소롤 잡아끌고 일변 옷을 바꾸어 입히느라 색색거린다. 크림 냄새가 숨결에 따라 몽클몽클 그의 볼에 부딪치고 있다. 그는 맘은 급하지만 몸은 딴 사람의 것 같이 임의로 움직여지지를 않는다. 그래서 효숙의 하는 대로 내맡기었다.

효숙이는 그를 끌고 내려와서 수술실 문을 조용히 열고 등을 밀었다. 방안은 화끈하고 더운 김이 그의 머리털에까지 훈훈히 서리고 있다. 갑자기 그는 현기증이 칵 일어 앞이 아득해지므로 벽을 붙들고 멍하니 섰다.

벌써 환자는 수술대에 높이 뉘어놨고 천으로 푹 덮어 놨으며, 오직 오른편 배만은 장방형으로 나타나게 하였고 그 옆에 의사가 서서 주사를 놓고 있다.

두 사람의 조수가 좌우 옆에 갈라섰고 아래위로 간호부가 서서 병자를 붙들고 있다. 의사의 바로 옆에 수술복에 새하얀 수건을 쓴 나까가와가 수갑 낀 손에 핀셋을 쥐고 테이블에 늘어놓은 온갖 기계들은 차례로 섬기고 있다. 그 나머지의 간호부들은 세면기에 물을 떠 가지고 간혹 들어온 불나비를 잡느라 쫓아다니고, 혹 의사의 이마에 흐르는 땀이며 조수들의 땀을 씻어 주고, 발이 시원해지라 냉수를 시멘트 바닥에 주르르 하고 붓기도 한다. 저편 구석에 환자의 친족인 듯한 사십 가까워 보이는 중년 부인이 눈이 뒤집히어 입을 헤 벌리고 서 있다.

의사는 영실이를 힐끗 보자 눈이 희뜩 올라가고 푸른 입술에 비웃음을 삐죽이 흘린다. 영실이는 이것을 보자 미안하던 맘이 훌랑 달아나고 어디선지 악이 바짝 치달아 온다. 그래서 얼른 세면기 앞으로 와서 브러시로 손을 닦기 시작하였다. 따끔 부딪치는 브러시를 따라 휭휭 돌던 머리가 딱 멈추어지고 맘이 꽁꽁 얼어붙는 것 같았다.

“아구! 아구!”

환자는 외마디 소리를 냅다 지르고 다리를 함부로 내젓는다.

간호부들은 머리와 다리를 곡 누르니 환자는 더 죽는 소리를 내었다. 힐끗 돌아보니 의사는 방금 칼로 피부를 갈라놓았고 흐르는 피 속에 지방이 희뜩희뜩 나타났으며, 혈관을 집은 고히루(止血子)가 두어 개 꽂히어 영실의 눈을 꼭 찌르는 듯하였다. 눈송이 같은 가제가 나까가와의 손에서 의사의 피 묻은 손에 쥐어 있는 핀셋으로 옮아와서 수술처에 들어가자마자 빨갛게 핏덩이가 된다.

영실이는 손을 다 씻고 나서 나까가와의 곁으로 갔다.

“미안하게 되었소“

“이상!”

나까가와는 머리를 돌린다. 이마엔 구슬땀이 방울방울 맺히었고 얼굴이 빨갛게 되어 영실이를 보자 시원하다는 듯이 핀셋을 내주고 머리를 설렁설렁 들어 땀을 떨어뜨리면서 물러났다. 수갑 낀 손에 쥐어지는 이 핀셋! 매끈하고도 듬직한 감을 주며 무엇이나 집고 싶어지는 이 감촉. 손에 기운이 버쩍 나고 흩어진 맘이 바짝 모인다.

눈감고라도 이 핀셋만 쥐면 어떠한 기계라도 능란히 섬길 수가 있는 것이다.

“후꾸마꾸간즈(복막 환자)!”

의사는 이렇게 부르고 피 묻은 수갑 낀 손을 내밀다가 힐끈 영실이를 보고 눈이 꺼칠해서 나까가와를 돌아보았다.

“왜 물러났어. 누가 시키는 게야.”

소리를 냅다 지르고 영실이가 들어주는 기계를 홱 뿌리치고 나서 손수 테이블에서 기계를 집어 간다. 나까가와는 울상을 하고 영실의 손에서 핀셋을 빼앗다시피 하여 가지고 그를 밀고 테이블 앞에 다가선다.

영원히 그의 손에서 핀셋을 빼앗는 듯한 이 아픔, 손끝에 짜르르 울리고 뜨끔 찔리어 온 전신에 따갑게 퍼지고 있다. 그는 멍하니 섰다.

의사는 말할 것도 없고 평소에 그를 존경하는 간호부들이며 조수들까지 경멸이 여기는 듯 누구 한 사람 눈여겨보는 이 없다.

그만 울음이 탁 나오려는 것을 혀를 깨물어 참고 의사를 바라보았다. 한참 수술에 열중한 저 의사, 한 손에 칼을 들고 또 한 손에 핀셋을 쥐고 가제를 굴려가며 칼을 움직이는 저 의사, 누구보다도 저를 믿었고 그래서 일생을 의탁코자 아니했던가.

“아쿠! 아쿠!”

살을 지나 뼈를 할퀴는 듯한 환자의 비명에 그는 얼른 머리를 돌렸다. 환자에게서 툭 튀어 오르는 오빠! 순간 그 비명이 오빠의 음성 같아 온 몸이 화딱 달았다. 다음 순간에 착각임을 알았으나 가슴이 뛰고 부르르 떨린다. 그는 얼른 이 방을 나가리라 하고 한 발걸음 옮기었을 때 구역질이 욱 하고 내달린다. 입술을 꼭 물었다. 목이 찢어지는 듯하더니, 코로 주먹 같은 무엇이 칵 내달리며 아뜩하여진다. 그 순간 의사가 쥔 칼이 다음에 번득 빛났다.

그 칼이 오빠를 향하여 살대같이 날아오는 것을 보았다.

"아이머니! 저놈이 사람을 죽여!"

영실이는 눈을 뒤집고 나는 듯이 의사에게로 달려드니 의사는 얼결에 주춤 물러서다가 발길로 탁 차버렸다. 영실이는 시멘트 바닥에 자빠졌으나 단숨에 일어나 달려든다. 입술과 코가 터져 온 얼굴은 피투성이가 되어 버렸다.

"이놈 이놈! 오빠를 죽여. 아구 오빠 오빠, 호호호, 저놈."

간담이 서늘하게 부르짖는다. 방안은 그제야 영실이가 미친 것을 알았다. 조수는 달려들어 영실의 손을 낚아챘다.

"김 서방! 이 미친년 끌어내!"

의사는 발을 구르며 호통하였다. 밖에서 수술자를 담아내려고 들것을 준비하던 김 서방은 너무나 큰 소리에 놀라 들것을 든 채 황황히 달려오다가 조수들에게 끌리어 나오는 영실이를 보고 그만 딱 서버렸다.

"미쳤어, 저리 내가, 내가."

조수 하나가 급급히 소리치고 나서 영실이를 김 서방에게 맡겨 버리고 수술실 문을 쾅 닫아 버린다. 벽이 쿵쿵 울린다.

김 서방은 어쩔 줄을 몰라 영실이를 뒤집어 업었다. 영실이, 그는 김 서방을 쥐어뜯고 몸부림친다.

"이놈, 오빠, 아구 아구 어머니, 양말만 깁지 말고 빨리 나와요,

하하하 저놈이!"

김 서방은 격리 병실로 뛰다가 몇 호실로 가란 말인고 아뜩하여 생각나지 않았다.

이번엔 위층 병실로 뛰어오며 생각하니 역시 아뜩하였다. 그만 다시 수술실 문 앞으로 오다가 그도 모르게 욱 치밀어 오는 감정에 층층 밖으로 뛰어나왔다. 어둡다.

나혜석

나혜석은 일제강점기 시대를 살았던 다재다능한 예술가이자 여성운동가입니다. 화가, 작가, 시인, 조각가, 언론인 등 다양한 분야에서 활동하며 당대 사회에 큰 영향을 미쳤습니다. 특히 여성의 자유와 평등을 외치며 신여성의 상징으로 떠올랐습니다.

〈나혜석의 삶과 활동〉

* 조선 최초의 여성 서양화가: 일본 도쿄 여자미술학교에서 서양화를 전공하며 한국 여성 최초로 서양화를 체계적으로 학습했습니다. 귀국 후에는 활발한 전시 활동을 통해 한국 미술계에 새로운 바람을 불어넣었습니다.

* 문학과 여성 운동: 그림뿐만 아니라 문학에도 재능을 보여 소설과 시를 발표했습니다. 특히 자전적인 소설 『경희』는 당시 사회의 여성관에 대한 비판과 여성의 자유로운 삶에 대한 열망을 담아 큰 논란을 일으켰습니다. 또한 여성의 교육과 사회 참여를 주장하며 여성 운동에도 적극적으로 참여했습니다.

* 파격적인 삶: 당시 사회의 틀에 갇히기를 거부하고 자유로운 삶을 추구했습니다. 이혼, 재혼 등 파격적인 행보로 인해 많은 비난을 받기도 했지만, 여성의 자유로운 삶을 향한 열정을 놓지 않았습니다.

〈나혜석의 작품 세계〉

* 자유로운 영혼: 자유롭고 개방적인 영혼이 담겨 있습니다. 그녀는 사회의 틀에 갇히지 않고 자신의 개성을 표현하며 예술 세계를 넓혀갔습니다.

* 여성의 삶에 대한 깊은 성찰: 여성으로서 겪는 고통과 어려움을 예술 작품에 투영했습니다. 특히 여성의 내면세계를 섬세하게 묘사하며 여성의 삶에 대한 깊은 성찰을 보여줍니다.

* 사회 비판: 당시 사회의 부조리와 여성 차별에 대해 비판적인 시각을 가지고 있었습니다. 그녀의 작품은 사회 개혁을 위한 강력한 메시지를 담고 있습니다.

나혜석은 단순히 예술가를 넘어, 시대를 앞서나간 진보적인 여성이었습니다. 그녀는 여성의 사회적 지위 향상을 위해 끊임없이 노력했으며, 자신의 삶을 통해 여성의 자유와 평등을 실현하고자 했습니다. 비록 당시 사회에서는 많은 비난을 받았지만, 그녀의 정신은 오늘날까지 이어져 여성 운동에 큰 영향을 미치고 있습니다.

경희

글 _ 나혜석

1

"아이구, 무슨 장마가 그렇게 심해요." 하며 담배를 붙이는 뚱뚱한 마님은 오래간만에 오신 사돈 마님이다.

"그러게 말이지요. 심한 장마에 아이들이 병이나 아니 났습니까. 그동안 하인도 한번 못 보냈어요." 하며 마주앉아 담배를 붙이는 머리가 희끗희끗하고 이마에 주름살이 두어 줄 보이는 마님은 이철원(李鐵原)댁 주인마님이다.

"아이구, 별말씀을 다 하십니다. 나 역시 그랬어요. 아이들은 충실하나 어멈이 어째 수일 전부터 배가 아프다고 하더니 오늘은 일어나 다니는 것을 보고 왔어요."

"어지간히 날이 더워야지요. 조금 잘못하면 병나기가 쉬워요. 그래서 좀 걱정이 되셨겠습니다."

"인제 나았으니까 마음이 놓여요. 그런데 애기가 일본서 와서 얼마나 반가우셔요." 하며 사돈 마님은 잊었던 일을 깜짝 놀라 생각하는 듯이 말을 한다.

"먼데다가 보내고 늘 마음이 놓이지 않다가 그래도 일 년에 한 번씩이라도 오니까 집안이 든든해요."

주인마님 김 부인은 담뱃대를 재떨이에 탁탁 친다.

"그렇다마다요. 아들이라도 마음이 아니 놓일 텐데 처녀를 그러한 먼 데다 보내시고 그렇지 않겠습니까. 그런데 몸이나 충실했었는지요."

"네. 별 병은 아니 났나 보아요. 제 말은 아무 고생도 아니 된다 하나 어미 걱정시킬까 보아 하는 말이지, 그 좀 주리고 고생이 되었겠어요. 그래서 얼굴이 꺼칠해요." 하며 뒤꼍을 향하여, "아가, 아가, 서문안 사돈 마님이 너 보러 오셨다." 한다. "네." 하고 대답하는 경희는 지금 시원한 뒷마루에서 오래간만에 만난 오라버니댁과 앉아서 오라버니댁은 버선을 깁고 경희는 앉은 재봉틀에 자기 오라버니 양복 속적삼을 하며 일본서 지낼 때에 어느 날 어디를 가다가 하마터면 전차에 치일 뻔 하였더란 말, 그래서 지금이라도 생각만 하면 몸이 아슬아슬하다는 말이며, 겨울이 오면 도무지 다리를 펴고 자 본 적이 없고 그래서 아침에 일어나면 다리가 꿋꿋했다는 말, 일본에는 하루걸러 비가 오는데 한번은 비가 심하게 퍼붓고 학교 상학 시간은 늦어서 그 굽 높은 나막신을 신고 부지런히 가다가 넘어져서 다리에 가죽이 벗겨지고 우산이 모두 찢어지고 옷에 흙이 묻어 어찌 부끄러웠었는지 몰랐었더란 말, 학교에서 공부하던 이야기, 길에 다니며 보던 이야기 끝에 마침 어느 때 활동사진에서 보았던 어느 아이가 아버지가 장난을 못 하게 하니까 아버지를 팔아 버리려고 광고를 써서 제 집 문밖 큰 나무에다가 붙였더니, 그때 마침 그 아이만한 6, 7세 된 남매가 부모를 잃어버리고 방황하다가 꼭 두 푼 남은 돈을 꺼내 들고 이 광고대로 아버지를 사려고 문을 두드리던 양을 반쯤 이야기하는 중이었다. 오라버니댁은 어느덧 바느질을 무릎 위에다가 놓고 "하하, 허허." 하며 재미스럽게 듣고 앉았던 때라 "그래서 어떻게 되었소?" 묻다가 눈살을 찌푸리며, "얼른 다녀 오." 간절히 청을 한다.

옆에 앉아서 빨래에 풀을 먹이며 열심히 듣고 앉았던 시월이도 혀를 툭툭 친다.

"아무렴 내 얼른 다녀오리다."

경희는 이렇게 대답을 하고 제 이야기에 재미있어서 하는 것이 기뻐서 웃으며 앞마루로 간다.

경희는 사돈 마님 앞에 절을 겸손히 하며 인사를 여쭈었다. 일 년 동안이나 잊어버렸던 절을 일전에 집에 도착할 때에 아버지 어머니에게 하였다. 하므로 이번에 한 절은 익숙하였다. 경희는 속으로 일본서 날마다 세로 가로 뛰며 장난하던 생각을 하고 지금은 이렇게 얌전하다 하며 웃었다.

"아이구, 그 좋던 얼굴이 어쩌면 저렇게 못 되었니, 오죽 고생이 되었을라고."

사돈 마님은 자비스러운 음성으로 말을 한다. 일부러 경희의 손목을 잡아 만졌다.

"똑 시집살이한 손 같구나. 여학생들 손은 비단결 같다는데 네 손은 왜 이러냐."

"살성이 곱지 못해서 그래요."

경희는 고개를 숙인다.

"제 손으로 빨래해 입고 밥까지 해 먹었다니까 그렇지요."

경희의 어머니는 담배를 다시 붙이며 말을 한다.

"저런, 그러면 집에서도 아니하던 것을 객지에 가서 하는구나. 네 일본 학교 규칙은 그러냐?"

사돈 마님은 깜짝 놀랐다. 경희는 아무 말 아니한다.

"무얼요. 제가 제 고생을 사느라고 그러지요. 그것 누가 시키면 하겠습니까. 학비도 넉넉히 보내주지마는 그 애는 별나게 바쁜 것이 재미라고 한답니다."

김 부인은 아무 뜻 없이 어제 저녁에 자리 속에서 딸에게 들은 이야기를 한다.

"그건 왜 그리 고생을 하니."

사돈 마님은 경희의 이마 위에 너펄너펄 내려온 머리카락을 두 귀밑에다 끼워 주며 적삼 위로 등의 살도 만져 보고 얼굴도 쓰다듬어 준다.

"일본에는 겨울에도 불도 아니 때인 대지. 그리고 반찬은 감질이 나도록 조금 준 대지. 그것 어찌 사니?"

"네, 불은 아니 때나 견디어 나면 관계치 않아요. 반찬도 꼭 먹을 만치 주지 모자라거나 그렇지는 아니해요."

"그러자니 모두가 고생이지. 그런데 네 형은 그동안 병이 나서 너를 못 보러 왔다. 아마 오늘 저녁 꼭은 올 터이지."

"네, 좀 보내주세요. 벌써부터 어찌 보고 싶었는지 몰라요."

"암 그렇지. 너 왔다는 말을 듣고 나도 보고 싶어 하였는데 형제끼리 그렇지 않으랴."

이 마님은 원래 시집을 멀리 와서 부모 형제를 몹시 그리워 본 경험이 있는 터라, 이 말에는 깊은 동정이 나타난다.

"거기를 또 가니? 인제 고만 곱게 입고 앉았다가 부잣집으로 시집가서 아들딸 낳고 재미있게 살지 그렇게 고생할 것 무엇 있니?"

아직 알지 못하여 그렇게 하지 못하는 것을 일러 주는 것같이 경희에 대하여 말을 하다가 마주 앉은 경희 어머니에게 눈을 향하여 '그렇지 않소? 내 말이 옳지요.' 하는 것 같았다.

"네, 하던 공부 마칠 때까지 가야지요."

"그것은 그리 많이 해 무엇 하니. 사내니 고을을 간단 말이냐? 군주사(郡主事)라도 한단 말이냐? 지금 세상에 사내도 배워 가지고 쓸 데가 없어서 쩔쩔 매는데…."

이 마님은 여간 걱정스러워 아니한다. 그리고 대관절 계집애를 일본까지 보내 이 공부를 시키는 사돈 영감과 마님이며 또 그렇게 배우면 대체 무엇 하자는 것인지를 몰라 답답해한 적은 오래 전부터 있으나 다른 집과 달라 사돈집 일이라 속으로는 늘 '저 계집애를 누가 데려가나.' 욕을 하면서도 할 수 있는 대로는 모른 체하여 왔다가 오늘 우연한 좋은 기회에 걱정해 오던 것을 말한 것이다.

경희는 이 마님 입에서 '어서 시집을 가거라. 공부는 해서 무엇하니.' 꼭 이 말이 나올 줄 알았다. 속으로 '옳지, 그럴 줄 알았지.' 하였다. 그리고 어제 오셨던 이모님 입에서 나오던 말이며 경희를 보실 때마다 걱정하시는 큰어머니 말씀과 모두 일치되는 것을 알았다. 또 작년 여름에 듣던 말을 금년 여름에도 듣게 되었다. 경희의 입술은 간질간질하였다.

'먹고 입고만 하는 것이 사람이 아니라 배우고 알아야 사람이에요. 당신 댁처럼 영감 아들 간에 첩이 넷이나 있는 것도 배우지 못한 까닭이고 그것으로 속을 썩이는 당신도 알지 못한 죄이에요. 그러니까 여편네가 시집가서 시앗을 보지 않도록 하는 것도 가르쳐야 하고 여편네 두고 첩을 얻지 못하게 하는 것도 가르쳐야만 합니다.' 하고 싶었었다. 이외에 여러 가지 예를 들어 설명도 하고 싶었었다. 그러나 이 마님 입에서는 반드시 오늘 아침에 다녀가신 할머니의 말씀과 같은 "얘, 옛날에는 여편네가 배우지 않아도 수부다남(壽富多男, 오래 살고 부유(富裕)하며 아들이 많음)하고 잘만 살아 왔다. 여편네는 동서남북도 몰라야 복(福)이 많단다. 얘, 공부한 여학생들도 보리방아만 찧게 되더라. 사내가 첩 하나도 둘 줄 모르면 그것이 사내냐?"

하던 말씀과 같이 꼭 이 마님도 할 줄 알았다. 경희는 쇠귀에 경을 읽지 하고 제 입만 아프고 저만 오늘 저녁에 또 이 생각으로 잠을 못 자게 될 것을 생각하였다. 또 말만 시작하게 되면 답답하여서 속이 불과 같이 탈 것, 자연 오랫동안 되면 뒷마루에서는 기다릴 것을 생각하여 차라리 일절 입을 다물었다. 더구나 이 마님은 입이 걸어서 한 말을 들으면 열 말쯤 거짓말을 보태어 여학생의 말이라면 어떻든지 흉만 보고 욕만 하기로는 수단이 용한 줄을 알았다. 그래서 이 마님 귀에는 좀처럼 한 변명이라든지 설명도 조금도 곧이들리지 않을 줄도 짐작하였다. 그리고 어느 때 경희의 형님이 경희더러, "얘, 우리 시어머니 앞에서는 아무 말도 하지 마라. 더구나 시집 이야기는 일절 말아라. '여학생들은 예사로 시집 말들을 하더라. 아이구 망측한 세상도 많아라. 우리 자라날 때는 어디서 처녀가 시집을 해 보아.' 하신다. 그뿐 아니라 여러 여학생 험담을 어디 가서 그렇게 듣고만 오시는지 듣고 오시면 똑 나 들으라고 빗대 놓고 하시는 말씀이 정말 내 동생이 학생이어서 그런지 도무지 듣기 싫더라. 일본 가면 계집애 버리느니 별별 못 들을 말씀을 다 하신단다. 그러니 아무쪼록 말을 조심해라." 한 부탁을 받은 것도 있다. 경희는 또 이 마님 입에서 무슨 말이 나올까 보아 마음이 조릿조릿하였다. 그래서 다른 말이 시작되기 전에 뒷마루로 달아나려고 궁둥이가 들썩들썩하였다.

"이따가 급히 입을 오라범 속적삼을 하던 것이 있어서 가 보아야겠습니다."고 경희는 앓던 이가 빠지기나 한 것만큼 시원하게 그 앞을 면하고 뒷마루로 나서며 숨을 한번 쉬었다.

"왜 그리 늦었소? 그래서 그 아버지를 어떻게 했소."

오라버니댁은 그동안 버선 한 짝을 다 기워 놓고 또 한 짝에 앞볼을 대이다가 경희를 보자 무릎 위에다가 놓고 바싹 가까이 앉으며 궁금하던 이야기 끝을 재우쳐 묻는다. 경희의 눈살은 찌푸려졌다. 두 뺨이 실쭉해졌다. 시월이는 빨래를 개키다가 경희의 얼굴을 눈결에 슬쩍 보고 눈치를 채었다.

“작은아씨, 서문안댁 마님이 또 시집 말씀을 하시지요?”

아침에 경희가 할머니가 다녀가신 뒤에 마루에서 혼잣말로 “시집을 갈 때 가더라도 하도 여러 번 들으니까 인제 도무지 싫어 죽겠다.” 하던 말을 시월이가 부엌에서 들었다. 지금도 자세히는 들리지 않으나 그런 말을 하는 것 같았다. 그래서 작은아씨의 얼굴이 저렇게 불량하거나 하였다. 경희는 웃었다. 그리고 바느질을 붙들며 이야기 끝을 연속한다.

안마루에서는 여전히 두 마님이 서로 술도 전하며 담배도 잡수면서 경희의 말을 한다.

“애기가 바느질을 다 해요?”

“네, 바느질도 곧잘 해요. 남정의 웃옷은 못하지요마는 제 옷은 꿰매어 입지요.”

“아이구 저런, 어느 틈에 바느질을 다 배웠어요. 양복 속적삼을 다 해요. 학생도 바느질을 다 하나요.”

이 마님은 과연 여학생은 바늘을 쥘 줄도 모르는 줄 알았다. 더구나 경희와 같이 서울로 일본으로 쏘다니며 공부한다 하고 덜렁하고 똑 사내 같은 학생이 제 옷을 꿰매어 입는다는 말에 놀랐다. 그러나 역시 속으로는 그 바느질 꼴이 오죽할까 하였다. 김 부인은 딸의 칭찬 같으나 묻는 말에 마지못하여 대답한다.

“어디 바느질이나 제법 앉아서 배울 새나 있나요. 그래도 차차 철이 나면 자연히 의사가 나나 보아요. 가르치지 아니해도 저절로 꿰매게 되더구먼요. 어려운 공부를 하면 의사가 틔우나 보아요.”

김 부인은 말끝을 끊었다가 다시 말을 한다. 이 마님 귀에는 똑 거짓말 같다.

"양복 속적삼은 작년 여름에 남대문 밖에서 일녀(日女, 일본 여자)가 와서 가르치던 재봉틀 바느질 강습소(講習所)에를 날마다 다니며 배웠지요. 제 조카들의 양복도 해서 입히고 모자도 해서 씌우고 또 제 오라비 여름 양복까지 했어요. 일어(日語, 일본어)를 아니까 선생하고 친하게 되어서 다른 사람에게는 가르쳐 주지 않는 것까지 다 가르쳐 주더래요. 낮에는 배워 가지고 와서는 밤이면 똑 열두시, 새로 한시까지 앉아서 배운 것을 보고 그대로 그리고 모두 치수를 적고 했어요. 나는 그게 무엇인가 하였더니 나중에 재봉틀 회사 감독이 와서 그러는데 '이제까지 일어로만 한 것이어서 부인네들 가르치기에 불편하더니 따님이 만든 책으로 퍽 유익하게 쓰겠습니다.' 하는 말에 그런 것인 줄 알았어요. 좀 가르치면 어디든지 그렇게 쓸 데가 있더구먼요. 그뿐 아니라 그 점잖은 일본 사람들에게도 어찌 존대를 받는지 몰라요. 그 애가 왔단 말을 어디서 들었는지 감독이 일부러 일전에 또 찾아왔어요. 일본서 졸업하고는 기어이 자기 회사의 일을 보아 달라고 하더래요. 처음에는 월급 일천오백 냥은 쉽대요. 차차 오르면 3년 안에 이천오백 냥을 받는다는대요. 다른 여자는 제일 많은 것이 칠백쉰 냥이라는데 아마 그 애는 일본까지 가서 공부한 까닭인가 보아요. 저것도 그 애가 재봉틀에 한 것입니다." 하며 맞은편 벽에 유리에 늘어 걸어 놓은, 앞에 물이 흐르고 뒤에 나무가 총총한 촌(村) 경치를 턱으로 가리킨다. 경희의 어머니는 결코 여기까지 딸의 말을 하려고 한 것이 아니었다. 한 것이 자연 월급 말까지 하게 된 것은 부지중에 여기까지 말하였다. 김 부인은 다른 부인네들보다 더구나 이 사돈 마님보다는 훨씬 개명(開明)을 한 부인이다. 근본 성품도 결코 남의 흉을 보는 부인은 아니었고 혹 부인네들이 모여 여학생들의 못된 점을 꺼내어 흉을 보든지 하면 그렇지 않다고까지 반대를 한 적도 많으니 이것은 대개 자기 딸 경희를 몹시 기특히 아는 까닭으로 여학생은 바느질을 못한다든가, 빨래를 안 한다든가, 살림살이를 할 줄 모른다든가 하는 말이 모두 일부러 흉을 만들어 말하거니 했다. 그러나 공부해서 무엇 하는지 왜 경희가 일본까지 가서 공부를 하는지 졸업을 하면 무엇에 쓰는지는 역시 김 부인도 다른 부인과 같이 몰랐다. 혹 여러 부인이 모여서 따님은 그렇게 공부를 시켜서 무엇 하나요? 질문을 하면 "누가 아나요, 이 세상에는 계집애라도 배워야 한다니까요." 이렇게 자기 아들에게 늘 들어오던 말로 어물어물 대답을 할 뿐이었다. 김 부인은 과연 알았다. 공부를 많이 할수록 존대를 받고 월급도 많이 받는 것을 알았다. 그렇게 번질한 양복을 입고 금시곗줄을 늘인 점잖은 감독이 조그마한 여자를 일부러 찾아와서 절을 수없이 하는 것이라든지, 종일 한 달 30일을 악을 쓰고 속을 태우는 보통학교 교사는 많아야 육백스무 냥이고 보통 오백 냥인데 "천천히 놀면서 일 년에 병풍 두 짝만이라도 잘만 놓아주시면 월급을 꼭 사십 원씩은 드리지요." 하는 말에 김 부인은 과연 공부라는 것은 꼭 해야 할 것이고, 하면 조금 하는 것보다 일본까지 보내서 시켜야만 할 것을 알았다. 그러고 어느 날 저녁에 경희가 "공부를 하면 많이 해야겠어요. 그래야 남에게 존대를 받을 뿐 아니라 저도 사람 노릇을 할 것 같아요." 하던 말이 아마 이래서 그랬던가보다 하였다. 김 부인은 이제부터는 의심 없이 확실히 자기 아들이 경희를 왜 일본까지 보내라고 애를 쓰던 것, 지금 세상에는 여자도 남자와 같이 많이 가르쳐야 할 것을 알았다.

그래서 김 부인은 이제까지 누가 "따님은 공부를 그렇게 시켜 무엇 합니까?" 물으면 등에서 땀이 흐르고 얼굴이 벌겋게 취해지며 이럴 때마다 아들만 없으면 곧이라도 데려다가 시집을 보내고 싶은 생각도 많았었으나 지금 생각하니 아들이 뒤에 있어서 자기 부부가 경희를 데려다 시집을 보내지 못하게 한 것이 다행하게 생각된다. 그러고 지금부터는 누가 묻든지 간에 여자도 공부를 시켜야 의사가 나서 가르치지 아니한 바느질도 할 줄 알고 일본까지 보내어 공부를 많이 시켜야 존대를 받을 것을 분명히 설명까지라도 할 것 같다. 그래서 오늘도 사돈 마님 앞에서 부지중 여기까지 말을 하는 김 부인의 태도는 조금도 주저하는 빛도 없고 그 얼굴에는 기쁨이 가득하고 그 눈에는 '나는 이러한 영광을 누리고 이러한 재미를 본다.' 하는 표정이 가득하다.

사돈 마님은 반신반의로 어떻든 끝까지 들었다. 처음에는 물론 거짓말로 들을 뿐만 아니라, 속으로 '너는 아마 큰 계집애를 버려 놓고 인제 시집보낼 것이 걱정이니까 저렇게 없는 칭찬을 하나 보구나.' 하며 이야기하는 김 부인의 눈이며 입을 노려보고 앉았다. 그러나 이야기가 점점 길어 갈수록 그럴듯하다. 더구나 감독이 왔더란 말이며, 존대를 하더란 것이며, 사내도 여간한 군주사(郡主事)쯤은 바랄 수도 없는 월급을 이천 냥까지 주겠더란 말을 들을 때는 설마 저렇게까지 거짓말을 할까 하는 생각이 난다. 사돈 마님은 아직도 참말로는 알고 싶지 않으나 어쩐지 김 부인의 말이 거짓말 같지는 아니하다. 또 벽에 걸린 수(繡, 헝겊에 색실로 그림이나 글자 따위를 바늘로 떠서 놓는 일)도 확실히 자기 눈으로 볼 뿐 아니라 쉴 새 없이 바퀴 구르는 재봉틀 소리가 당장 자기 귀에 들린다. 마님 마음은 도무지 이상하다. 무슨 큰 실패나 한 것도 같다.

양심은 스스로 자복(自服, 저지른 죄를 자백하고 복종함)하였다. '내가 여학생을 잘못 알아 왔다. 정말 이 집 딸과 같이 계집애도 공부를 시켜야겠다. 어서 우리 집에 가서 내외시키던 손녀딸들을 내일부터 학교에 보내야겠다.'고 꼭 결심을 했다. 눈앞이 아물아물해 오고 귀가 찡한다. 아무 말 없이 눈만 껌뻑껌뻑하고 앉았다. 뒤곁으로 불어 들어오는 시원한 바람 중에는 젊은 웃음소리가 사(沙, 사기로 만든 대접) 접시를 깨뜨릴 만치 재미스럽게 싸여 들어온다.

2

"이 더운데 작은아씨, 무얼 그렇게 하십니까?"

마루 끝에 떡 함지를 힘없이 놓으며 땀을 씻는다. 얼굴은 얽죽얽죽 얽고 머리는 평양 머리를 해서 얹고 알록달록한 면주 수건을 아무렇게나 쓴 나이가 한 사십 가량 된 떡 장사는 으레 하루에 한 번씩 이 집을 들른다.

"심심하니까 장난 좀 하오."

경희는 앞치마를 치고 마루 끝에 서서 서투른 칼질로 파를 썬다.

"어느 틈에 김치 담그는 것을 다 배우셨어요. 날마다 다니며 보아야 작은아씨는 도무지 노시는 것을 못 보았습니다. 책을 보시지 않으면 글씨를 쓰시고 바느질을 안 하시면 저렇게 김치를 담그시고…."

"여편네가 여편네 할 일을 하는 것이 무엇이 그리 신통할 것 있소."

"작은아씨 같은 이나 그렇지 어느 여학생이 그렇게 마음을 먹는 이가 있나요."

떡장수는 무릎을 치며 경희의 앞으로 바싹 앉는다. 경희는 빙긋이 웃는다.

"그건 떡장수가 잘못 안 것이지. 여학생은 사람 아니오? 여학생도 옷을 입어야 살고 음식을 먹어야 살 것 아니오?"

"아이구, 그러게 말이지요. 누가 아니래요. 그러나 작은아씨같이 그렇게 아는 여학생이 어디 있어요?"

"칭찬 많이 받았으니 떡이나 한 스무 냥어치 살까!"

"아이구 어멈을 저렇게 아시네. 떡 팔아먹으려고 그런 것은 아니에요.

" 변덕이 뒤룩뒤룩한 두 뺨의 살이 축 처진다. 그리고 너는 나를 잘못 아는구나 하는 원망으로 두둑한 입술이 삐죽한다. 경희는 곁눈으로 보았다. 그 마음을 짐작하였다.

"아니오, 부러 그랬지. 칭찬을 받으니까 좋아서…"

"아니에요. 칭찬이 아니라 정말이에요."

다시 정다이 바싹 앉으며

"허허…"

너털웃음을 한판 내쉰다.

"정말 몇 해를 두고 날마다 다니며 보아야 작은아씨처럼 낮잠 한 번도 주무시지 않고 꼭 무엇을 하시는 아씨는 처음 보았어요."

"떡장수 오기 전에 자고 떡장수가 가면 또 자는 걸 보지를 못하였지."

"또 저렇게 우스운 말씀을 하시네. 떡장수가 아무 때나 아침에도 다녀가고 낮에도 다녀가고 저녁때도 다녀가지 학교에 다니는 학생같이 시간을 맞춰서 다니나요! 응? 그렇지 않소."

하며 툇마루에서 맷돌에 풀 갈고 있는 시월이를 본다. 시월이

는,

"그래요. 어디가 아프시기 전에는 한 번도 낮잠 주무시는 일 없어요."

"여보, 떡장수 떡이 다 쉬면 어찌하려고 이렇게 한가히 앉아서 이야기를 하오."

"아니 관계치 않아요."

떡장수의 말소리는 아무 힘이 없다. 떡장수는 이 작은아씨가

"그래서 어쨌소."

하며 받아만 주면 이야기할 것이 많았다. 저의 집 떡방아 찧던 일꾼에게서 들은, 요새 신문에 어느 여학생이 학교 간다고 나가서는 며칠 아니 들어오는 고로 수색을 해 보니까 어느 사내에게 꾀임을 받아서 첩이 되었더란 말이며, 어느 집에는 며느리로 여학생을 얻어 왔더니 버선 깁는 데 올도 찾을 줄 몰라 삐뚜로 되었더란 말, 밥을 하였는데 반은 태웠더란 말, 날마다 사방으로 쏘다니며 평균 한 마디씩 들어 온 여학생의 험담을 하려면 부지기수이었다. 그래서 이렇게 신이 나서 무릎을 치고 바싹 들어앉았으나, 경희의 말대답이 너무 냉정하고 점잖으므로 떡장수의 속에서 뻗쳐오르던 것이 어느덧 거품 꺼지듯 꺼졌다. 떡장수의 마음은 무엇을 잃은 것 같이 공연히 서운하다. 떡 바구니를 들고 일어설까 말까 하나 어쩐지 딱 일어설 수도 없다. 그래서 떡 바구니를 두 손으로 누른 채로 앉아서 모른 체하고 칼질하는 경희의 모양을 아래위로 훑어도 보고 마루를 보며 선반 위에 얹은 소반의 수효도 세어 보고 정신없이 얼빠진 것같이 앉았다.

"흰떡 댓 냥어치하고 개피떡 두 냥 반어치만 내놓게."

김 부인은 고운 돗자리 위에서 부채질을 하면서 드러누웠다가

딸 경희의 좋아하는 개피떡하고 아들이 잘 먹는 흰떡을 내놓으라 하고 주머니에서 돈을 꺼낸다. 떡장수는 멀거니 앉았다가 깜짝 놀라 내놓으라는 떡 수효를 되풀이해 세어서 내놓고는 뒤도 돌아보지를 않고 떡 바구니를 이고 나가다가 다시 이 댁을 오지 못하면 떡을 못 팔게 될 생각을 하고

"작은아씨, 내일 또 와요. 허허허."

하며 대문을 나서서는 큰 숨을 쉬었다. 생삼팔(生三八, 생실로 짠 삼팔주. 생명주의 일종으로 명주보다 얇다) 두루마기 고름을 달고 앉았던 경희의 오라버니댁이며 경희며 시월이며 서로 얼굴들을 치어다보며 말없이 씽긋씽긋 웃는다. 경희는 속으로 기뻐한다. 무엇을 얻은 것 같다. 떡장수가 다시는 남의 흉을 보지 아니하리라 생각할 때에 큰 교육을 한 것도 같다. 경희는 칼자루를 들고 앉아서 무슨 생각을 곰곰이 한다.

"참 애기는 못할 것이 없다."

얼굴에 수색(愁色, 근심스러운 기색)이 가득하여 시름없이 두 손가락을 마주잡고 앉았다가 간단히 이 말을 하고는 다시 입을 꾹 다물며 한숨을 산이 꺼지도록 쉬는 한 여인에게는 아무도 모르는 큰 걱정과 설움이 있는 것 같다. 이 여인은 근 이십 년 동안이나 이 집과 친하게 다니는 여인이라, 경희의 형제들은 아주머니라 하고 이 여인은 경희의 형제를 자기의 친조카들같이 귀애(貴愛, 귀엽게 여겨 사랑함)한다. 그래서 심심하여도 이 집으로 오고 속이 상할 때에도 이 집으로 와서 웃고 간다. 그런데 이 여인의 얼굴은 항상 구름이 끼고 좋은 일을 보든지 즐거운 일을 당하든지 끝에는 반드시 휘 한숨을 쉬는 쌓이고 쌓인 설움의 원인을 알고 보면 누구라도 동정을 아니 할 수 없다.

이 여인은 소년 과부라 남편을 잃은 후로 애절 복통을 하다가 다만 재미를 붙이고 낙(樂)을 삼는 것은 천행만행(千行萬行)으로 얻은 유복자 수남(壽男)이 있음이라. 하루 지나면 수남이도 조금 크고 한 해 지나면 수남이가 한 살이 는다. 겨울이면 추울까, 여름이면 더울까, 밤에 자다가도 곤히 자는 수남의 투덕투덕한 볼기짝을 몇 번씩 뚜덕뚜덕하던 세상에 둘도 없는 귀한 아들은 어느덧 나이 십육 세에 이르러 사방에서 혼인하자는 말이 끊일 새 없었다. 수남의 어머니는 새로이 며느리를 얻어 혼자 재미를 볼 것이며 남편도 없이 혼자 폐백 받을 생각을 하다가 자리 속에서 눈물도 많이 흘렸다. 그러나 행여 이렇게 눈물을 흘려 귀중한 아들에게 사위스러울까 보아 할 수 있는 대로는 슬픔을 기쁨으로 돌려 생각하고 눈물을 웃음으로 이루려 하였다. 그래서 알뜰살뜰히 돈이며 패물 등속을 며느리 얻으면 주려고 모았다. 유일무이(唯一無二)의 아들을 장가들이는 데는 꺼리는 것도 많고 보는 것도 많았다. 그래 며느리 선을 시어머니가 보면 아들이 가난하게 산다고 하는 고로 수남이 어머니는 일체 중매에게 맡기고 궁합이 맞는 것으로만 혼인을 정하였다. 새 며느리를 얻고 아들과 며느리 사이에 옥 같은 손녀며 금 같은 손자를 보아 집안이 떠들썩하고 재미가 퍼부을 것을 날마다 상상하며 기다리던 며느리는 과연 오늘의 이 한숨을 쉬게 하는 원수이다. 열일곱에 시집온 후로 팔 년이 되도록 시어머니 저고리 하나도 꿰매어서 정다이 드려 보지 못한 철천지한을 시어머니 가슴에 안겨 준 이 며느리라. 수남의 어머니는 본래 성품이 순하고 덕스러우므로 아무쪼록 이 며느리를 잘 가르치고 잘 만들려고 애도 무한히 쓰고 남모르게 복장도 많이 쳤다. 이러면 나을까 저렇게 하면 사람이 될까 하여 혼자 궁구(窮究, 속속들이 파고들어 깊게 연구함)도 많이 하고 타이르고 가르치기도 수없이 하였으나 어제가 오늘 같고 내일도 일반이라. 바늘을 쥐어 주면 곧 졸고 앉았고, 밥을 하라면 죽은 쑤어 놓으나 거기다가 나이가 먹어 갈수록 마음만 엉뚱해 가는 것은 더구나 사람을 기가 막히게 한다. 이러하니 때로 속이 상하고 날로 기가 막히는 수남의 어머니는 이 집에 올 때마다 이 집 며느리가 시어머니 저고리를 얌전히 하는 것을 보면 나는 이 며느리 손에 저렇게 저고리 하나도 얻어 입어 보지 못하나 하며 한숨이 나오고, 경희의 부지런한 것을 볼 때에 나는 왜 저런 민첩한 며느리를 얻지 못하였는가 하며 한숨을 쉬는 것은 자연한 인정이리라. 그러므로 이렇게 멀거니 앉아서 경희의 김치 담그는 양을 보며 또 떡장수가 한참 떠들고 간 뒤에 간단한 이 말을 하는 끝에 한숨을 쉬는 그 얼굴은 차마 볼 수가 없다. 머리를 숙이고 골몰히 칼질하던 경희는 이미 이 아주머니의 설움의 원인을 아는 터이라 그 한숨 소리가 들리자 온몸이 찌르르하도록 동정이 간다. 경희는 이 자극을 받는 동시에 이와 같이 조선(朝鮮) 안에 여러 불행한 가정의 형편이 방금 제 눈앞에 보이는 것 같았다. 힘 있게 칼자루로 도마를 탁 치는 경희는 무슨 큰 결심이나 하는 것 같다. 경희는 굳게 맹세하였다. '내가 가질 가정은 결코 그런 가정이 아니다. 나뿐 아니라 내 자손 내 친구 내 문인(門人)들이 만들 가정도 결코 이렇게 불행하게 하지 않는다. 오냐, 내가 꼭 한다.' 하였다. 경희는 껑충 뛴다. 안 부엌에서 땀을 뻘뻘 흘리며 풀 쑤는 시월이를 따라간다.

"얘, 나하고 하자. 부뚜막에 올라앉아서 풀막대로 저으랴? 아궁이 앞에 앉아서 때랴? 어떤 것을 하였으면 좋겠니? 너 하라는 대로 할 터이니. 두 가지를 다 할 줄 안다."

"아이구, 고만 두셔요, 더운데."

시월이는 더운데 혼자 풀을 저으면서 불을 때느라고 끙끙하던 중이다.

"아이구, 이년의 팔자."

한탄을 하며 눈을 멀거니 뜨고 밀짚을 끌어 때고 앉았던 때라, 작은아씨의 이 말 한마디는 더운 중에 바람 같고 괴로움에 웃음이다. 시월이는 속으로 '저녁 진지에는 작은아씨의 즐기시는 옥수수를 어디 가서 맛있는 것을 얻어다가 쪄서 드려야겠다.' 하였다. 마지못하여,

"그러면 불을 때셔요. 제가 풀을 저을 것이니…."

"그래, 어려운 것은 오랫동안 졸업한 네가 해라."

경희는 불을 때고 시월이는 풀을 젓는다. 위에서는 푸푸, 부글부글하는 소리, 아래에서는 밀짚의 탁탁 튀는 소리, 마치 경희가 도쿄 음악 학교 연주회석에서 듣던 관현악 연주 소리 같기도 하다. 또 아궁이 저 속에서 밀짚 끝에 불이 댕기며 점점 불빛이 강하게 번지는 동시에 차차 아궁이까지 가까워지자 또 점점 불꽃이 약해져 가는 것은 마치 피아노 저 끝에서 이 끝까지 칠 때에 붕붕하던 것이 점점 땡땡하도록 되는 음률과 같아 보인다. 열심히 젓고 앉은 시월이는 이러한 재미스러운 것을 모르겠구나 하고 제 생각을 하다가 저는 조금이라도 이 묘한 미감(美感)을 느낄 줄 아는 것이 얼마큼 행복하다고도 생각하였다. 그러나 저보다 몇 십백배 묘한 미감을 느끼는 자가 있으려니 생각할 때에 제 눈을 빼어 버리고도 싶고 제 머리를 뚜드려 바치고도 싶다. 뻘건 불꽃이 별안간 파란빛으로 변한다. 아, 이것도 사람인가, 밥이 아깝다 하였다. 경희는 부지중

"재미도 스럽다." 하였다.

"대체 작은아씨는 별것도 다 재미있다고 하십니다. 빨래하면 땟국물 흐르는 것도 재미있다고 하시고 마루 걸레질을 치시면 아직 안 친 한편 쪽 마루의 뿌연 것이 보기 재미있다 하시고, 마당을 쓸면 티끌 많아지는 것이 재미있다고 하시고, 나중에는 무엇까지 재미있다고 하실는지, 뒷간에 구더기 끓는 것은 재미있지 않으셔요?" 경희는 속으로 '오냐, 물론 그것까지 재미있게 보여야 할 것이다. 그러나 내 눈은 언제나 그렇게 밝아지고 내 머리는 어느 때나 거기까지 발달될는지 불쌍하고 한심스럽다.' 하였다.

"얘, 그런데 말끝이 나왔으니까 말이다, 빨래 언제 하니?"

"왜요? 모레는 해야겠어요."

"그러면 저녁때 늦지?"

"아마 늦을걸요."

"일찍 끝이 나더라도 개천에 게 살아라. 그러면 건넌방 아씨하고 저녁 해 놓을 터이니 늦게 돌아와서 잡수어라. 내 손으로 한 밥맛이 어떤가 보아라. 히히히."

시월이도 같이 웃는다. 어쩌면 사람이 저렇게 인정스러운가 한다. '누가 나 먹으라고 단 참외나 주었으면, 저 작은아씨 갖다 드리게.' 속으로 혼잣말을 한다. 과연 시월이는 이렇게 고마운 소리를 들을 때마다 황송스러워 어찌할 수가 없다. 그래서 입이 있으나 어떻게 말할 줄도 모르고 다만 작은아씨가 잘 먹는 과실은 아는지라, 제게 돈이 있으면 사다가라도 드리고 싶으나 돈은 없으므로 사지는 못하되 틈틈이 어디 가서 옥수수며 살구는 곧잘 구해다가 드렸다. 이렇게 경희와 시월이 사이는 사이가 좋을 뿐 아니라 이번에 경희가 일본서 올 때에 시월의 자식 점동(點童)이에게는 큰댁 애기네들보다 더 좋은 장난감을 사다가 준 것은 뼈가 녹기 전까지지는 잊을 수가 없다.

“얘, 그런데 너와 일할 것이 꼭 하나 있다.”

“무엇이에요?”

“글쎄 무엇이든지 내가 하자면 하겠니?”

“아무렴요, 하지요!”

“너, 왜 그렇게 우물 뚜껑을 더럽게 해 놓니. 도무지 더러워서 볼 수가 없다. 그러니 내일부터 설거지 뒤에는 꼭 날마다 나하고 물 뚜껑을 치우자. 너 혼자만 하라는 것은 아니다. 그렇게 하겠니?”

“네, 제가 혼자 날마다 치우지요.”

“아니 나하고 같이해…. 재미스럽게 하하하.”

“또 재미요? 하하하하.”

부엌이 떠들썩하다. 안마루에서 들으시던 경희 어머니는 ‘또 웃음이 시작되었군.’ 하신다.

“아이 무엇이 그리 우순지 그 애가 오면 밤낮 셋이 몰려다니며 웃는 소리에 도무지 산란해 못 견디겠어요. 젊었을 때는 말똥 구르는 것이 다 우습다더니 그야말로 그런가 보아요.”

수남 어머니에게 대하여 말을 한다.

“웃는 것밖에 좋은 일이 어디 있습니까. 댁에를 오면 산 것 같습니다.”

수남 어머니는 또 휘… 한숨을 쉰다. 마루에 혼자 떨어져 바느질하던 건넌방 색시는 웃음소리가 들리자 한 발에 신을 신고 한 발에 짚신을 끌며 부엌 문지방을 들어서며, “무슨 이야기요? 나도….” 한다.

3

“마누라, 주무시오?”

이철원(李鐵原)은 사랑에서 들어와 안방 문을 열고 경희와 김 부인 자는 모기장 속으로 들어선다. 김 부인은 깜짝 놀라 일어나 앉는다.

“왜 그러셔요, 어디가 편치 않으셔요?”

“아니, 공연히 잠이 아니 와서….”

“왜요?”

이때에 마루 벽에 걸린 자명종은 한 번을 땡 친다.

“드러누워서 곰곰 생각을 하다가 마누라하고 의논을 하러 들어 왔소!”

“무얼이오?”

“경희 혼인 일 말이오. 도무지 걱정이 되어 잠이 와야지.”

“나 역시 그래요.”

“이번 혼처는 꼭 놓치지를 말고 해야지 그만한 곳 없소. 그 신랑 아버지 되는 자하고 난 전부터 익숙히 아는 터이니까 다시 알아볼 것도 없고, 당자(當者, 어떤 일이나 사건에 직접 관계가 있거나 관계한 사람)도 그만하면 쓰지 별 아이 어디 있나. 장자이니까 그 많은 재산 다 상속될 터이고 또 경희는 그런 대갓집 맏며느릿감이지….”

“글쎄, 나도 그만한 혼처가 없는 줄 알지마는 제가 그렇게 열길이나 뛰고 싫다는 것을 어떻게 한단 말이오. 그렇게 싫다고 하는 것을 억제(抑制)로 보내었다가 나중에 불길한 일이나 있으면 자식이라도 그 원망을 어떻게 듣잔 말이오….”

“아…니, 불길할 일이 있을 까닭이 있나. 인품이 그만하겠다, 추수를 수천 석 하겠다, 그만하면 고만이지 그러면 어떻게 하잔 말이요. 계집애가 열아홉 살이 적소?" 김 부인은 잠잠히 있다. 이철원은 혀를 톡톡 차며 후회를 한다.

"내가 잘못이지, 계집애를 일본까지 보내다니 계집애가 시집가기를 싫다니 그런 망측한 일이 어디 있어. 남이 알까 보아 무섭지. 벌써 적합한 혼처를 몇 군데를 놓쳤으니 어떻게 하잔 말이야. 아이…."

"그러면 혼인을 언제로 하잔 말이오?"

"저만 대답하면 지금이라도 곧 하지. 오늘도 재촉 편지가 왔는데…. 이왕 계집애라도 그만치 가르쳐 놓았으니까 옛날처럼 부모끼리도 할 수는 없고 해서 벌써 사흘째 불러다가 타이르나 도무지 말을 들어먹어야지. 계집년이 되지 못한 고집은 왜 그리 시운지(센지) 신랑 삼촌은 기어이 조카며느리를 삼아야겠다고 몇 번을 그러는지 모르는데…."

"그래 무엇이라고 대답하셨소?"

"글쎄, 남이 부끄럽게 계집애더러 물어 본다나 무엇이라나. 그러지 않아도 큰 계집애를 일본까지 보냈느니 어떠니 하고 욕들을 하는데. 그래서 생각해 본다고 했지."

"그러면 거기서는 기다리겠소, 그래?"

"암, 그게 벌써 올 정월부터 말이 있던 것인데 동넷집 색시 믿고 장가 못 간다더니…."

"아이, 그러면 속히 좌우간 결정을 내야겠는데 어떻게 하나. 저는 기어이 하던 공부를 마치기 전에는 죽어도 시집은 아니 가겠다 하는데. 그리고 더구나 그런 부잣집에 가서 치맛자락 늘이고 싶은 마음은 꿈에도 없다고 한다오. 그래서 제 동생 시집갈 때도 제 것으로 해 놓은 고운 옷은 모두 주었습니다. 비단치마 속에 근심과 설움이 있으리라고 한다오. 그 말도 옳긴 옳아."

김 부인은 자기도 남부럽지 않게 이제껏 부귀하게 살아왔으나 자기 남편이 젊었을 때 방탕하여서 속이 상하던 일과 철원(鐵原) 군수(郡守)로 갔을 때도 첩이 두셋씩 되어 남몰래 속이 썩던 생각을 하고 경희가 이런 말을 할 때마다 말은 안 하나 속으로 딴은 네 말이 옳다 한 적이 많았다.

"아이 아니꼬운 년, 그러기에 계집애를 가르치면 건방져서 못 쓴다는 말이야…. 아직 철을 몰라서 그렇지…. 글쎄 그것도 그렇지 않소. 오죽한 집에서 혼인을 거꾸로 한단 말이오. 오죽 형이 못나야 아우가 먼저 시집을 가더란 말이오. 김 판사 집도 우리 집 내용을 다 아는 터이니까 혼인도 하자지 누가 거꾸로 혼인한 집 색시를 데려 가려겠소. 아니, 이번에는 꼭 해야지…."

부인의 말을 들으며 그럴듯하게 생각하던 이철원은 이 거꾸로 혼인한 생각을 하니 마음이 급작이 졸여진다. 그리고 생각할수록 이번 김 판사집 혼처를 놓치면 다시는 그런 문벌 있고 재산 있는 혼처를 얻을 수가 없는 것 같다. 그래서 두말할 것 없이 이번 혼인은 강제로라도 시킬 결심이 일어난다. 이철원은 벌떡 일어선다.

"계집애가 공부는 그렇게 해서 무엇해? 그만치 알았으면 그만이지. 일본은 누가 또 보내기는 하구? 이번에는 무관(無關, 관계나 상관이 없)내지. 기어이 그 혼처하고 해야지. 내일 또 한 번 불러다가 아니 듣거든 또 물을 것 없이 곧 해 버려야지…."

노기(怒氣, 성난 얼굴빛)가 가득하다. 김 부인은 "그렇게 하시오." 라든지, "마시오." 라든지 무엇이라고 대답할 수가 없다. 다만 시름없이 자기가 풍병(風病, 중추 신경 계통에서 일어나는 현기증,

졸도, 경련 따위의 병증을 통틀어 이르는 말)으로 누울 때마다 경희를 시집보내기 전에 돌아갈까 보아 아슬아슬하던 생각을 하며, "딴은 하나 남은 경희를 마저 내 생전에 시집을 보내 놓아야 내가 죽어도 눈을 감겠는데." 할 뿐이다.

이철원은 일어서다가 다시 앉으며 나직한 소리로 묻는다.

"그런데 일본 보내서 버리지는 않은 모양이오?"

"아니오. 그전보다 더 부지런해졌어요. 아침이면 제일 먼저 일어납니다. 그래서 마루 걸레질이며 마당이며 멀겋게 치워 놓지요. 그뿐인가요. 떡하면 떡방아 다 찧도록 체질해 주기…. 그러게 시월이는 좋아서 죽겠다지요…."

김 부인은 과연 경희가 일하는 것을 볼 때마다 큰 안심을 점점 찾았다. 그것은 경희를 일본 보낸 후로는 남들이 비난할 때마다 입으로는 말을 안 하나 항상 마음으로 염려되는 것은 경희가 만일에 일본까지 공부를 갔다고 난 체를 한다든지 공부한 위세로 사내같이 앉아서 먹자든지 하면 그 꼴을 어떻게 남이 부끄러워 보잔 말인고 하고 미상불 걱정이 된 것은 어머니 된 자의 딸을 사랑하는 자연한 정(情)이라. 경희가 일본서 오던 그 이튿날부터 앞치마를 치고 부엌으로 들어갈 때 오래간만에 쉬러 온 딸이라 말리기는 하였으나 속으로는 큰 숨을 쉴 만치 안심을 얻은 것이다.

경희 가족은 누구나 다 아는 바와 같이 경희의 마루 걸레질, 다락, 벽장 치움새는 전부터 유명하였다. 그래서 경희가 서울 학교에 있을 때 일 년에 세 번씩 휴가에 오면 으레 다락 벽장이 속속 까지 목욕을 하게 되었다. 또 김 부인의 마음에도 경희가 치우지 않으면 아니 맞도록 되었다. 그래서 다락이 지저분하다든지 벽장이 어수선하게 되면 벌써 경희가 올 날이 며칠 아니 남은 것을 안다.

그리고 경희가 집에 온 그 이튿날은 경희를 보러 오는 사촌 형님들이며 할머니, 큰어머니는 한 번씩 열어 보고 "다락 벽장이 분(粉)을 발랐고나." 하시고 "깨끗하기도 하다." 하시며 칭찬을 하시었다. 이것이 경희가 집에 가는 그 전날 밤부터 기뻐하는 것이고 경희가 집에 온 제일의 표적이었다.

김 부인은 이번에 경희가 일본서 오면 연년(年年) 세 번씩 목욕을 시켜 주던 다락 벽장도 치워 주지 아니할 줄만 알았다. 그러나 경희는 여전히 집에 도착하면서 부모님에게 인사 여쭙고는 첫 번으로 다락 벽장을 열었다. 그리고 그 이튿날 종일 치웠다.

그런데 이번 경희의 소제(掃除) 방법은 전과는 전혀 다르다. 전에 경희의 소제 방법은 기계적이었다. 동쪽에 놓았던 제기며 서쪽 벽에 걸린 표주박을 쓸고 문질러서는 그 놓았던 자리에 그대로 놓을 줄만 알았다. 그래서 있던 거미줄만 없고 쌓였던 먼지만 털면 이것이 소제인 줄만 알았다. 그러나 이번 소제 방법은 다르다. 건조적(建造的)이고 응용적이다. 가정학에서 배운 질서, 위생학에서 배운 정리, 또 도화(圖畵) 시간에 배운 색과 색의 조화, 음악 시간에 배운 장단의 음률을 이용하여, 지금까지의 위치를 전혀 뜯어고치게 된다. 자기(磁器)를 도기(陶器) 옆에 다도 놓아 보고 칠첩반상을 칠기(漆器)에도 담아 본다. 주발 밑에는 주발보다 큰 사발을 받쳐도 본다. 흰 은쟁반 위로 노르스름한 전골 방아치도 늘어 본다. 큰 항아리 다음에는 병(甁)을 놓는다. 그리고 전에는 컴컴한 다락 속에서 먼지 냄새에 눈살도 찌푸렸을 뿐 아니라 종일 땀을 흘리고 소제하는 것은 가족에게 들을 칭찬의 보수를 받으려 함이었다. 그러나 이번에는 이것도 다르다. 경희는 컴컴한 속에서 제 몸이 이리저리 운동케 하는 것이 여간 재미스럽게 생각지 않았다. 일부러 빗자루를 놓고 쥐똥을 집어 냄새도 맡아 보았다. 그리고 경희가 종일 일하는 것은 아무 바라는 보수도 없었다. 다만 제가 저 할 일을 하는 것밖에 아무것도 없다.

이렇게 경희의 일동일정(一動一靜, 하나하나의 동정)의 내막에는 자각이 생기고 의식적으로 되는 동시에 외형으로 활동할 일은 때로 많아진다. 그래서 경희는 할 일이 많다. 만일 경희의 친한 동무가 있어서 경희의 할 일 중에 하나라도 해 준다면 비록 그 물건이 경희의 손에 있다 하더라도 그것은 경희의 것이 아니라 동무의 것이다. 이러므로 경희가 좋은 것을 갖고 싶고 남보다 많이 갖고 싶을진대 경희의 힘으로 능히 할 만한 일은 행여나 털끝만한 일이라도 남더러 해 달라고 할 것이 아니다. 조금이라도 남에게 빼앗길 것이 아니다. 아아, 다행이다. 경희의 넓적다리에는 살이 쪘고 팔뚝은 굵다. 경희는 이 살이 다 빠져서 걸을 수가 없을 때까지 팔뚝의 힘이 없어 늘어질 때까지 할 일이 무한이다. 경희가 가질 물건도 무수하다. 그러므로 낮잠을 한 번 자고 나면 그 시간 자리가 완연히 턱이 난다. 종일 일을 하고 나면 경희는 반드시 조금씩 자라난다. 경희의 갖는 것은 하나씩 늘어간다. 경희는 이렇게 아침부터 저녁까지 얻기 위하여 자라 갈 욕심으로 제 힘껏 일을 한다.

이철원도 자기 딸이 일하는 것을 날마다 본다. 또 속으로 기특하게도 여긴다. 그러나 이렇게 자기 부인에게 물어 본 것은 이철원도 역시 김 부인과 같이 경희를 자기 아들의 권고에 못 이겨 일본까지 보내었으나 항상 버릴까 보아 염려되던 것은 사실이었다. 그러므로 오늘 저녁에 부부가 앉아서 혼처에 대한 걱정이라든지 그 애 버릴까 보아 염려하던 것을 안심하는 부모의 애정은 그 두 얼굴에 띠운 웃음 속에 가득하다. 아무러한 지우(知友)며 형제며 효자인들 어찌 이 부모가 염려하시는 염려, 기뻐하시는 참 기쁨 같으리오. 이철원은 혼인하자고 할 곳이 없을까 보아 바짝 졸였던 마음이 조금 누그러졌다. 그러나 마루로 내려서며 마른기침 한 번을 하며 "내일은 세상없어도 하여야지." 하는 결심의 말은 누구의 명령을 가지고라도 깨뜨릴 수 없을 것같이 보인다.

새벽닭이 새날을 고한다. 까맣던 밤이 백색으로 활짝 열린다. 동창(東窓)의 장지 한 편이 차차 밝아 오며 모기장 한 끝으로부터 점점 연두색을 물들인다. 곤히 자던 경희의 눈은 뜨였다. 경희는 또 오늘 종일의 제 일을 시작할 기쁨에 취하여 벌떡 일어나서 방을 나선다.

4

때는 정히 오정이라 안마루에서는 점심상이 벌어졌다. 경희는 사랑에서 들어온다. 시월이며 건넌방 형님은 간절히 점심 먹기를 권하나 들은 체도 아니 하고 골방으로 들어서며 사방 방문을 꼭꼭 닫는다. 경희는 흑흑 느껴 운다. 방바닥에 엎드리기도 하다가 일어앉기도 하고 또 일어나서 벽에다 머리를 부딪친다. 기둥을 불끈 안고 핑핑 돈다. 경희는 어찌할 줄 몰라 쩔쩔맨다. 경희의 조그마한 가슴은 불같이 타 온다. 걸린 수건자락으로 눈물을 씻으며 이따금 하는 말은 "아이구, 어찌하나…." 할 뿐이다. 그리고 이 집에 있으면 밥이 없어지고 옷이 없어질 터이니까 나를 어서 다른 집으로 쫓으려나 보다 하는 원망도 생긴다. 마치 이 넓고 넓은 세상 위에 제 조그마한 몸을 둘 곳이 없는 것같이도 생각난다. 이런 쓸데없고 주체스러운 것이 왜 생겨났나 할 때마다 그쳤던 눈물은 다시 비 오듯 쏟아진다. 누가 와서 만일 말린다 하면 그 사람하고 싸움도 할 것 같다. 그리고 그 사람의 머리를 한 번에 잡아 뽑을 것도 같고, 그 사람의 얼굴에서 피가 냇물과 같이 흐르도록 박박 할퀴고 쥐어뜯을 것도 같다. 이렇게 사방 창이 꼭꼭 닫힌 조그마한 어둠침침한 골방 속에서 이리 부딪고 저리 부딪는 경희의 운명은 어떠한가!

경희의 앞에는 지금 두 길이 있다. 그 길은 희미하지도 않고 또렷한 두 길이다. 한 길은 쌀이 곳간에 쌓이고 돈이 많고 귀염도 받고 사랑도 받고 밟기도 쉬운 황토(黃土)요, 가기도 쉽고 찾기도 어렵지 않은 탄탄대로이다. 그러나 한 길에는 제 팔이 아프도록 보리방아를 찧어야 겨우 얻어먹게 되고 종일 땀을 흘리고 남의 일을 해 주어야 겨우 몇 푼돈이라도 얻어 보게 된다. 이르는 곳마다 천대뿐이요, 사랑의 맛은 꿈에도 맛보지 못할 터이다. 발부리에서 피가 흐르도록 험한 돌을 밟아야 한다. 그 길은 뚝 떨어지는 절벽도 있고 날카로운 산정(山頂)도 있다. 물도 건너야 하고 언덕도 넘어야 하고 수없이 꼬부라진 길이요, 갈수록 험하고 찾기 어려운 길이다. 경희의 앞에 있는 이 두 길 중에 하나를 오늘 택해야만 하고 지금 꼭 정해야 한다. 오늘 택한 이상에는 내일 바꿀 수 없다. 지금 정한 마음이 이따가 급변할 리도 만무하다. 아아, 경희의 발은 이 두 길 중에 어느 길에 내놓아야 할까. 이것은 교사가 가르칠 것도 아니고 친구가 있어서 충고한대도 쓸데없다. 경희 제 몸이 저 갈 길을 택해야만 그것이 오래 유지할 것이고 제정신으로 한 것이라야 변경이 없을 터이다. 경희는 또 한 번 머리를 부딪고 "아이구, 어찌하면 좋은가!" 한다.

경희도 여자다. 더구나 조선 사회에서 살아온 여자다. 조선 가정의 인습에 파묻힌 여자다. 여자란 온량유순(溫良柔順, 따뜻하고 서늘하고, 성질이나 태도, 표정 따위가 부드럽고 순하다)해야만 쓴다는 사회의 면목(面目)이고 여자의 생명은 삼종지도(三從之道, 예전에, 여자가 따라야 할 세 가지 도리를 이르던 말. 어려서는 아버지를, 결혼해서는 남편을, 남편이 죽은 후에는 자식을 따라야 하였다)라는 가정의 교육이다. 일어서려면 압박하려는 주위(周圍, 어떤 곳의 바깥 둘레)요, 움직이면 사방에서 들어오는 욕이다. 다정하게, 손 붙잡고 충고 주는 동무의 말은 열 사람 한 입같이 "편하게 전과 같이 살다가 죽읍시다." 함이다.

경희의 눈으로는 비단옷도 보고 경희의 입으로는 약식 전골도 먹었다. 아아, 경희는 어느 길을 택하여야 당연한가? 어떻게 살아야만 좋은가? 마치 길가에 탄평(坦平, 땅이 넓고 평평하다)으로 몸을 늘여 기어가던 뱀의 꽁지를 지팡이 끝으로 조금 건드리면 늘어졌던 몸이 바짝 오그라지며 눈방울이 대룩대룩하고 뾰족한 혀를 독기 있게 자주 내미는 모양같이 이러한 생각을 할 때마다 경희의 몸에 매달린 두 팔이며 늘어진 두 다리가 바짝 가슴속으로 뱃속으로 오그라들어 온다. 마치 어느 장난감 상점에 놓은 대가리와 몸뚱이뿐인 장난감같이 된다. 그리고 십삼 관(貫)의 체중이 급자기 백지 한 장만치 되어 바람에 날리는 것 같다. 또 머릿속은 저도 알만치 띵하고 서늘해진다. 눈도 깜짝거릴 줄 모르고 벽에 구멍이라도 뚫을 것 같다. 등에는 땀이 흠뻑 고이고 사지는 죽은 사람과 같이 차디차다. "아이구, 어찌하면 좋은가." 경희는 벙어리가 된 것 같다. 아무 말도 할 줄 모르고 꼭 한 마디 할 줄 아는 말은 이 말뿐이다.

경희는 제 몸을 만져 본다. 왼편 손목을 바른편 손으로, 바른편 손목을 왼편 손으로 쥐어 본다. 머리를 흔들어도 본다. 크지도 않고 조그마한 이 몸… 이 몸을 어떻게 서야 할까. 이 몸을 어디로 향하여야 좋은가… 경희는 다시 제 몸을 위에서부터 아래까지 훑어본다. 이 몸에 비단 치마를 늘이고 이 머리에 비취옥잠(翡翠玉簪, 푸른색의 윤이 나는 옥으로 만든 비녀)을 꽂아 볼까. 대가 댁 맏며느리 얼마나 위엄스러울까. 새아기 새색시 놀음이 얼마나 재미있을까? 시부모의 사랑인들 얼마나 많을까. 지금 이렇게 천둥이던 몸이 부모님에게 얼마나 귀염을 받을까. 친척인들 오죽 부러워하고 우러러볼까. 잘못하였다. 아아, 잘못하였다. 왜, 아버지가 "정하자." 하실 때에 "네." 하지를 못하고 "안 돼요." 했나. 아아, 왜 그랬나. 어떻게 하려고 그렇게 대답을 하였나! 그런 부귀를 왜 싫다고 했나. 그런 자리를 놓치면 나중에 어찌하잔 말인가. 아버지 말씀과 같이 고생을 몰라 그런가 보다. 철이 아니 나서 그런가 보다. "나중에 후회하리라." 하시더니 벌써 후회막급인가 보다. 아아, 어찌하나. 때가 더 되기 전에 지금 사랑에 나가서 아버지 앞에 자복할까 보다. "제가 잘못 생각하였습니다."고. 그렇게 할까? 아니다. 그렇게 할 터이다. 그것이 적당한 길이다. 그리고 귀찮은 공부도 고만둘 터이다. 가지 마라시는 일본도 또다시 아니 가겠다. 이 길인가 보다. 이 길이 밟을 길인가 보다. 아, 그렇게 정하자. 그러나… "아이구, 어찌하면 좋은가…." 경희의 눈은 말똥말똥하다. 전신이 천근 만근이나 되도록 무거워졌다. 머리 위에는 큰 동철(銅鐵) 투구를 들씌운 것같이 무겁다. 오그라졌던 두 팔 두 다리는 어느덧 나와서 척 늘어졌다. 도로 전신이 오그라진다. 어찌하려고 그런 대담스러운 대답을 하였나 하고. 아버지가 "계집애라는 것은 시집가서 아들딸 낳고 시부모 섬기고 남편을 공경하면 그만이니라." 하실 때에 "그것은 옛날 말이에요. 지금은 계집애도 사람이라 해요, 사람인

이상에는 못할 것이 없다고 해요. 사내와 같이 돈도 벌 수 있고, 사내와 같이 벼슬도 할 수 있어요. 사내가 하는 것은 무엇이든지 하는 세상이에요." 하던 생각을 하며, 아버지가 담뱃대를 드시고 "뭐 어쩌고 어째, 네까짓 계집애가 하길 무얼 해. 일본 가서 하라는 공부는 안 하고 귀한 돈 없애고 그까짓 엉뚱한 소리만 배워 가지고 왔어?" 하시던 무서운 눈을 생각하며 몸을 흠찔한다.

과연 그렇다. 나 같은 것이 무얼 하나. 남들이 하는 말을 흉내 내는 것이 아닌가. 아아, 과연 사람 노릇 하기가 쉬운 것이 아니다. 남자와 같이 모든 것을 하는 여자는 평범한 여자가 아닐 터이다. 사천 년래의 습관을 깨뜨리고 나서는 여자는 웬만한 학문, 여간한 천재가 아니고서는 될 수 없다. 나폴레옹 시대에 파리의 전 인심을 움직이게 하던 스타엘 부인과 같은 미묘한 이해력, 요설(饒舌, 쓸데없이 말을 많이 함)한 웅변(雄辯, 조리가 있고 막힘이 없이 당당하게 말함), 그런 기재(機才, 기민한 재주나 임기응변의 재치)한 사회적 인물이 아니고서는 될 수 없다. 살아서 오를레앙(프랑스 중부, 루아르 강의 오른쪽 기슭에 있는 도시. 교통 요충지로 상업이 발달하였으며, 1429년에 잔 다르크가 영국군을 이긴 곳으로 유명하다)을 구하고 사(死)함에 프랑스를 구해 낸 '잔 다르크' 같은 백절불굴의 용진(勇進) 희생이 아니고서는 될 수 없다. 달필(達筆, 능숙하게 잘 쓰는 글씨)의 논문가(論文家), 명쾌한 경제서(經濟書)의 저자로 이름을 날린 영국 여권론의 용장(勇將) 포드 부인과 같은 어론(語論)에 정경(精勁)하고 의지가 강고한 자가 아니고서는 될 수 없다. 아아, 이렇게 쉽지 못하다. 이만한 실력, 이러한 희생이 들어야만 되는 것이다.

경희가 이제껏 배웠다는 학문을 톡톡 털어 보아도 그것은 깜짝 놀랄 만치 아무것도 없다. 남이 제 앞에서 춤을 추고 노래를 하나 참으로 좋아할 줄을 모르고 진정으로 웃어 줄 줄을 모르는 백치 같은 감각을 가졌다. 한마디 대답을 하려면 얼굴이 벌게지고 어서(語序)를 찾을 줄 모르는 둔설(鈍舌)을 가졌다. 조금 괴로우면 싫어, 조금 맞기만 하여도 통곡을 하는 못된 억병(臆病)이 있다. 이 사람이 이러는 대로 저 사람이 저러는 대로, 동풍 부는 대로 서풍 부는 대로 쓸리고 따라가도 고칠 수 없이 쇠약한 의지가 들어앉았다. 이것이 사람인가. 이것을 가진 위인이 사람 노릇을 하잔 말인가. 이까짓 남들 다 하는 'ㄱ', 'ㄴ' 쯤의 학문으로, 남들도 지을 줄 아는 삼시 밥 먹을 때 오른손에 숟가락 잡을 줄 아는 것쯤으로는 벌써 틀렸다. 어림도 없는 허영심이다. 만일 고금(古今) 사업가의 각 부인들이 알면 코웃음을 칠 터이다. 정말 엉뚱한 소리다.

"아이구, 어찌하면 좋은가…."

여기까지 제 몸을 반성한 경희의 생각에는 저를 맏며느리로 데려가려는 김 판사집도 딱하다. 또 저 같은 천치가 그런 부귀한 댁에서 데려가려면 고개를 숙이고 네네, 소녀를 바치며 얼른 가야 할 것이 당연한 일인데 싫다고 하는 것은 제가 생각하여도 괘씸한 일이다. 그리고 아버지며 어머니며 그 외 여러 친척 할머니 아주머니가 저를 볼 때마다 시집 못 보낼까 보아 걱정들을 하는 것이 당연한 일인 것도 같다.

경희는 이제까지 비녀 쪽진 부인들을 보면 매우 불쌍히 생각하였다. '저것이 무엇을 알고 저렇게 어른이 되었나. 남편에 대한 사랑도 모르고 기계같이 본능적으로만 저렇게 금수와 같이 살아가는구나. 자식을 귀애(貴愛)하는 것은 밥이나 많이 먹이고 고기나 많이 먹일 줄만 알았지 좋은 학문을 가르칠 줄은 모르는구나. 저것도 사람인가?' 하는 교만한 눈으로 보아 왔다. 그러나 웬일인지 오늘은 그 부인네들이 모두 장하게 보인다. 설거지하는 시월이 머리에도 비녀가 꽂힌 것이 저보다 훨씬 나은 것도 같이 보인다. 담 사이로 농민의 자식들의 우는소리가 들리는 것도 저보다 훨씬 나은 딴 세상 같다. 아무리 생각하여도 저는 저 같은 어른이 될 수 없을 것 같고 제 몸으로는 저와 같은 아이를 낳을 수가 없는 것 같다. '저와 같이 이렇게 가기 어려운 시집을 어쩌면 그렇게들 많이 갔고 저와 같이 이렇게 어렵게 자식의 교육을 이리저리 궁구하는 것을 저렇게 쉽게 잘들 살아가누.' 생각을 한즉, 저는 아무것도 아니다. 그 부인들은 자기보다 몇 십 배 낫다.

'어떻게 저렇게들 쉽게 비녀로 쪽지게 되었나? 어쩌면 저렇게 자식들을 많이 낳아 가지고 구순이는 잘사누. 참 장하다.'

경희는 생각할수록 그네들이 장하다. 그리고 저는 이렇게도 시집가기가 어려운 것이 도무지 이상스럽다. '그 부인네들이 장한가? 내가 장한가? 이 부인네들이 사람일까? 내가 사람일까?' 이 모순이 경희의 깊은 잠을 깨우는 큰 번민이다. '그러면 어찌하여야 장한 사람이 되나?' 하는 것이 경희의 머리가 무거워지는 고통이다.

"아이구, 어찌하나. 내가 그렇게 될 줄 알았을까…"

한마디가 늘었다. 동시에 경희의 머리끝이 우쩍 위로 올라간다. 그리고 경희의 뻔뻔한 얼굴, 넓적한 입, 길쭉한 사지의 형상이 모두 스러지고 조그마한 밀짚 끝에 깜박깜박하는 불꽃같은 무엇이 바람에 떠 있는 것 같다. 방만은 후끈후끈하다. 부지중에 사방 창을 열어젖혔다.

뜨거운 강한 광선이 별안간에 왈칵 대드는 것은 편싸움꾼의 양편이 육모방망이를 들고

"자…"

하며 대드는 것같이 깜짝 놀랄 만치 강하게 쪼여 들어온다. 오색이 혼잡한 백일홍 활년화(活年花) 위로는 연락부절(連絡不絶, 왕래가 잦아 소식이 끊이지 아니하다)히 호랑나비 노랑나비가 오고 가고한다. 배나무 위의 까치 보금자리에는 까만 새끼 대가리가 들락날락하며, 어미 까마귀가 먹을 것을 가지고 오는 것을 기다리고 있다. 댑싸리 그늘 밑에는 탑실개가 쓰러져 쿨쿨 자고 있다. 그 배는 불룩하다. 울타리 밑으로 굼벵이 잡으러 다니는 어미 닭의 뒤로는 대여섯 마리의 병아리가 줄줄 따라간다. 경희는 얼빠진 것같이 멀거니 앉아서 보다가 몸을 일부러 움직이었다.

저것! 저것은 개다. 저것은 꽃이고 저것은 닭이다. 저것은 배나무다. 그리고 저기 매달린 것은 배다. 저 하늘에 뜬 것은 까치다. 저것은 항아리고 저것은 절구다.

이렇게 경희는 눈에 보이는 대로 그 명칭을 불러 본다. 옆에 놓인 머릿장도 만져 본다. 그 위에 개어서 얹은 명주 이불도 쓰다듬어 본다.

"그러면 내 명칭은 무엇인가? 사람이지! 꼭 사람이다."

경희는 벽에 걸린 체경(體鏡, 몸 전체를 비추어 볼 수 있는 큰 거울)에 제 몸을 비추어 본다. 입도 벌려 보고 눈도 끔쩍여 본다. 팔도 들어 보고 다리도 내어놓아 본다. 분명히 사람 모양이다. 그리고 드러누운 탑실개와 굼벵이 찍으러 다니는 닭과 또 까마귀와 저를 비교해 본다. 저것들은 금수, 즉 하등 동물이라고 동물학에서 배웠다. 그러나 저와 같이 옷을 입고 말을 하고 걸어 다니고 손으로 일하는 것은 만물의 영장인 사람이라고 배웠다. 그러면 저도 이런 귀한 사람이다. 아아, 대답 잘했다. 아버지가 "그리로 시집가면 좋은 옷에 생전 배불리 먹다 죽지 않겠니?" 하실 때에 그 무서운 아버지 앞에서 평생 처음으로 벌벌 떨며 대답하였다.

"아버지 안자(顔子)의 말씀에도 일단식(一簞食)과 일표음(一瓢飮, '한 쪽박의 물 또는 술'이라는 뜻으로, 매우 적은 양(量)의 물이나 술을 이르는 말)에 낙역재기중(樂亦在基中, 즐거움이 그 가운데 있다)이라는 말씀이 없습니까? 먹고만 살다 죽으면 그것은 사람이 아니라 금수(禽獸)이지요. 보리밥이라도 제 노력으로 제 밥을 제가 먹는 것이 사람인 줄 압니다. 조상이 벌어 놓은 밥 그것을 그대로 받은 남편의 그 밥을 또 그대로 얻어먹고 있는 것은 우리 집 개나 일반이지요." 하였다. 그렇다. 먹고 죽으면 그것은 하등 동물이다. 더구나 제 손가락 하나 움직이지 않고 조상의 재물을 받아 가지고 제가 만들기는 둘째 쳐 놓고 받은 것도 쓸 줄 몰라 술이나 기생에게 쓸데없이 낭비하는, 사람이 아니라 금수와 같이 배 뚜드리다가 죽는 부자들의 가정에는 별별 비참한 일이 많다. 태(殆: 거의)히 금수와 구별을 할 수도 없는 일이 많다. 그런 자는 사람의 가죽을 잠깐 빌려다가 쓴 것이지 조금도 사람이 아니다. 저 댑싸리 그늘 밑에 드러누우려 하여도 개가 비웃고 그 자리가 아깝다고 할 터이다.

그렇다. 괴로움이 지나면 낙이 있고 울음이 다하면 웃음이 오고 하는 것이 금수와 다른 사람이다. 금수가 능치 못하는 생각을 하고 창조는 해 내는 것이 사람이다. 사람 이번 쌀, 사람이 먹고 남은 밥찌꺼기를 바라고 있는 금수, 주면 좋다는 금수와 다른 사람은 제 힘으로 찾고 제 실력으로 얻는다. 이것은 조금도 모순이 없는 사람과 금수와의 차별이다. 조금도 의심 없는 진리이다.

경희도 사람이다. 그 다음에는 여자다. 그러면 여자라는 것보다 먼저 사람이다. 또 조선 사회의 여자보다 먼저 우주 안 전 인류의 여성이다. 이철원 김 부인의 딸보다 먼저 하나님의 딸이다. 여하튼 두말할 것 없이 사람의 형상이다. 그 형상은 잠깐 들씌운 가죽뿐 아니라 내장의 구조도 확실히 금수가 아니라 사람이다.

오냐, 사람이다. 사람으로 보이지 않는 험한 길을 찾지 않으면 누구더러 찾으라 하리! 산정(山頂)에 올라서서 내려다보는 것도 사람이 할 것이다. 오냐, 이 팔은 무엇 하자는 팔이고 이 다리는 어디 쓰자는 다리냐?

경희는 두 팔을 번쩍 들었다. 두 다리로 껑충 뛰었다.

빤빤한 햇빛이 스르르 누그러진다. 남색 치맛빛 같은 하늘빛이 유연히 떠오른 검은 구름에 가린다. 남풍이 곱게 살살 불어 들어온다. 그 바람에는 화분(花粉)과 향기가 싸여 들어온다. 눈앞에 번개가 번쩍번쩍하고 어깨 위로 우레 소리가 우루루루 한다. 조금 있으면 여름 소나기가 쏟아질 터이다.

경희의 정신은 황홀하다. 경희의 키는 별안간 이(飴: 엿) 늘어지듯이 부쩍 늘어진 것 같다. 그리고 목(目)은 전 얼굴을 가리는 것 같다. 그대로 푹 엎드리어 합장으로 기도를 올린다.

하나님! 하나님의 딸이 여기 있습니다. 아버지! 내 생명은 많은 축복을 가졌습니다.

보십쇼. 내 눈과 내 귀는 이렇게 활동하지 않습니까?

하나님! 내게 무한한 광영(光榮)과 힘을 내려 주십쇼.

내게 있는 힘을 다 하여 일하오리다.

상을 주시든지 벌을 내리시든지 마음대로 부리시옵소서.

규원

글 _ 나혜석

때는 정히 오월 중순이라. 비온 뒤끝은 아직도 깨끗지 못하여 검은 구름발이 삼각산 봉우리를 뒤덮어 돌고 기운차게 서서 흔들기 좋아하는 포플러도 잎사귀 하나 움직이지 않고 조용히 서 있을 만치 그렇게 바람 한 점도 날리지 않는다. 참새들은 떼를 지어 갈팡질팡 이리 가랴 저리 가랴 하며 왜가리는 비 재촉하는 울음을 깨쳐 가며 지붕을 건너 넘어간다.

이때에 어느 집 삼 칸 대청에는 어린아이 보러 온 6, 7인의 부인네들이 혹은 앉아서 부채질도 하며, 혹은 더운 피곤에 못 이기어 옷고름을 잠깐 풀어 젖히고 화문석 위에 목침을 의지하여 가볍게 눈을 감고 있는 이도 있으며, 혹은 무심히 앉아서 처음 온 집이라 앞뒤를 살펴보기도 하며, 혹은 살림에 대한 이야기도 하며, 혹은 그것을 듣고 앉았기도 한다. 마루에는 어린애의 기저귀가 두어 개 늘어놓아져 있고 물주전자가 놓여 있으며 물 찌끼가 조금씩 남아 있는 공기가 3, 4개 널려 있다. 또 거기에는 앵두 씨가 여기저기 떨어져 있고 큰 유리화대접에 반도 채 못 담겨 있는 앵두는 물에 젖어 반투명체로 연연하게 곱고 붉은빛이 광선에 반사되어 기름윤이 흐르게 번쩍번쩍한다.

이때에 열어젖힌 뒷문으로 어린애 우는 소리가 사랑으로부터 멀리 들리자 산후의 열기로 인하여 신음하다가 일어나 앉은 아기 어머니는 어푸수수한 머리를 아무렇게나 쪽찌어 흑각(黑角: 물소의 검은 뿔, 또는 그것으로 만든 비녀)으로 꽂고 기운 없이 뒷문 턱에 기대어 앉았다가 깜짝 놀라 일어서며 사랑으로 나가 아기를 고쳐 안고 들어온다. 아기의 두 눈에는 약간 눈물이 흘러 있고 모기에 물린 자국으로 두어 군데 붉은 점이 찍혀 있다. 어머니 팔에 안기어 오는 기쁨인지 또렷또렷한 눈망울을 굴리어 군중을 둘러보다가 아는 듯 모르는 듯 씽긋 웃는다. 군중의 시선은 모두 이 아기에게 집중하여 있는 중 모두 "아이구, 웃는구나." 하고 다시 웃을까 하여 어르기도 하며 머리를 쓰다듬어 보기도 하고 손을 만져 보기도 한다. 아기는 모르는 체하고 몸을 돌리어 어머니 가슴에 입을 돌리어 젖을 찾는다.

저편 구석에 담배 물고 시름없이 하늘을 쳐다보고 앉은 부인은 어떻게 보면 거의 사십쯤 되어 보이고 어떻게 보면 겨우 삼십이 넘어 보인다. 어디인지 모르게 귀인성이 있어 보임직한 얼굴에는 얼마만한 고생의 흔적인지 주름살이 이리저리 잡혀진다. 거기다가 분을 좀 스친 모양이라 햇빛에 그을어 꺼무죽죽한 얼굴빛에 겉돌며 '四(넉사)'자 이맛전에 앞머리를 좌우 평행으로 밀기름에 재어 붙이고 느짓느짓 땋아 늘어짐이 길쭉이 쪽을 지어 은비녀로 꾹 찔러 놓은 것이며 모시 적삼 화장은 길쭉하여 손등을 덮고 설핏한 모시 치마에 허리를 넓게 달아 느직하게 외로 여며 입은 것은 아무리 보아도 서울 부인네가 아닐 뿐 아니라, 어디인지 모르게 고상하게 보이는 것은 예절 있는 양반의 집에서 자라난 것이 분명하다. 그렇게 여러 부인네들은 아기들 앞으로 와서 어르고 만져 보나 다만 홀로 이 부인만은 아무 말 없이 멀리 건너다보다가 흥 하고 이상한 코웃음을 한번 웃고 눈을 내리깔며 반도 타지 않은 담배를 옆에 있는 재떨이에 놓고 허리를 굽혀 마루 아래 대뜰에다 탁탁 털며 이상하게 슬픈 기색을 띤다. 이 부인은 다시 전과 같이 앉더니 애기가 젖 먹는 양을 바라보며, “흐흥, 그거 보시오. 이렇게 많이들 앉아있는 중에 아기 우는 소리를 그 어머니밖에 들은 사람이 없소 그려. 그렇게 자식과 어머니 사이에는 끊으려도 끊을 수 없는 애정이 엉키어 있건마는 나 같은 것은…” 하고 목이 메여 말끝을 아물지 못하고 두 눈에 눈물이 핑 돈다. 군중은 모두 이상히 여겨 왜 그리 서러운 기색을 띠느냐고 물을 수밖에 없었다. 그는 아무 대답 없이 잠잠히 있고, 그와 동행하여 온 그의 친구 김 부인이 옆에 앉았다가 그를 쳐다보며, “또 청승이 끌어 나오는군. 아들 둘의 생각을 하고 그러지요.” 한다. 군중의 의심은 더욱 깊어진다.

“아들 둘을 어떻게 하였기에요?” 하고 다시 물을 수밖에 없었다. 이 부인은 역시 아무 말 없이 앉았고 김 부인이 또 이 부인을 쳐다보며, “그 내력을 말하려면 숙향전의 고담이지요.” 한다. 군중에게는 더욱 호기심을 갖게 되고 궁금증을 일으킨다.

“어째서 그래요? 좀 이야기하시구려.” 하는 것이 군중의 청구(請求)이었다. 김 부인은 또 그를 쳐다보며, “이야기하구려.” 권한다. 그 부인은 역시 잠잠히 앉았더니, “이것 보십쇼.” 하고 두 손을 내밀며, “세상에 사주팔자란 알 수 없습디다. 분길 같던 내 손이 이렇게 마디마다 못 박혀 볼 줄 뉘 알았으며 5, 6월 염천까지 무명 고쟁이로 날 줄 뉘 알았으리까(치마를 걷어 치고 가리키는 무명 고쟁이는 오동빛이라). 나도 남부럽지 않게 호의호식으로 자라나서 시집가서도 마루 아래를 내려서 본 일이 없었더랍니다. 이래 보여도 나도 상당한 집 양반의 딸이랍니다. 내 내력을 말하자면 기가 막혀 죽을 일이지요.”

이렇게 차차 그의 내력을 말하기 시작하였다.

“내 아버지께서는 평양 감사까지 지내시고 봉산(鳳山) 고을도 사시고(군수를 지냈다는 뜻), 안성(安城) 고을도 사셨지요. 우리 백부(伯父)님은 이 판서(李判書)집이시지요. 그리하여 우리 고향(故鄕)인 철원(鐵原)골에서는 우리 친정집 일파(一派)의 세력이 무섭지요. 그러한 집에서 아들 4형제 틈에 고명딸로 귀엽게도 자랐지요. 지금은 갖은 고생을 다 겪어서 이렇게 얼굴이 썩고, 썩었지만, 내가 열두서너 살 먹었을 때는 색시꼴도 박히고 빛깔이 희고 얼굴도 매우 고왔었으며 머리는 새까마니 전반같았지요(여자의 머리채가 숱이 많고 치렁치렁함을 비유하는 말). 그리하여 열 살 먹던 해부터 시골 서울 할 것 없이 재상의 집에서든 청혼들을 해댔답니다. 우리 아버지께서 그런 말씀을 하시면 어머니는 딸자식 하나 있는 것이 그렇게 원수 같으냐고 하시지요. 그러면 아버지께서는 아무 말씀 못하십니다. 그러나 딸자식이란 쓸데없어요. 열여섯 살 먹던 해 3월에 기어이 남의 집으로 가게 되옵디다."

"신랑은 몇 살이고요?" 하고 한 부인은 묻는다.

"신랑은 열세 살이었댔지요. 우리 시부모 되시는 김판서(金判書)하고 우리 아버지와는 절친한 사이셨지요. 아마 두 분이 술잔을 나누시다가 우리 혼인이 정해진 모양입디다. 그렇게 어머니 떨어지기 싫어서 울면서 80 리나 되는 곳으로 시집을 갔지요. 우리 집에서도 없는 것 없이 처해 가지고 갔거니와 그 집에도 단 형제뿐으로 필혼(畢婚: 마지막 혼사)이라 갖은 예물이며 채단이야 끔찍끔찍하였었지요. 시부모님에게 귀염인들 나같이 받았으리까. 말이 시집이지 세상에 나같이 어려운 것 모르고 괴로운 것 모르게 시집살이를 하였으리까. 혼인한 지 삼 년이 되도록 태기(胎氣)가 없어서 퍽도 걱정들을 하시고 기다리시더니 팔 년 되던 해 우연히 태기가 있어 가지고 아들을 낳아 놓으니 그 어른들께서 좋아하시는 것이야 어떻다 말할 수 없었어요. 은(銀) 소반 받들 듯 하십디다. 바로 그 해에 우리 바깥양반이 춘천 군청(春川郡廳)에 군주사(郡主事)를 하였었지요. 그럴 동안에 첫애가 세 살을 먹자 또 아우가 있어서 낳으니 또 아들이지요. 밤이면 네 식구가 옹기옹기 앉아서 재롱을 보고 하면 타곳에서 외롭게 지내는 중에도 재미있게 지냈지요. 그러나 내 복조가 그만이었던지 집안 운수가 불길하려 함인지, 둘째 아이 낳던 그 해 동짓달에 일본 설('신정(新正)'을 가리킴)이라고 하여 연회에 가시더니 밤이 늦어서 들어오시는데 술이 퍽 취한 듯싶습디다. 펴놓은 자리 위에 옷도 벗지 않고 탁 드러누워 머리를 몹시 아프다고 끙끙 앓더니 별안간에 와르르 게우는데 벌건 선지피가 두어 번 칵칵 엉키어 나옵디다그려. 나는 간담이 서늘하여지옵디다."

여기까지 듣고 앉았던 여러 부인네의 가슴은 졸여지는 모양이라. "그래서요?" 하며 이야기 계속하기를 원하는 이도 있으며, 혹은 "저런, 어쩔까!" 하고 차마 들을 수 없겠다는 것처럼 찌푸린다. 혹은 "아이구, 딱해라." 한다. 이 부인(李夫人)은 목이 메여 침 한 번을 꿀떡 삼키고 잠깐 말을 멈추었다가 다시 한다.

"그때 드러누우신 후로 그 이튿날부터 사진(仕進: 벼슬아치가 정해진 시간에 출근함)이 무엇입니까. 하루에 미음 한 번이나 자시는 둥 마는 둥 하고 담이 점점 성하여져서 벌건 피 가래를 한 요강씩 뱉지요. 그렇게 겯잡을 새 없이 나날이 병이 중(重)하여 가옵디다그려. 그래서 큰댁에 편지를 한다, 전보(電報)를 한다 하였더니 우리 맏시아주버니께서 다 모아 데리고 가시려고 곧 오셨습디다. 그리하여 우둥부둥 짐을 싸 가지고 불시로 모두 떠나 왔지요. 그러한 일이 또 어디 있었으리까. 큰댁에를 들어서니까 공연히 무슨 죄나

지은 것같이 어른 뵐 낯이 없습디다. 아니나 다를까 시어머님 되는 마님께서는 나를 보고 어떻게 하다 저렇게 병을 냈느냐고 원망을 하시며 두 내외분은 식음을 전폐하시고 드러누워 계시니 집안이 그런 난가(亂家, 화목하지 못하고 싸움이나 말썽이 그치지 아니하여 소란스러운 집안)가 어디 있으리까. 인삼이며 사슴뿔이며 갖은 좋다는 약은 다 사들이고 용하다는 용한 의원은 멀고 가깝고 간에 데려다가 사랑에 두고 날마다 맥을 보고 약을 쓰나 만약(萬藥)이 무효이라. 돈도 많이 들었거니와 사람의 간장인들 그 얼마나 졸였었으니까. 필경은 그 이듬해 8월 스무하룻날 가서 그 몸을 마치었지요." 하며 적삼 끈을 집어 두 눈을 씻는다. 군중은 모두 "저런 어쩔까?" 하고 혀들을 툭툭 한다. 이 부인은 한풀이 죽어서 겨우 말끝을 잇는다.

"그러니 스물다섯 살인 꽃 같은 나이에 세상 재미를 다 버리고 죽은 이도 불쌍하거니와 여편네가 30도 못 되어 혼자되니 그 신세야 말할 것 무엇 있겠소. 오죽 방정맞아 보였으니까. 왜 그런지 모든 사람이 이 몸을 모두 박복한 년으로 보는 듯싶어서 어찌 부끄러운지 혼자된 후로는 사람을 쳐다보지를 못하고 지내 왔지요. 친정 오라버니가 보러 오셨는데 하얗게 소복을 하고 보기가 어찌 부끄럽던지 모닥불을 퍼붓는 것 같아서 즉시 얼굴을 들지 못하였더랍니다."

한 부인이 말하되, "참 옛날 어른이시오. 아 그렇다 뿐이에요. 생전 죄인이지요. 어디 가서 고개를 들어 보고 말소리를 크게 내어 보며 목소리를 높여 웃어 보아요. 그러기에 몸을 마친다 하고 과부가 되면 하늘이 무너졌다고 하는가 봐요. 참, 기가 막히지요. 그러나 요사이 과부들은 어디 그럽디까. 벌건 자주 댕기를 아니 드리나, 분들을 못 바르나. 그러니 세상이 망하지 않겠소.” 하며 누었다가 벌떡 일어나 앉으며 담뱃재 떠느라고 허리를 굽히는데 보니, 그의 머리에는 조적 댕기가 드려 있는 것이 이 부인도 과부 중에 한 사람인 듯싶고 말하는 것이 경험한 말 같다. 이 부인은 다시 말을 이어, “지금 생각하여 보면 그, 못나서 그랬어요. 그야말로 불행 중 다행으로 아들 형제를 두고 가서 할머니 할아버지께서도 그것들로 위로를 많이 받으시고 나도 그것들에게 의지하게 되었지요. 우리 시아버님께서는 우리 세 식구를 어떻게 불쌍히 여기시는지 살림에나 재미를 붙여 살라고 하시고, 둘째 아드님 몫으로 지어 두셨던 삼백 석 추수 받는 논과 밭을 내 이름으로 증명(證明)을 내어주시고 큰댁 바로 앞집을 사셔서 분통같이 꾸며서 상청하고 우리 세 식구들 세간을 그 동짓달에 내어주시며 조석으로 드나드시면서 보아주십디다. 살림도 내외가 가져서 해야 이것도 사고 싶고 저것도 사고 싶고 하여 재미가 나지요. 마지못하여 살림에 당한 것을 하나 사면 ‘어디를 가고 나 혼자 이렇게 살려고 애를 쓰나.’ 하는 마음이 생기고 건잡을 새 없이 설움이 북받쳐 눈물이 앞을 가리지요. 우리 친정에서는 내가 불쌍하다고 철철이 나는 실과(實果)를 아니 사 보내 주시나, 아이들 옷을 아니 해 보내 주시나, 남편 없이 시아버님께 돈을 타서 쓰니 오죽 군색하랴 하고 일용(日用)에 보태어 쓰라고 돈을 다 보내 주시고 하지요. 아, 참 세월도 빨라요. 살아서 있는 것같이 조석상식(朝夕喪食, 상가에서 아침저녁으로 궤연에 올리는 음식)을 받들기에 큰 위로를 받고 밤에라도 나와서 마루에 있는 소장(素帳: 궤연 앞에 드리우는 흰 포장)을 보면 집을 지켜주는 듯싶어서 든든하더니 그나마 3년 상을 마치고 나니 더구나 새삼스럽게 서러운 마음이 생기고 허수하며 섭섭하기가 말할 길 없습디다. 따라서 죽지 못한 것이 한이지요. 죽지 못하여 살아가는 동안에 한 해 가고 두 해 가서 4년이 되었지요. 그 해 8월에 마루에서 혼자 큰아이 녀석 추석빔을 하고 앉았으려니까 전부터 우리 큰댁에 드나들면서 바느질도 하고 하던 점동 할머니가 손자를 등에 업고 들어옵디다. 그는 전에 없이 내가 혼자 사는 것이 불쌍하다는 둥 오죽 서럽겠느냐는 둥 하며 무슨 말인지 서울 어느 점잖은 사람이 상처(喪妻, 아내의 죽음을 당하다)를 하고 젊은 과부를 하나 얻으려고 하는데 그 사람은 문벌(門閥, 대대로 내려오는 그 집안의 사회적 신분이나 지위)도 관계치 않고 재산도 상당하며 어쩌고저쩌고 늘어놓습디다. 나는 아마 그냥 그런 이야기를 하나보다 하고 무심히 들었을 뿐이었지요. 그런 뒤 얼마 있다가 어느 날 또 할멈이 오더니 그런 말을 또 하면서 감히 무엇이라고는 못하고 내 눈치를 보는 것이 매우 이상스럽겠지요? 어찌 괘씸스러운지 나 역시 모르는 체하였을 뿐이지요. 아, 이것 좀 보시오. 며칠 뒤에 또 와서는 불고염치(不顧廉恥, 염치를 돌아보지 아니함)하고 날더러 마음이 없냐고 아니합니까. 내가 누구 앞에서 그 따위 말을 하느냐고 악을 쓰니까 꽁무니가 빠지게 달아납디다. 그런 뒤로는 나는 어찌 분하든지 밤이면 잠이 다 아니 오겠지요. 그리고 모든 사람이 다 나를 없이 여기는 것 같아서 어찌 서러운지 과부되었을 때보다 더해요. 그런데 이거 보세요. 망신살이 뻗치려니까 어렵지가 않겠지요. 도무지 날짜까지 잊히지가 않습니다마는, 그 해 9월 열 이튿날이었어요. 저녁밥을 다 해치우고 안방에서 신선해서 방문을 닫고 어린애 젖을 먹이느라고 끼고 드러누웠으려니까 별안간에 마당에서 우리 큰애 이름 '순영아, 순영아.' 두어 번 부르는 남자의 소리가 나겠지요. 나는 시부(媤父, 남편의 아버지)께서 나오셨나 하고 젖을 떼고 일어서려는데 다시 부르는 소리를 들으니 우리 시부님의 목소리는 캥캥하신데 그렇지가 않고 우렁찬 소리겠지요. 나는 이상스러운 마음이 생겨서 잠깐 문틈으로 내다보았지요. 어스름한 밤이라 자세히는 볼 수 없으나 키가 훨씬 큰 사람이 뒷짐을 지고 그 손에는 단장을 휘적휘적 흔들며 안을 향하여 서 있는 것이 잠깐 보아도 우리 집 내(內) 사람은 아니옵디다. 나는 불현듯 무서운 생각이 생겨서 나오지 않는 목소리로 벌벌 떨며, '그 누구신가 여쭈어 보아라.' 하였지요. 그자는 내 목소리를 듣자 반가운 듯이 마루 끝으로 가까이 오며 천연스럽게 '네, 서울서 왔습니다.' 해요. 나는 다시 떨리는 소리로, '서울서 오시다니 누구신가 여쭈어 보아라.' 한즉 그자는 버쩍 마루로 올라서며, '왜 점동 할머니께 들으셨지요. 서울 사는 장 주사라고요…' 하며 바로 익숙한 사람에게 대하여 말하듯이 반웃음을 띠며 말하겠지요. 나는 무섭고도 분하여서, '나는 그런 사람 몰라요. 그런데 대관절 남의 집 대청에를 아무 말 없이 들어오니 이런 법(法)이 어디 있소.' 하며 주고받고 할 때에 마침 대문 소리가 나자 우리 시어머니 되는 마님이 들어오시는구려."

군중은 모두 "아이구, 저런 어쩔까. 어쩌면 꼭 그때." 하며 마음을 졸여한다.

"그러니 꼭 그물에 걸린 고기지요. 넘치고 뛸 수 있나요. 그러니 장 주사라는 작자가 밖으로 뛰어나가야 옳겠습니까. 안으로 뛰어 들어와야 옳겠습니까. 어쩔 줄을 몰라 그랬던지 방으로 뛰어 들어오는구려. 나는 속절없이 누명을 쓰게 되었지요. 시모님께서는 그자의 태도가 수상스러운 것을 보시고 곧 눈치를 채신 모양이라, 방으로 쫓아 들어오시더니 눈을 똑바로 떠 쳐다보시며, '웬 사람이냐?'고 하시더니 다시 나의 태도를 유심히 보시는구려. 그러니 그 자리에서 무어라고 말하겠소. 하도 기가 막히는 일이라 아무 말도 아니 나와서 잠잠히 서 있을 뿐이었지요. 원래 괄괄하신 어른이라 곧 내게로 달려드시더니 내 머리채를 휘어잡고 이 뺨 저 뺨치시며, '이년, 남의 집을 착실하게도 망(亡)해 준다. 생때같은 서방 죽이고 무엇이 부족하여 밤낮 뭇놈하고 부동을 하며 서방질을 하니? 이년, 그런 뭇서방 놈들이 앞뒤로 널렸으니까 네 서방을 약을 먹여 병내놓았구나. 에, 갈아 먹어도 시원치 않을 년. 내 집에 일시라도 머물지 말고 저놈 따라 나가 버려라. 어서 어서!' 하는 벼락같은 재촉이 거푸 나는데 어느 뉘라서 거역할 수 있던가요. 시골이라 앞뒷집에서 큰소리가 나니 남녀노소 물론하고 마당이 미어지도록 구경꾼이 밀려들어 오는구려. 오장을 버선목이라 뒤집어 뵈는 수도 없고 그 자리에서 내가 억울하다 하면 누가 곧이듣겠소. 남영 홍씨(洪氏)네 떼라니 순식간에 모여들더니 그년 어서 쫓아내 보내라는 말이 빗발치듯합디다. 그렇게 원통할 길이 또 어디 있었으리까. 다만 하늘을 우러러보며 하나님 맙소사 할 뿐이었지요. 내가 어렸을 때부터 우리 부모님에게 큰소리 한 마디 들어 보지 못하고 자라났는데 머리가 한 움큼이나 빠지고 온몸이 성한 곳이 없이 멍이 퍼렇게 들도록 어떻게 맞았지요. 이것 좀 보시오(윗입술을 올려치니 간간이 금(金)을 넣어 번쩍번쩍 하는 앞니를 보이면서). 이것도 그때에 어찌 몹시 얻어맞았던지 그때부터 잇몸이 부어서 순색으로 쑤시더니 6달 만에 몽땅 빠지겠지요. 그래서 이렇게 앞니를 모조리(앞니 여섯을 가리키며) 해 박았습니다. 그래서 그날 그 시로 당장에 내쫓겼지요. 아이 둘은 물론 뺏기고요. 쫓겨 나와 갈 데가 있나요. 첫째 남이 부끄러워서 조그만 바닥이라 즉시로 온 성내(城

內)에서 다 알게 되었지요. 할 수 없이 우리 친정 편으로 멀리 일가 되는 집을 찾아가서 그 집 행랑 구석 얼음장 같은 구들 위에서 그 밤을 앉아 새웠었지요. 손발이 차다 못하여 나중에는 저려 오고 두 젖이 뗑뗑 불어 아파 견딜 수가 있어야지요. 사람이 악에 바치니까 눈물도 아니 나오고 인사도 차릴 수 없습디다. 아무려면 어떠랴 하고 발길을 기다려 사람을 보내서 어린아이를 훔쳐 오다시피 했지요. 그 이튿날 늦은 조반 때쯤 되어서 보교(步轎: 정자 모양의 지붕에 사방을 장막으로 두른 가마의 한 가지) 하나가 들어오더니 그 뒤에는 어느 하이칼라 하나가 따라 들어오는데 잠깐 보니 어제 저녁에 내 집에서 방으로 뛰어 들어오던 사람 비슷합디다. 나는 그 자를 보자 곧 사시나무 떨리듯 떨려지며 분한 생각을 하면 곧 내려가서 멱살을 쥐고 마음껏 한판 해 내었으면 좋겠습디다. 바로 호기스럽게 어느 실내마님이나 모시러 온 듯이 날더러 타라고 하겠지요. 어느 쓸개 빠진 년이 거기 타겠습니까. 그러자니 자연 말이 순순히 나가겠습니까. 남에게 누명을 씌운 놈이라는 둥 내 계집 된 이상에 무슨 말이냐는 둥 점점 분통만 터지고 꼴만 드러나지요. 보니까 벌써 앞뒤가 빽빽하게 구경꾼이 들어섰구려. 그러니 어떻게 합니까. 그곳을 떠나는 것이 일시(一時)가 바쁘게 되었지요. 큰댁 하인(下人) 놈들이 웅기중기 서서 구경하는 양을 보니까 고만 어떻게 부끄러운지 아무 소리가 아니 나오고 부지불각(不知不覺, 자신도 모르는 결) 중에 아이를 끼고 보교 속으로 피신을 하여 버렸지요. 얼마를 한없이 가서 어느 산골 촌구석 다 쓰러져 가는 초가 앞에다 보교를 놓더니 날더러 내리라고 합디다. 그리고 원수의 그 자는 정다이 나를 들여다보며 시장하지 않느냐고 묻겠지요. 참, 꿈인들 그런 꿈이 어디 있으리까. 분한 대로 하면 뺨을 치고 싶었으나 차마 남의 남자에게 손이 올라가야지요. 그리고 다른 곳에 가서까지도 꼴을 들키고 싶지 아니하여서… 거기서 이럭저럭 근 10여 일이나 지냈지요."

이제껏 열심히 듣고 앉았던 애 어머니는 빙그레 웃으면서, "그러면 혼인은 언제 했어요. 거기서 했나요." 하고 묻는 말에 이 부인은 어물어물하며 잠깐 두 뺨이 불그레해진다.

"그러면 어떻게 해요. 아무려면 그 계집 아니라나요. 그러기에 지금이라도 그때 내 살을 그놈에게 허락한 것을 생각만 하면 치가 떨리고 분하지요. 내가 지금만 같았어도 무관하지요. 그때만 해도 안방구석만 알다가 졸지에 쫓겨나서 물설고 산설은 곳으로 가니 그나마도 사람을 배반하면 이년의 몸은 또 무엇이 되겠습니까. 그래서 날 잡아 잡수 하고 있었지요. 그러기에 지금 생각하면 그때 왜 내가 목이라도 매서 못 죽었나 싶지요. 자살도 팔자니까요… 그리고 장 주사는 서울 집 사 놓고 데리러 오마하고 떠났지요. 나는 어린애 데리고 거기 며칠 더 있다가 하루는 염치 불구하고 우리 친정을 찾아 나갔지요. 마침 그 동네 사람 하나가 평강으로 간다고 해서 애를 업고 생전 처음으로 50 리 걸음을 하여 저녁때 우리 집 문 앞에를 다다르니 가슴이 두근두근하고 벌벌 떨려서 차마 대문 안에 발이 들여놓아집디까. 그러나 이를 깨물어 물고 쑥 들어갔지요. 우리 집에서야 80 리 밖의 일을 아실 까닭이 있겠습니까. 어머니는 버선발로 뛰어 내려오시며 '이게 웬일이냐?'고 하시고 오라버니댁들도 뛰어 내려와서 아이를 받아 들어가고 야단들입디다. 우리 아버지께서는 진짓상에 고기반찬을 해서 놓으면 꼭 반만 잡수시고 오라범댁들을 부르셔서 '이것은 홍집(홍씨 집안에 시집간 여자를 일컫는 말) 누이 주어라. 세상에 부부의 낙(樂)을 모르니 좀 불쌍하냐.' 하시고 밤이면 잊지도 않으시고 '홍집 자는 방이 춥지 나 않느냐.' 하시며 꼭 물으시지요. 그렇게 호강스럽게 그 겨울 동안에 잘 먹고 잘 입고 지냈지요. 그 이듬해 3월 초엿샛날 아침나절이었지요. 건넌방에서 아버지 마고자를 꾸미고 있으려니까 손아래 오라범이 얼굴이 시퍼래져서 건넌방 미닫이를 부서져라 하고 열어젖히더니 퉁명스럽게 내 앞에다가 무슨 전보 한 장을 내어던집디다. 까막눈이라 볼 줄을 아나요. 옆에 앉았던 그 오라범댁더러 좀 보아 달라고 하였지요. 한참 보더니 이상스러운 눈으로 나를 쳐다보면서 '아이구, 형님. 순영이 아버지는 돌아가셨는데 이게 누구입니까. 아버님 함자로 왔는데 오늘 온다 하고 서랑(壻郞: 사위) 장필섭이라고 하였습니다.' 하지요. 그런 원수가 어디 있으리까. 그러자 별안간에 문 밖에서 자동차 소리가 나더니 키는 멀쑥하니 삼팔 두루마기 자락이 너풀거리며 금테 안경을 번쩍거리고 서슴지 않고 중문을 들어서 중청(重聽: 귀머거리)같이 안마당으로 들어오더니 마루 끝에 걸터앉는구려. 우리 어머니는 그만 이불 쓰시고 아랫목에 드러누우시고요. 우리 오빠들은 동네 집으로 피신하고 나는 부엌에 선 채로 오도 가도 못하고 벌벌 떨고 섰으려니까 오라범댁이 '형님에게 온 손님이니 형님 나가셔서 대접하시오.' 하는 권에 못 이길 뿐 아니라, 누구나 들어오면 어떻게 해요. 그래서 억지로 나가서 들어가자고 하여 건넌방으로 데리고 들어갔지요. 아랫목에 하나, 윗목에 하나 섰을 뿐이지 무슨 말이 나오겠습니까. 갈수록 산이요, 물이라더니 죽을 수(數: 운수)니까 할 수 없습디다. 왜 하필 그때 우리 아버지는 사흘 전에 큰댁 제사에 가셨다가 돌아오십니까. 안방으로 들어가시더니 우리 어머니더러 왜 드러누웠냐고 하시겠지요. 어머니는 몸살이 났다고 하십디다. 다시 마루로 나오셔서 다니시다가 댓돌에 벗어 놓은 마른 발막신(앞부리가 넓적하게 생겼는데 거기에 가죽을 댄 마른신, 흔히 잘사는 집의 노인이 신었다)을 보시더니 오라범댁을 부르셔서 이게 웬 남자의 신이냐고 하시는구려. 오라범댁은 마지못하여 어물어물하면서 '평강형에게 손님이 왔어요.' 하지요. '홍집에게 남자 손님이 웬 손님이며 남자 손님이면 으레 사랑으로 들어가야 할 것이거늘 그 방에 들어앉는 손님이 대체 누구란 말이냐?' 하시더니, '홍집 나오라.'고 두어 번 큰소리로 부르시는구려. 나는 그만 겁결에 건넌방 뒷문 밖으로 뛰어나갔지요. 그래서 가만히 서 있으려니까 별안간에 누가 내 뒷덜미를 부러져라 하고 치며 머리채를 휘어잡는구려. 깜짝 놀라 돌아다보니 우리 아버지시지요. 두 말씀 안 하시고 사뭇 아래위로 치시는데 아픈지 만지 하옵디다. 아이구 어머니 살리라고 악을 쓰나 누가 내다보기나 하옵디까? 지금도 장 주사는 그때 나 매 맞은 것을 생각하면 불쌍하다고는 하지요. 이왕 그렇게 되었으니 나를 앞장을 세우고 나서야 옳지요. 자기는 훌쩍 나가서 자동차를 잡아타고 갔구먼요. 그러니 하인 등쌀에 남이 부끄러워 있을 수도 없거니와 우리 아버지께서는 어머니와 오라범댁들에게 왜 그놈을 부쳤느냐고 조련질(못되게 굴어 남을 괴롭힘)을 하시고 나를 내쫓으라고 하시지요. 할 수 없이 그날 저녁에 친정에서까지 쫓겨나서 아이를 업고 정처 없이 나섰지요. 우리 어머니는 20 리까지 쫓아 나오시며 우시는구려. 길거리에서 그렇게 모녀가 마지막 작별을 하였지요. 그러니 인제야 장가에게밖에 갈 곳이 있겠습니까. 그러나 서울이 어디 가 박혔는지, 서울은 어떻게 하여서 간다 하더라도 그자의 집이 어디인지는 알아야지요. 아무려나 빌어먹어도 자식들하고나 같이 빌어먹으려고 40 리나 되는 철원으로 가서 길에서 놀고 있는 우리 순영이를 훔쳐 가지고 다시 주막 있던 집으로 왔지요. 우리 집에서 나올 때에 아버지 몰래 어머니가 쌀 판 돈 3원을 집어 주셔서 그것으로 밥값을 치르고 있었으나 그까짓 것 쓰려니까 얼마 되나요. 열흘도 못 가서 다 없어졌지요. 할 수 있나요. 그때부터 그 집 바느질도 하고 아이를 거두어도 주고하며 세 식구 얻어먹고 지냈지요. 여보. 말씀 마시오. 제법 어디가 더운 밥 한술을 얻어먹어 보아요? 뭇상에서 남는 밥찌꺼기나 해가 한나절이나 되어서 겨우 좀 얻어먹어 보지요. 시골집이라니요. 여편네라도 허리를 못 펴고 다니지요. 단칸방에서 주인 식구 다섯하고 여덟이 자면 평생에 어디가 옷고름 한번을 풀어 보고 다리를 펴고자 보리까. 알뜰히도 고생도 하였지요. 그나마도 가라면 어쩝니까."

현숙

글 _ 나혜석

반 년 만에 두 사람은 만났다.

남자가 여자에게 초대를 받았으나 원래부터 이러한 기회 오기를 남자는 기다리고 있었다. 물론 동무들의 말, 여러 가지 이야기를 하였다.

지금 대면하고 보니 향기 있는 농후한 뺨, 진달래꽃 같은 입술, 마호가니 맛 같은 따뜻한 숨소리, 오랫동안 잊고 있던 그에게 더없는 흥분을 주었다.

확실히 반 년 전 여자는 아니었다. 어떠한 이성에게든지 기욕(嗜慾, 좋아하고 즐기려는 욕심)을 소화할 수 있는 여자의 자태는 한껏 뻗치는 식지(食指, 다섯 손가락 가운데 둘째손가락)가 거리낌 없이 신출(伸出)함을 기다리고 있는 양이었다.

"…어떻든지 그대의 태도는 재미가 없었어. A상회를 3일 만에 고만둔 것이라든지 카페에 여급이 된 것이라든지…"

"…하루라도 더 있을 수가 없으니까 그렇지, 내게 여급이 적당할 듯 하니까 그렇지. 그리고 나는 양화가 K선생 집 모델로 매일 통행하였어. K선생은 참 자모여. 선생의 일을 언제나 귀공에게 말하지. 선생은 늘 나를 불쾌 하게 하면서 내가 아니면 아니 될 일이 많아…"

"응, 그래, 자 마십시다." 그는 저기 갖다놓은 홍차를 여자에게 주의(注意)주었다.

"그리고 나는 요사이 금전등록기가 되었어. 간단하고 효과 있는 명쾌한 것, 반응 100%는 어딘지, 하하하하…"

좀 까부는 듯하여 2, 3차 뜨거운 차를 불면서,

'내게서 반 년 동안 떠난 사이에 퍽 적막했었지? 인제 고만 내게로 오지.'

하는 듯한 표정으로 말끔히 남자의 얼굴을 보았다.

이십삼의 색이 희고 목덜미가 드묵하고 몸에 맞는 의복, 여자와 대면해 있는 남자는 어느 신문사 기자. 아직 아침 아홉 시 조조(早朝) 때, 남대문 스테이션 부근 작은 끽다점이었다.

"나는 오늘 좋은 플랜을 가지고 왔어. 그렇지만 당신이 이전과 같이 무서운 질투를 가져서는 아니 되어요. 벌써 시크가 되지 아니 했소?"

"글쎄, 어떨는지! 이번에는 당신이 발을 들여놓지 않는다니 무어나 상관없잖은가."

그는 잠깐 웃었다.

여자의 플랜이라는 것은 끽다점(喫茶店, 예전 '찻집') 양점(讓店)이었다. 장소는 종로 1정목, 그것을 인계하여 경영하고 싶으나 4백 원이라는 돈이 있어야 한다. 그리하여 1구(一口) 10원, 유지(有志: 뜻있는 사람)는 10구 이상을 신청할 사, 그녀가 상의하려고 두 사람뿐이 적당한 밤을 기다린 것이다.

"지금까지 친했던 사람이 좋지 않소, 그래 몇 구나되었어?"

"25, 6구, 모두 불경기라는 말들만 하니까."

"그래 몇 사람이나 되어?"

남자는 큰 눈을 떴다.

"그러니 말이야, 그것이 신사 계약이에요. 누구나 다 자기 혼자만인 줄 알고 있는 것! 당신이야말로 이전부터 손 되는 일은 없으니까. 하하…"

여자는 깔깔 웃는다.

"그러나 당신은 아까 나더러 레지스터 같은 생활을 한다고 했지? 그러니까 예하면 10구의 남자에게 대하여는 10구정도, 20구의 남자에 대하여는…"

"머리가 좋지 못해, 그렇게 서비스가 싫으면 최대한도의 구수를 가질 것이지. 그러니 30구만 해. 돈은 2차도 좋아… 어때? 응?"

"당신의 말을 누가 하는데, 좋은 패트런(작가들이 창작 활동을 할 수 있도록 경제적으로 지원해 주는 사람. 중세 시대에는 영주나 귀족이 이 역할을 주로 담당했다)이 생겼다지? 패트런을 가지는 것은 얼마나 부러운 일인가."

"무어 그렇지도 않아. 부르주아적 옹(翁)이 때때로 정자옥(丁子屋) 식당에 가서 점심이나 사줄 뿐이지."

그는 역시 그 옹을 생각하였다. 그 옹에게 말하면 다소 뭉텅이 돈이 생길 듯하여. 여자는 이 플랜을 남자가 승인한 것을 알았다. 그리하여 가지고 있던 여러 장 편지를 테이블 위에 던졌다.

"거기 러브 레터도 있나?"

남자는 말했다.

"그래 러브 레터도 많지만 문제는 그것이 아니야. 당신더러 답장을 써 달라고 싶어 그래. 요새 나는 순정한 젊은 청년들의 편지에 대하여 일행반구(一行半句)도 답이 써지지 않아. 그래 문구를 생각해서 잘 쓰려고 해도 안 돼요. 네? 써주어요! 청해요!"

여자는 거짓말을 아니 했다. 과연 일행반구도 써지지 않아 금일까지 답장을 질질 끌어 왔다.

그럴 동안에 남자는 편지를 일독하였다. 그 여자와 동숙(同宿)해 있는 남자의 편지였다.

“당신에게 대한 사랑을 말합니다. 벌써 오랫동안 참아 왔으나 참을래야 참을 수 없소. 마음에 찬 편지도 금야(今夜) 정하지 않고 내일을 기다립니다…”

라는 의미이었다.

남자는 눈살을 찌푸렸다. 포켓에서 만년필을 뺐다. 동시에 여자는 속히 핸드백에서 레터 페이퍼를 내놓고 곧 쓰도록 현재 자기 여관 생활을 이야기하였다. 청년은 아랫방에 있고 여자는 그 옆방, 그리고 그 옆방에는 노시인이 있었다. 청년은 2, 3개월 전에 지방에서 상경하여 선전(鮮展: 조선미술전람회) 출품 준비를 하는 중이니 아무쪼록 입선되기를 바란다고 써 달라 하였 다.

기자는 레터 페이퍼의 꺾인 줄을 펴가며 써 간다. 과연 추찰(推察: 미루어 헤아리다)이 민첩하였다.

“당신과 같이 나도 당신을 사랑합니다마는 밝으나 어두우나 빵을 구하기 위하여 바쁩니다. 지금 이 편지를 쓰는 것도 넉넉한 시간이 없습니다.”

이렇게 세세하게 그는 여자다운 문자를 써서 편지를 썼다.

“이것을 청서(淸書, 초(草) 잡았던 글을 깨끗이 베껴 씀)하오.”

“그래 잘 되었어. 내 청서할게. 역시 당신은 거짓말쟁이구려.”

“그 거짓말쟁이를 이용하는 당신이 더 거짓말쟁이지.”

여자는 죽죽 답장을 읽었다. 최후에 ‘친구의 여관에서 당신을 사모하며’ 라고 했다. 그 다음에…이라고 쓰면 우습겠는데, 그렇게 일행(一行)을 썼다.

“이 애, 그런 것을 썼다가는 내가 죽는다.”

“그럴 거 아니야. 이걸로 잘 되었어. 그 사람은 이 답장을 호흡을 크게 하며 보겠지. 심장을 상할 터이지. 그때라고 썼으면 우습겠지. 딱 닥뜨리면 그곳에서 처음으로 호흡을 크게 쉬게 될 것이지."

"무얼, 반대로 이기면 심장이 더 동계(動悸: 심장의 고동이 심하여 가슴이 울렁거림)하는 것이야."

"그것은 당신의 육필이니까. 이것은 누구의 대필이라고 생각해서 신용하지 않을 것이오."

"그러면 답장을 하지 않는 것이 좋지 아니해? 그것이 된 대로 기분을 잘 표현시킨 것이니까."

여자는 청년의 뛰는 기분을 생각하면 할수록 결국 반대 방향을 향하고 싶었다. 그리하여 접은 레터 페이퍼를 서양 봉투에 넣었다.

이렇게도 변할 수 있을까 할 만치 된 남자의 눈은 그의 시계를 내어 보았다.

"금야, 7시경, 종로 네거리에서 만납시다." 하였다. 두 사람은 섰다.

안국정 하숙은 가을 ○○ 비 흐린 날 어두침침하였다. 노시인 방은 발 디딜 곳 없이 고신문, 고잡지가 산같이 쌓였다. 시인 자신은 한가운데 책상 대신 행리(行李: 짐 보따리)를 놓고 앉아 3인 동반의 학생에게 향하여 큰 말소리로 이야기하고 앉았다. 지방 고등보통학교 학생 제복을 입은 학생 3인은 빈궁 하고도 유명한 노시인에게 충심껏 경의를 표하는 어조로,

"반 년 전에 선 생님께서 지어주신 교가보(校歌譜)가 최근 겨우 되었습니다. S씨의 작곡입니다. 오늘은 저희들이 교우회 대표로 선생님에게 보고하러 왔습니다. 저희는 가서 곧 전교 학생에게 발표하려고 합니다. 선생님 저희들이 불러 보겠습니다."

3인은 경의를 다하여 작은 소리로 교가를 불렀다. 노시인은 취한 얼굴로 둘째손가락으로 박자를 맞추고 있었다.

그런데 정직하게 말하면 노시인은 타인의 노래를 듣는 것같이 자기가 지은 것을 전혀 잊고 있었다. 그러나 그들의 유창한 노래에 흥분되어 2, 3개소 기억되는 문구가 있었다.

"응! 그것! 그것! 확실히 그것이다!"

노시인은 대머리를 쓰다듬고 고개를 끄덕끄덕했다.

"참 좋은 곡조다. 나는 바이런을 숭배하고 있다. 이 교가에는 바이런의 시 냄새가 난다. 한 번 더 불러주오, 나도 같이 배워봅시다."

학생들은 노시인의 정열적인 말에 소리는 점점 크게 높게 되었다. 노시인은 우쭐우쭐 하여졌다. 그때까지 한편 구석에 전연 무시해 버렸던 엷고 때 묻은 샤쓰 1매의 청년 화가가 벌떡 일어서며,

"선생님 제가 한턱 하지요."

찢어진 창문을 열고 넣어 있던 5, 6병 비어를 노시인의 행 리 앞에 내놓는다.

"L군 수고했소. 마셔도 좋지."

노시인은 실눈을 하고 좋아하였다.

"L군, 나중에 군에게 많은 주정을 할 터이야."

노시인은 L군에게 모델이 되어 있었다. 3, 4일간 서로 시간이 맞지 아니하였고, 오늘은 학생을 만나 좋은 기분으로 모델료 비어를 미리 사서 두는 것이다. 물론 L군은 노시인을 기쁘게 하기 위하여 가지고 왔던 비어를 다 내 놓았다.

학생들은 노시인의 권고로 한잔씩 했다. 노시인은 더 놀다 가라고 그들을 붙잡았으나 그들은 간다고 하므로 노시인은 취보(醉步,

술에 취하여 비틀거리는 걸음걸이)로 3인을 따라 가도(街道)로 나섰다. L군은 혼자되었다. 어수선히 늘어놓은 고신문은 거칠었다. L은 마시면서,

"…희망에 충만한 청년들이…"

2, 3차 입속으로 되풀이하다가 다시 자기의 희망이 먼 현재의 불행을 느끼게 되었다.

현숙의 반신(返信)은… 왜 현숙의 마음을 좀 더 일찍이 알지 못하였던고?

그렇지 못해서 그녀의 마음을 물었던 것이다. 그리하여 현숙의 반신은 그같이 저를 번롱(翻弄), 이리저리 마음대로 놀림하여 보낸 것이 아닌가. 그렇게 생각해 볼 때 그는 결코 그녀에 대하여 노할 수 없었다.

'현숙은 현숙의 편지 쓴 대로 매우 바쁘단다. 그러나 현숙의 세평은 매우 나쁘다.'

그는 아픈 가슴으로 때때로 귀에 들어오는 현숙 세평에 대하여 안타까워하였다.

노시인과 현숙과 자기 3인이 이같이 한 여관에서 친신(親身)과 같이 생활 해 가는 현재가 우연이지만 불편한 적도 있었다. 노시인은 언제든지 술이 취하여 술값이 없으면 며칠이라도 굶었다.

"A가 내게 시를 주었다. 술에 기운을 다 뺏긴 것처럼 말하지만 이렇게 늙어도 피는 아직도 뜨겁다."

50이 넘도록 독신으로 있는 그는 쓸쓸한 표정을 하였다.

현숙은 노시인의 시집을 책점에서 사서 애독한 일이 있으므로 노시인의 신변을 주의하고 돈이 생기면 반드시 술을 사서 부어 권고하므로 적막한 노시인의 생활은 현숙의 호의로 명쾌하게 되었다.

그러므로 따라서 3인의 생활은 한 사람도 떼어 살 수가 없이 되었다. 금년이야말로 L이 선전에 입선되기를 기대하면서 노시인은 모델이 된 것이다.

"모델 노릇을 누가 하리마는 군에게는 특별히 되지. 그래 매일 술이나 줄 터인가? 내가 훅훅 마시는 것을 그리면 내 기분이 날 것이다."

그리하여 L은 배수의 진을 폈다. 만일 금년에 낙선하면 화필을 던지리라고 생각하였다. 다 읽은 서적과 의복 등을 전당하여 50호 캔버스와 화구와 또 비어 두 타스를 사가지고 온 것이다. 비어 계절도 아니지마는 비어를 보기 만 하여도 기분이 흥분되는 까닭이었다.

1일에 2시간, 비어 3병, 화제는 'Y노폐 시인(老廢詩人)', 그것은 노시인 자신이 선정한 것이다. 최초 4, 5일간은 규정대로 실행하여 호색이 났다.

노시인은 규정대로 3병을 마시고 나서, "아, 맛있어라" 하고 밖으로 나갔다. 동숙자 3인 중 언제든지 화풍(和風)이 부는 현숙은, "네? 선생님, 나는 바느질도 할 줄 알아요, 선생님 의복이 더러웠어요."

현숙은 말하면서 더러운 방을 들여다보다가 언덕에 부는 바람과 같이 L의 옆으로 뛰어들었다. L은 그 매력에 취하여 다시 둥글둥글 뒹굴었다.

"나는 조금 아까 당신 방을 열어 보았어. 무슨 일기 같은 것을 쓰고 있습디다 그려. 다들 그렇게 생각해 주지, 응? 그래 내가 한 반신이 퍽 재미있었지? 정말은 감정보다 회계(會計), 회계 그것 말이야… 응 무엇을 생각해… 연애의 입구는 회계로부터 시작되는 것이 좋아. 참 나는 지금까지 감정으로 들어가 모든 것을 실패해 왔어. 그러므로 당신과 같이 순정한 청년에게 대하는 것처럼 어렵고 무서운 것은 없어."

"나는 다만 현숙 씨와 동숙하고 있는 것으로 만족하고 있소."

"그러나 L씨. 나는 근일 내로 이 집을 떠나가려 해요."

"……."

"실망하는 표정이구려, 실망해서는 안 되오. 나는 많은 눈물을 지었었습니다마는, 실망은 아니 했어요. 인제 내가 선생님과 당신에게 좋은 통지를 해 주지. 나는 지금 퍽 재미있는 일을 계획하고 있어요. 나는 또 나가야 하겠어요. 조금 잊어버릴 일이 있어."

한 번 더 현숙은 목에 내린 머리를 거듭 손질하고 예쁜 눈을 실눈을 하며 거울 앞에서 몸을 꾸미고 있었다.

"오늘 저녁때 돌아올게."

혼잣말로 하고 대문을 나섰다.

익조, 노시인은 일찍 눈이 뜨여 담배를 빨고 있으려니 누구의 발소리가 났다. 여자인 듯하여, "현숙이요?" 하고 물었다. 그러나 현숙은 대답을 안 하고 자기 방으로 들어갔다.

"또 취했군."

선생은 "무슨 일이 또 있었군."

이렇게 말하며 너무 걱정이 되어 문틈으로 들여다보았다. 선생은 나와 현숙의 방으로 왔다. 현숙은 L이 펴놓아 준 자리에 드러누워 천정을 쳐다보며 말한다.

"선생님, 저도 술 마셔도 좋지요? 어찌 마시고 싶었었는지요… 네? 선생님 저는 어떻게 하여야 좋아요?"

다 말을 그치지 못하고 옆으로 드러누워 훌쩍훌쩍 운다. 현숙은 작야(昨夜, 어젯밤)부터 오늘 아침까지 생긴 불쾌한 일을 잊으려고 하였다. …화가 K선 생은 현숙과 새로 계약한 것을 파약(破約)하였다. 그것도 그녀의 플랜 배후에 4, 5인의 남자를 상상 않을 수 없었던 이유였다. 그것보다 돌아온 자기 방에 누가 자리를 펴놓아 준 것이다.

"고맙습니다! 고맙습니다. 선생님, 내 이 눈물을 기억하라고 말씀해 주십쇼."

취하여 괴로운지 외로워서 우는지 노시인은 도무지 알 수 없으나 어떻든 밖으로 나가 세숫대야에 물을 담아다가 현숙의 이마 위에 수건을 축여 얹었다. 현숙은 찬 물이 목에 흐른다고 중얼대며 물을 뿌렸다.

"참, 할 줄 몰라서"

노시인은 무참스러워했다.

그럴 때 L이 들어왔다. 이 기이한 현숙의 취태를 한참 서서 보다가 노시 에게 속살거렸다.

"대가(大家) K선생이 어디서 무슨 일이 생겼대요."

"어쩐지 이상해, K가 그럴는지 몰라, 확실한 것을 알아야 하겠군. 여하튼 타락만은 하지 않도록 해야지."

노시인은 엄숙한 표정으로 현숙을 노려보았다.

그 이튿날 오후 노시인은 L과도 상의치 아니하고 사직동에 있는 K대가 집 으로 달려갔다. 노시인은 서서히 말을 꺼내어 현숙의 말을 하였다.

"요즈음 현숙은 매우 변했소. 당신은 여러 가지로 보아 현숙에게 대하여 책임감을 가지지 아니하면 안 되오. 어젯밤은 늦도록 여기서 술을 마시지 아니했소?"

"아니 당신은 무슨 오해를 하신 양 같소."

뚱뚱하고 점잖은 K는 가른 대머리를 불쾌하게 만지면서,

"그 책임이라고 하는 당신의 의미는 대체 무엇이요?"

"그런 것을 내게 물을 것이오?"

"아무래도 당신은 오해한 것 같소. 그 현숙은 여러 화가와 알아서 모델 값 3원, 5원, 10원씩 받는다고요. 나는 전연 모른다고는 할 수 없으나 현숙은 결코 내게만 책임을 지울 것이 아니요. 아니 그렇게 말할 수 없을 것이오."

"그런 변명을 할 것이 아니요. 현숙은 얌전한 여성이오. 그래도 남자이거 든 그 여자를 사람다운 길로 인도해 주는 것이 어떻소. 오늘 아침에 돌아오는 현숙을 보니 그리로 하여 타락해진 것이라고 생각이 들던 것이오."

"참 이상한 일이오. 내게는 그런 책임이 없어요. 현숙의 배후에는 여러 남자가 있었는데, 곤란 받을 리도 없어요. 당신은 나만 책하지만 대체 당신에게 그런 권리가 있소?"

"무엇?"

노시인은 두 뺨이 붉어지며 교의에서 벌떡 일어섰다.

"어떻든 가시오. 돈이면…"

K는 약간 때 묻은 조끼에서 구겨진 지폐를 꺼냈다. 10원짜리였다.

"요새 당신의 시도 뒤진 것이 되어 잘 팔리지 아니하니까 무엇이 걸려들 까 하는 중이구려 흥흥."

이 말을 들은 노시인은 불과 같이 발분하였다. K가 주는 지폐를 찢어서 책상 위에 던지는 동시에 의자 등을 엎어 놓고 문 밖으로 나왔다. 노시인의 가슴은 뛰었다.

"현숙이뿐 아니라 나까지 모욕한다. 어디 보자, 대가인 체하는 꼴 되지 않게… 남의 처녀를 농락하는 것만이라도 가만있을 수가 없어…"

하며 노기등등하여 가까운 술집에 들어가서 4, 5시간 동안 마시었다. 나중에 가도로 나온 노시인은 건드렁 건드렁 취하였다. 자기 숙소로 돌아올 때는 벌써 밤 12시가 되어 현숙과 L은 다 각각 잠이 들지 못하여 애를 쓰고 있는 때이었다. 노시인은 다른 사람의 부축을 받아서 숙소 문턱까지 왔으나 그의 얼굴과 머리는 붕대를 하였고 두루마기와 버선은 흙투성이였다. 어느 구렁텅이에 빠진 것을 다행히 건져냈다는 근처 사람의 말이었다. 현숙은 드러누웠던 자리에서 일어나 노시인의 수족을 훔쳐 주고 자리에 끌어다 뉘었다. 그럴 동안 노시인은 반 어물거리는 소리로,

"그놈, 그놈도 별놈 아니었었구나… 그놈 예술가의 탈을 벗거든 내가 껍질을 홀랑 벗길 것이다."

그렇게 되풀이하며 저주하는 것을 보고 현숙은 직각적으로 알았다.

'선생은 틀림없이 K선생 집에를 가셨던 거구나' 하고 현숙은 불의에 눈물이 돌아 금할 수 없게 되었다. 현숙은 노시인에게 자리옷을 갈아입히면서 눈물을 씻었다. 웬일인지 흙이 눈에 들어갔다. 그것은 노시인의 두루마기 자락에 묻었던 것이다. 현숙은 웃었다.

"무엇이 우스워."

노시인은 무거운 취한 눈을 딱 부릅떴다.

"이것 보셔요. 어느 틈에 선생님의 두루마기 자락으로 눈물을 씻었어요.

이것 좀 보셔요. 이렇게 흙이 묻지 않았어요?"

현숙은 대굴대굴 구르며 웃는다. L도 옆에서 조력(助力)하며 싱글싱글 웃었다.

익조에 현숙은 창백한 얼굴로 얼빠진 것같이 창밖을 내다보고 섰었다. 그럴 때 마침 노시인은 자리옷 입은 채로 들어와서 아버지 같은 어조로, 가난이란 참 고생스럽지.

"개 같은 놈들에게 머리를 숙여야 하고 싫은 것 도 하지 않으면 안 되지. 그래 일을 생각하여 일찍이 잠이 깨었어. 현숙이도 지금부터는 쓸데없는 남자와 오고가고 해서는 안 되어."

힘을 들여 말한다.

"네? 선생님 저는 고로(苦勞, 괴로움과 수고로움)하지 않아요. 엄벙하고 지내요. 그렇지 않으면 살길이 없지 않아요?"

"응 그렇지."

"그러므로 저는 선생님이 생각하고 계시는 것보다 태연해요… 나라는 여자는 고마운 일이 아니면 울고 싶지 아니해요. 남이 야속하게 한다고 울지 않아요!"

"응, 우리는 가난뱅이들이니까 울고 싶어야 울지. 울게 되면 얼마라도 가슴이 비워지니까!"

그리하여 노시인은 젊은 여성의 마음을 알아주는 것처럼 미소하였다. 한 번 더 아침잠을 자려고 자기 방으로 돌아갔다. 현숙은 많이 잔 끝이라 그대 로 화장을 하러 일어나며, '얼마나 훌륭한 선생인가.' 혼자말로 아니할 수 없었다.

'아무 말도 아니해서 선생들 하는 일이니 우스우나 만일 지금 내 생활을 선생이 알 것 같으면… 나는 쓸데없이 번민하나 선생은 내게 대하여 절망 할는지 몰라…' 그것은 수일 후 오후이었다.

"선생님!" 현숙은 짐짝을 정리하면서, "저는 끊임없이 희망을 향하여 열심히 걸어가고 있어요. 그러니까 여기서 나가 버리더라도 걱정 마셔요. 꼭 수일 내로 축하받을 일이 있으리라고 생각해요."

현숙은 이후에 주소를 알려주마. 하고 슬쩍 이사를 해버렸다.

예상한 일이지마는 L은 정말 실망하였다. 노시인은 술만 먹고 들락날락하여 필경 L의 모델로서는 실패하였다.

매일 현숙의 편지를 기다리고 있는 L에게 주소 성명을 쓰지 아니한 두둑한 편지 한 장이 왔다. 뜯어본즉 두 개 봉투가 있다. 한 장은 L의 성명이 쓰여 있고 한 장은 아무 것도 쓰여 있지 않고 지참인 L군이라고 쓰여 있다.

L은 우선 자기에게 온 것을 뜯어본즉,

"현숙에 대한 일로 꼭 한번 대형(大兄)과 만나고 싶소. 현숙은 형이라면 열정적이오. 명일 오후 3시에 표기처(表記處)로 동봉 편지를 가지고…" 라고 썼다.

L은 웬 셈인지 몰랐다. 그러나 물론 이 편지 중에는 현숙의 최근 사정이 숨어있는 것을 짐작하는 동시에 어쩔 줄을 몰라 익일 오후 3시 전에 지정소로 갔다.

그곳에 가 보니 과연 지정한 곳이 있어 문을 두드렸다. 귀를 대고 들으니 인기척이 나면서 미구에 문이 열렸다. 모르는 남자라고 생각하고 있을 때 앞에 딱 서는 자는 현숙이었다. 아! 깜짝 놀라 양인은 서로 쳐다보고 섰다.

"아? 당신이었소? 누가 여기를 가르쳐 줍디까? 내가 알리지도 아니하였는데, 당신이 여기 오니 웬일이오?"

현숙은 불쾌한 기분으로 말하였다. L은 주소 성명없는 편지로 인하여 왔다고 변명하려고 한 걸음 나설 때에 현숙은 불현듯 문을 닫아버렸다. 그리하여 L은 급하게 그 이상스러운 편지를 현숙의 앞에 던졌다.

문은 닫혔다. 3, 4분간 문 앞에 멀거니 섰다. 불의에 현숙을 이곳에서 만난 것, 현숙이 대단히 노한 것, 웬 셈인지 몰랐다… 대체 이게 웬일일까… 현숙은 무슨 오해를 하는 모양, 그렇지 않으면 너무 우정을 무시한는 걸… 한 번 더 문을 두드려 보고 비난을 해 보려고 하였으나 그는 힘없이 돌아가려고 들떠 섰다.

그럴 때 뒤에서,

"기다리셔요! L씨." 부른다.

L은 뒤를 돌아보지 않았다. 쫓아온 현숙은 L의 손을 붙잡고 방으로 들어갔다.

"여보셔요. L씨, 나는 꼭 세시에 만나자는 사람이 있어서 당신과 이야기 할 시간이 없었어요. 그랬더니 알고 보니 그 사람이 당신을 대신 보낸 것이에요. 자, 어서 들어오십쇼. 내가 이야기할 것이 많아요."

그리하여 L은 현숙에게 재촉을 받으며 들어섰다. 단칸방에 세간이 놓여 있는 까닭인지 매우 좁아 보였다. 남창에 비치는 여름 기분이 찼다. 현숙은 붉은 저고리에 깜장 치마를 입고 앉아 L을 옆으로 오라고 하였다. 그 옆에는 등(藤)의자가 놓여 있었다.

"여기는 내 침실 겸 서재이에요, 어때요. 조용하고 좋지요? … 아무라도 이 방에 부르는 것은 아니에요."

L은 전등을 켜면서 한 번 실내를 휘 둘러보았다. 노시인의 옆방과 달라 여 기는 밝고 정하였다. 보기 좋은 경대가 하나 놓여 있어 거울이 가재(家財)처 럼 비치고 있고 대소의 화장병이 정돈하여 있다. L은 어쩐지 이것을 볼 때 기분이 좋지 못하였다.

"여보셔요. 내가 이 편지를 보고 알았어요. 나는 당신이 간 줄 알고 뛰어 나갔어요. 참 잘되었어, 당신이 대신 와서. 이 편지가 당신에게 갔었다지?

이 사람은 벌써 나하고 절교한 사람이에요. 이 편지를 좀 읽어 보아요 네?"

현숙은 L이 던져준 편지를 그에게 억지로 보였다. 3, 4매의 편지는 꾸겨졌다. 현숙이 불끈 쥐어 꾸긴 것 같았다.

나의 현숙 씨!

나는 별안간 영남 지방을 가지 않으면 아니 되게 됐어요. 때때로 상경하지요. 그러나 지금까지 두 사람 사이에 지내던 재미스러운 것은 못하게 되었소. 더구나 명일 오후 3시에도 가지 못하게 되어 섭섭해요.

그러나 나는 생각하였어요. 현숙 씨의 좋아하는 청년, 사랑하는 청년 L을 생각했습니다. 당신은 L을 사랑하면서 당신은 당신의 현재 생활에서 그와 접근하는 것을 피하고 있소. 그리하여 나는 현숙 씨와 L군 사이를 가까이 해 놓으려고 생각했어요.

현숙 씨!

이만한 권리는 당연히L에게 있지 않소. L은 당신을 일로부터 영원히 소유 할 수 있는 이것이 L의 기득권이에요. 이 기득권을 실행하려는 것이에요.

분명히 현숙 씨는 손뼉을 치며 L의 권리를 기뻐해 줄 것이오. 당신도 사람 일 것 같으면 이것이 마음에 맞으리라고 상상하고 마음으로부터 미소를 띠게 되었소.

현숙 씨! 이 편지는 그 의미로 내가 가지고 온 것이오. 나는 지금 두 사람을 위하여 만강(滿腔)의 축복을 다하오. 브라보! 브라보!

현숙은 창 앞에서 편지를 읽는 L의 옆에 섰었다. 그 점화(點火)

한 강한 눈은 문자를 통하여 있는 L의 눈을 멀거니 기대하고 있다. L의 검고 신선한 눈이 일기(一氣) 경사면(傾斜面)을 쏘이는 쾌적한 순간을 생각나 현숙에게 쇄도하였다.

두 사람은 포옹하였다. 벌써 전부터 계기가 예약한 것 같이.

“네? 언제 내가 말한 회계의 입구가 이렇게 속히 우리 두 사람을 행복하게 해 줄 줄은 상상도 못했어요. 우리 둘의 감정은 벌써 충분히 준비되었던 것인데! 그러니까 우리는 지금이야말로 어떻게 감정 과다라도 관계치 않아요. L씨, 나는 인제 L씨라고 부르지 않겠어요. 그 대신 ‘브라보’를 불러드리지요.

"브라보! 브라보!”

그런데 L의 인후(咽喉)에는 무슨 큰 뭉텅이가 걸려 있었다. 지금까지 알 수 없는 환희였다. 그는 지금 그것을 삼켜버릴 수밖에 없다.

“그리고 당신은 오후 3시에 여기 와주셔요! 언제든지 열쇠는 주인집에 맡 겨둘 터이니. 우리 둘이 여기서 살 수는 없어요. 당신은 잘 노선생을 위로 해 드리세요. 네? 우리가 이렇게 된 것을 당분간 선생에게는 이야기 아니 하는 것이 좋아요. 우리 둘은 반년 간 비밀 관계를 가져요. 반년 후 신계약에 대해서는 다시 생각할 필요가 있어요. 그것은 우선 우리가 미리 준비할 필요가 있어요.”

“그렇게 말하면 우습지.”

L은 쓸쓸한 환희에 떨며 미소하였다.

“그런 일은 물론 미리 준비할 필요가 없어요.”

현숙은 두 팔을 벌려 뜨거운 손을 L에게 향하여 용감히 내밀었다.

김명순

김명순 작가는 일제강점기 시대를 살며 한국 최초의 여성 근대 소설가로 기록된 중요한 인물입니다. 그녀는 다양한 분야에서 활동하며 한국 문학사에 큰 족적을 남겼습니다.

〈김명순 작가의 삶과 활동〉

* 다재다능한 여성: 소설가 외에도 시인, 번역가, 극작가, 기자 등 다양한 분야에서 활동하며 재능을 발휘했습니다. 5개 국어를 구사하는 등 학문적 성취도 뛰어났습니다.

* 문단 데뷔와 활발한 활동: 1917년 잡지 《청춘》에 단편소설 '의심의 소녀'가 당선되며 문단에 데뷔했습니다. 이후 다수의 소설과 시를 발표하며 활발한 작품 활동을 이어갔습니다.

* 신여성의 삶과 고뇌: 자신의 경험을 바탕으로 신여성의 삶과 고뇌를 솔직하게 표현했습니다. 당시 사회의 여성관에 대한 비판과 여성의 자유로운 삶에 대한 열망을 작품에 담았습니다.

〈김명순 작품의 특징〉

* 신여성 소설: 당시 사회에서 새로운 여성상을 제시하며 여성의 자각과 성장을 다룬 작품들을 발표했습니다.

* 사실주의적 표현: 자신의 경험을 바탕으로 현실적인 묘사와 심리 묘사를 통해 작품의 사실성을 높였습니다.

* 다양한 주제: 사랑, 결혼, 사회 비판 등 다양한 주제를 다루며 폭넓은 독자층을 확보했습니다.

〈대표 작품〉

* 의심의 소녀: 문단 데뷔작으로, 신여성의 내면 갈등을 섬세하게 그려낸 작품입니다.

* 생명의 과실: 여성의 성장과 자아 찾기를 다룬 소설입니다.

* 애인의 선물: 사랑과 이별을 통해 여성의 심리를 탐구한 작품입니다.

김명순은 일제강점기라는 어려운 시대 속에서도 자신의 재능을 발휘하고 여성의 목소리를 대변한 중요한 인물입니다. 그녀의 작품은 오늘날에도 여전히 많은 사람들에게 감동과 교훈을 주고 있으며, 한국 여성 문학사에 큰 획을 그은 작가로 기억되고 있습니다.

의심의 소녀

글 _ 김명순

1

평양 대동강 동쪽 해안을 2리쯤 들어가면 새마을이라는 동리가 있다. 그 동리는 그리 작지는 않다. 그리고 동리의 인물이든지 가옥이 결코 비루하지도 않으며 업은 대개 농사다. 이 동리에는 '범네'라 하는 꽃인가 의심할 만하게 몹시 어여쁘고 범이라는 그 이름과는 정반대로 지극히 온순한 팔구 세의 소녀가 있다. 그 소녀가 이 동리로 온 것은 두어 해 전이니 황진사라는 육십여 세 되는 젊지 않은 백발옹과 어디로 선지 표연히 이사하여 거한다. 그 후 몇 달을 지나서 범네의 집에는 삼십 세 가량 된 여인이 왔으나 역시 타향인 이었다. 하는 일은 없으나 생활은 흡족한 듯이 보이며 내객이라고는 일 년에 한 번도 없고 동리 사람들과 사귀지도 않는다. 그런 고로 이 동리에는 이 범네의 집안 일이 한 의심거리가 되어 하절 장마 때와 동절기 밤에 담뱃대들 사이의 이야기 거리가 되었다.

범네라는 미소녀는 그 이웃 소녀들과 사귀기를 간절히 바라는 것 같다. 혹 때를 타서 나물하는 소녀들을 바라보고 섰으면 그 이웃 소녀들은 범네의 어여쁜 용자(容姿)에 눈이 황홀하여져 서로 물끄러미 바라보고 있을 때에 백발옹은 반드시 언제든지 "야… 범네야… 야… 범네야"하고 부른다.

범네는 가엾은 모양으로 뒤를 돌아보며 도로 들어간다. 또한 의심을 일으키게 하는 것은 삼인이 각각 타향 언어를 쓰는 것이라.

옹(翁)은 순연한 평양 사투리요 범네는 사투리 없는 경언(京言)이며 여인은 영남 말씨라. 또 범네는 옹더러는 '할아버지', 여인더러는 '어멈'이라고 칭호 한다. 무식한 촌 소년들은 그 여인이 범네의 모친인가 하였다. 촌사람들도 이렇게 외에는 범네의 집 내용을 구태여 알려고도 아니하였다.

2

그들이 이사하여온 지 만 2년이나 지난 하절이라.

어떤 장날 마침 옹은 오후 이 시경에 외출하여 어슬어슬한 저녁때까지 귀가치 않았더라. 범네는 심심함을 못 이김이던지 싸리문 안에서 문을 방긋이 열고 내다보고 섰다. 그때 동리 이장의 딸 특실이가 그 어머니를 찾아 방황하는 모양을 보고 살며시 문 밖으로 흰 얼굴만 나타내어 자기를 쳐다보는 특실이를 향하여 미소하여 은근하게

"네가 특실이냐?"

특실이는 반갑게 그 지방말로

"응 너희 할아버지 어디 가셨니?"

범네는 어여쁜 얼굴에 웃음을 띠며

"벌써부터 성내에 가셨는데…."

말 마치기 전에 은행 껍질 같은 눈꺼풀이 발그레하다. 두 소녀는 잠깐 잠잠하다.

"너는 아버지는 안 계시니?"

"아버지는 서모하고 큰 언니하고 서울 계시구…"

또다시 눈꺼풀이 붉어진다.

"지금 같이 있는 이는 너의 누군가?"

"외할아버지 하고 밥 짓는 어멈이다…"

두 소녀의 담화가 점점 정다워 갈 시에 멀리서 옹의 점잖고 화평한 모양이 보였다. 범네는 특실이를 향하여 온정하게 "내일 또 놀러오너라"하고 걸음을 빨리 하여 옹의 옷소매를 붙들며 옹의 귀가를 무한히 기뻐한다. 옹은 범네의 손목을 끌어 싸리문으로 들어가며 "심심하든?"한다.

범네가 이같이 특실이와 이야기 한 것도 이 년이나 한 동리 앞뒤 집에 살았지만 처음이더라.

3

혹독한 서중(暑中, 여름의 더운 때)에 기다리던 추절이 기별 없이 와서 맑고 시원한 바람에 오동잎이 힘없이 떨어지매 연년이 변치 않고 돌아오는 추석명절이 금년에도 돌아왔다. 도(都)에나 비(鄙)에나 성묘 가는 사람이 조조부터 끊일 새 없이 각기 조선(祖先) 부모 부처 자녀의 고혼(故魂)을 위로키 위하여 술이며 음식을 준비하여 남녀노소를 물론하고 북촌 길로 향한다. 새마을 동리의 범네와 옹도 누구의 묘에 가는지 기중에 끼었더라. 어느덧 해는 모란봉 서편에 기울어지고 능라도 변에 연연(涓涓)한 세파(細波)는 금색을 대(帶)하였다.

이슬아침과 주간에 그리 분요(紛擾, 어수선하고 소란(騷亂)스러움)하던 성묘인들도 지금은 끊어져 벌써 청류벽(평안남도 평양시 모란대(牡丹臺) 밑 청류벽(淸流壁) 위에 있는 누각) 아래 신작로에는 얼근히 취하여 혼자 중얼거리며 돌아오는 사람이 사 이사이 보이기 시작하였다.

대동강 건너 새마을 동리를 향하고 바삭바삭 모래를 울리는 노유(老幼, 늙은이와 어린아이) 두 사람의 그림자가 보인다. 심히 피로하여 귀촌하는 옹과 범네라. 범네의 발뒤꿈치에 내려드리운 검은 머리가 제 윤에 번지르르하다. 대리석으로 조각한 듯이 흰 양협에 앞이마 털이 한두 올 늘어져 시시로 불어오는 청풍에 빛 날리어 그의 아름다움을 더하였다. 풋 남순인 치마에 담황색 겹저고리 입고 분홍 신을 신었다. 실로 새마을 동리 소녀들과는 '군계 중의 학'이라. 옹도 무 언, 소녀도 무언. 소녀의 어여쁜 얼굴에는 어린아이에게는 없을 비애에 지친 빛이 보인다. 강안에는 석양을 준비하는 촌부들이 있다. 처음 보는 바가 아니로되 이날은 더욱이 호기심을 일으켜가며 주목한다.

기중 한 아이

"어디 살던 아이인지 곱기도 하다."

또 한 아이

"늘 보아도 늘 곱다. 한 번 실컷 보았으면 좋겠다."

또 하나는 하하 웃으며

"범네야 어디 갔다 오니?"하고 묻는다.

범네는 촌부들을 향하여 눈만 웃으며 입 다문 채 옹의 뒤를 따른다. 이때에 대동강 우뚝 솟은 난벽(卵壁)의 2층 양옥에서도 이편을 향하여 망원경을 눈에 대이고 바라보는 외국인인지 조선인인지 분별키 어려운 신사가 있다. 신사는 급히 상노를 부른다. 상노는 주인의 명을 받아 문전 녹색 소주(小舟)에 제등을 달고 속히 저어 강안을 향하여 배 대었을 때는 옹과 범네가 새마을에 들어갔을 때이라.

신사는 새마을 가는 길을 두고 다른 동리의 길로 향하였다. 그 신사가 낙심한 안색으로 강안에 돌아왔을 때에는 동천에 둥근 달이 맑은 광선을 늘이어 암흑한 곳 몇 만민에게 은혜 베푼 때이니 평양 대동강문 외에는 전등 빛이 반짝반짝 불야성이오. 강 위에는 오늘이 좋은 날이라고 선유하는 소선(小船)이 루비 홍옥 같은 등불을 밝히고 남녀 성을 합하여 수심가를 부르며 오르락내리락한다. 신사는 실심한 듯이 강가에서 바라보고 섰다. 한참 만에 힘없이 배에 올라 도로 저어 저편에서 내리어 조국장의 별장으로 들어갔다.

신사는 그 별장 주인인 듯싶다.

4

강안에서 신사의 모양을 본 촌부인 중에 '언년어멈'이라는 남의 일 참견 잘하는 사람이 있다. 보고 싶은 범네도 볼 겸 범네의 집을 찾아가 신사의 일을 고하였더라. 옹은 별로 놀라지도 않으며 천연스럽게 언년 모에게 감사 하였다. 언년 모가 돌아간 후 두시 가량이나 지나 옹과 범네는 동리 이웃에게 고별하려고 이장의 집을 심방하였다. 옹이 이장의 집을 심방함도 이사 왔을 시와 이번뿐이라.

동리 머슴들이 행담(行擔, 길 가는 데 가지고 다니는 작은 상자(箱子). 흔히 싸리나 버들로 결어 만듦) 칠팔 개와 기타 기구를 강안으로 나르고 옹과 범네의 뒤에는 그 집 여인과 인심 후한 이웃 사람들이 별로 깊이 사귀었던 정도 아니건만 전별차(餞別次)로 따라 나온다. 강가에는 마침 물아래로 가는 배가 있다.

잔잔한 파도는 명랑한 월야의 색채를 비치었다.

선인(船人)이 준비 다 됨을 고한대 옹은 서서히 전별 나온 이웃 사람들에게 고별하였다. 동리 사람들은 소리를 합하여 여중(旅中, 손님 가운데)의 안녕을 축하였다. 그 소리에 산천까지 소리를 합하였다. 범네의 흰 얼굴은 월광을 받아 처참히 보인다. 백설 같은 담요를 두르고 오슬오슬 떠는 모양 감기에 걸린 것 같다. 범네도 떠는 목소리도 인사를 마치고 옹의 손을 잡고 차박차박 걸어 뱃머리에 오르다가 고개를 돌리며 둥글고 광채 있는 눈으로 동리 사람들을 한 번 더 본다…

밤은 깊어 사방이 적막한데 옛적부터 기억만 년의 비밀을 담은 대동강 물이 고금을 말하려는 듯이 가는 물결 소리를 낸다. 배 젓는 노 소리는 지긋 지긋 철썩철썩 심야의 적막을 파한다. 배가 물 아래를 향하여 삼단쯤이나 갔을 때에 특실이가 "범네야 잘 가거라 …"하매 저편에서도 범네가 "특실아 잘 있거라 …"한다.

그 소리가 양금 소리같이 떨리어 들린다. 촌인들은 배가 멀리서 희미하게 보이고 노 젓는 소리가 안 들릴 때까지 그곳에서 의논이 분분하여 물이 밀어 그들의 발을 적시는 것도 몰랐더라. 이장은 저녁 때 일을 언년 모에게 듣고 머리를 기울여가며 생각하더니 한참 만에 언년어멈을 향하여

"그래 그 신사는 어디서 옵디까?"물었다. 언년어멈은 원시(遠視, 멀리 바라봄)를 잘 하는 양이라

"저기 보이는 우뚝 솟은 이층집에서 시커먼 것을 눈에 대고 보더니 …"

이장은 또 한 번 머리를 기울였다. …한참 만에 이제야 비로소 수년래의 의심을 푼 듯이

"알았소. 범네는 그렇게 봄에 자살한 조국장 부인의 기출인 가희 아기구려."

일동은 무슨 무서운 말을 들은 듯이 눈이 휘둥그레진다. 이장은 한숨을 지으며

"불쌍한 아이?"하고 부르짖는 듯이 말하였다.

5

이는 연전(年前, 몇 해 전) 가정의 파란으로 인하여 자살해버린 조국장 부인의 기념으로 끼친 일녀 가희니 외양과 심지가 과히 아름다움으로 그 반대로 그 외조부가 개명하여 범네라 한다.

가희의 모씨는 평양성 내에 그 당시 유명한 미인이기 때문에 피서차로 왔던 조국장의 간절한 소망에 이끌리어 그 부인이 되었었다. 부인은 재산가 황진사의 무남독녀이니 십사 세에 그 모친이 별세하매 그 부친 황진사가 재취도 아니 하고 금지옥엽 같이 기른 바이라. 누가 뜻하였으리요. 그 옥여(玉輿, 귀인이 타는 화려한 가마)가 형극으로 얽은 것인 줄이야. 조국장은 세세로 양반이라. 농화(弄花, 아름답게 만발한 꽃을 보고 즐김)에 교(巧, 물건을 만드는 솜씨가 교묘하다)하고 사적(射的, 활이나 총을 쏘는 과녁)에 묘(妙, 모양이나 동작이 색다르다)하다. 저는 세 번 처를 바꾸고 첩을 갈기도 십여 인이라. 화류에 놀고 촌백성의 계집까지 희롱하였고 그의 별업(別業, 살림을 하는 집 외에 경치 좋은 곳에 따로 지어 놓고 때때로 묵으면서 쉬는 집)에서는 주야를 전도하고 놀았다. 부인이 그에게 가(嫁, 시집가다)하여 그 딸 가희를 낳았다. 육(肉)의 미(美)는 싫어지지 않기가 어려운 것이매 남편의 난 행은 부인의 불행과 같이 자랐다. 새로 들어온 첩은 남편의 사랑을 빼앗았다.

남편은 친척 간에도 끊었다. 전처의 딸은 매사에 틈을 타서 부인을 무함(誣陷, 없는 사실을 그럴듯하게 꾸며서 남을 어려운 지경에 빠지게 함)한다. 사랑을 원하여도 얻지 못하고 자유를 원하여도 얻지 못하고 이별을 청하여도 안 들어 의심 받고 학대 받고 갇혀 비관하던 나머지에 병든 몸을 일으켜 평양의 별장에서 자살하였다. 길바닥에 인마의 발에 밟힌 이름 없는 작은 풀까지 꽃피는 사월 모일에 인세(人世)의 꽃일 이십사 세의 젊은 부인은 단도로써 자처(自處)하였다. 가련한 부인의 서러운 죽음이 기시에는 원근에 전파되어 모든 사람이 느끼었더라. 고어에 '사람은 없어진 후 더 그립다'는 것 같이 기후 조국장은 얼만큼 정신을 차려 얼마큼 서러워도 하였다. 그러나 늦었더라. 기후 조국장은 부인 생시보다도 가희를 사랑하였다. 그러나 그 외조부 황진사는 조국장의 첩이 그 총애를 일신에 감으려고 하는 간책이 두려워 가희와 함께 가엾은 표랑의 객이 되었다. 하시에나 표랑객인 가련한 가희에게는 춘양려일(春陽麗日, 화창한 봄날. 또는 맑게 개어 날씨가 좋은 날)이 돌아올는지… 절기는 하추동(夏秋冬, 여름, 가을, 겨울) 삼계(三季)가 지나면 다시 양춘(陽春)이 오건만… 불쌍한 어머니의 불쌍한 아이?

백신애

백신애는 일제강점기 시대를 살았던 열정적인 여성 작가입니다. 그녀는 강렬한 개성과 뜨거운 사회의식을 바탕으로 한국 문학사에 깊은 흔적을 남겼습니다.

〈백신애 작가의 삶과 활동〉

* 열정적인 삶: 짧은 삶 동안 끊임없이 글을 쓰고 사회 활동에 참여하며 파란만장한 삶을 살았습니다. 그녀는 격정적인 성격으로 인해 여러 번의 결혼과 이혼을 겪기도 했습니다.

* 문단 데뷔와 활발한 활동: 1928년 조선일보 신춘문예에 단편소설 '나의 어머니'가 당선되며 문단에 데뷔했습니다. 이후 '꺼래이', '적빈' 등의 작품을 발표하며 문단의 주목을 받았습니다.

사회 의식이 투영된 작품: 사회에 대한 날카로운 비판과 하층민에 대한 연민이 담겨 있습니다. 특히 여성의 삶과 고통을 사실적으로 묘사하여 많은 공감을 얻었습니다.

〈백신애 작품의 특징〉

* 사실주의적 표현: 자신의 경험과 주변 사람들의 삶을 바탕으로 현실을 생생하게 그려냈습니다.

* 강렬한 여성의 목소리: 당시 사회의 여성관에 저항하며 여성의 자유와 독립을 외쳤습니다.

*사회 비판: 일제 강점기의 사회 모순과 불평등을 신랄하게 비판했습니다.

〈백신애의 대표 작품〉

* 나의 어머니: 데뷔작으로, 어머니의 삶을 통해 여성의 고통을 드러낸 작품입니다.

* 꺼래이: 하층민 여성의 삶을 사실적으로 묘사한 작품으로, 백신애의 대표작 중 하나입니다.

* 적빈: 도시 빈민들의 삶을 다룬 소설로, 사회의 어두운 단면을 보여줍니다.

백신애는 단순한 문학가를 넘어, 시대를 앞서나간 진보적인 여성이었습니다. 그녀는 자신의 삶을 통해 여성의 자유와 평등을 실현하고자 했으며, 작품을 통해 사회 변혁을 꿈꿨습니다. 비록 짧은 생을 마감했지만, 열정과 문학적 재능은 오늘날까지 많은 사람들에게 영감을 주고 있습니다.

꺼래이

글 _ 백신애

끌려갔습니다. 순이(順伊)들은 끌려갔습니다. 마치 병든 버러지 떼와도 같이…. 굵은 주먹만큼 한 돌멩이를 꼭꼭 짜박은 울퉁불퉁하고도 딱딱한 돌길 위로… 오랜 감금(監禁)의 생활에 울고 있느라고 세월이 얼마나 갔는지는 몰랐으나 여러 가지를 미루어 생각하건대 아마도 동짓달 그믐께나 되는가 합니다.

고국을 떠날 때는 첫가을이여서 두세 겹 저고리에 엷은 속옷을 입고 왔었음으로 아직까지 그때 그 모양대로이니 나날이 깊어가는 시베리아의 냉혹한 바람에 몸뚱이는 얼어터진지가 오래였습니다.

순이의 늙으신 할아버지, 순이의 어머니, 그리고 순이와 그 외 조선 청년 두 사람, 중국 쿨리(勞動者, 노동자) 한 사람, 도합 여섯 사람이 끌려가는 일행이었습니다.

'빤즈삿게'를 쓰고 기다란 '만도'를 이은 군인 두 사람이 총 끝에다 날카로운 창을 끼어들고 앞뒤로 서서 뚜벅뚜벅 순이들을 몰아갔습니다.

몸뚱이들은 군데군데 얼어 터져 물이 흐르는데 이따금 뿌리는 눈보라조차 사정없이 휘갈겨 몰려가는 신세를 더욱 애끓게 하였습니다. 칼날같이 산뜻하고 고추같이 매운 묵직한 무게를 가진 바림질이 엷은 옷을 뚫고 마음대로 온몸을 에어내었습니다. 모 — 든 감각을 잃어버린 '로보트'같이 어디를 향하여 가는 길인지 죽음의 길인지, 삶의 길인지 아무것도 모르고 얼어붙은 혼(魂)만이 가물가물 눈을 뜨고 없어지며 자빠지며 총대에 찔려가며 절름절름 걸어갔습니다.

"슈다!" 하면 이편 길로 "뚜다!" 하면 저편 길로 군인의 총 끝을 따라 희미한 삶을 안고 자꾸 걸었습니다.

길가에 오고가는 사람들은 발길을 멈추고 바라보며 어린아이는 어머니 팔에 매달리며 손가락질 했습니다.

그러나 순이들은 부끄러운 줄 몰랐습니다.

'나도 고국 있을 그 어느 때 순사에게 묶여가는 죄인을 바라보고 무섭고 가엾어서 저렇게 서 있었더니…' 하는 생각이 어렴풋이 나기는 했습니다마는 얼굴을 가리며 모양 없이 웅크린 팔짱을 펴고 걷기에는 너무나 꽁꽁 언 몸뚱이였으며 너무나 억울한 그때였습니다. 그저 순이들은 바람맞이에서 까물거리는 등불을 두 손으로 보호하듯 냉각해진 몸뚱이 속에서 까물거리는 한 개의'삶'이란 그것만을 단단 히 안고 무인광야를 가듯 웅크려질 대로 웅크리고 눈물 콧물 흘려가며 쩔름쩔름 걸어갔습니다.

걷고, 걷고 또 걸어 얼마나 걸었는지 순이의 일행은 거리를 떠나 파도치듯 바닷가에 닿았습니다.

어떻게 된 셈판인지 순이의 일행은 커다란 기선 위에 기어 올라갔습니다.

어느 사이에 기선은 육지를 떠나 만경창파 위에 술렁거리기 시작했습니다.

"아이구 아빠! 우리 아빠!"

"순이 아버지, 아이고 아이고, 순이 아버지."

"순이 애비 어디 있니? 순이 애비…"

순이는 할아버지와 어머니와 서로 목을 얼싸안고 일제히 소리쳐 울었습니다.

가슴이 찢어지고 두 귀가 꽉 멀어지며 자꾸자꾸 소리쳐 불렀습니다.

“여봅쇼, 울지들 마오. 얼어 죽는 판에 눈물은 왜 흘려요.”

젊은 사나이 두 사람은 순이들의 울음을 막으려고 애썼으나 울음소리조차 내지 못하는 순이의 할아버지는 그대로 털썩 갑판 위에 주저앉아 작대기 든 손으로 쾅쾅 갑판을 두들기며 곤두박질하였습니다.

“여보시오, 우리 아버지가 저기서 죽었어요.”

순이도 발을 구르며 소리쳤습니다.

“죽은 아들의 뼈를 찾으러 온 우리를 무슨 죄로 이 모양이란 말이오.”

할아버지는 자기의 하나 아들이 죽어 백골이 되어 누워 있다는 ×××란 곳을 바라보며 곤두박질을 그칠 줄 몰라 했습니다.

그러나 기선은 사정없이 육지와 멀어지며 차차 만경창파 위에서 울렁거리기 시작했습니다. 그때 한 떼의 물결이 ‘철썩’하며 갑판 위에 내려덮이며 기선은 나무 잎사귀처럼 흔들리기 시작했습니다. 그 순간 일행은 생명의 최후를 느끼며 일제히 바람 의지가 될 만한 곳으로 달려가 한 뭉치가 되었습니다.

그때 중국 쿨리는 메고 왔던 짐을 끄르고 이불 한 개를 꺼내어 둘러쓰려 하였습니다.

이것을 본 젊은 사나이 한 사람이 날랜 곰같이 달려들어 그 이불을 뺏어 순이의 할아버지를 둘러 주려고 했습니다.

중국 쿨리는 멍하니 잠깐 섰더니 갑자기 얼굴에 꿈틀꿈틀 경련을 일으키며 누런 이빨을 내어놓고 벙어리 울음같이 시작도 끝도 분별없는 소리로

"으어…"

하고 울었습니다. 그 눈에서 떨어지는 굵다란 눈물방울인지 내려 덮치는 물결 방울인지 바람결에 물방울 한 개가 순이의 뺨을 때려 붙였습니다.

순이는 한 손으로 물방울을 씻으며 한 손으로 이불자락을 당겨 쿨니도 덮으라고 했습니다.

"아이고 우리를 데리고 온 군인들은 어디로 갔을까…"

누구인지 이렇게 말하였으므로 일행은 고개를 들어 살펴보니 과연 군인 두 사람의 흔적이 없었습니다.

"모두들 추우니까 선실 안으로 들어간 게로군. 빌어먹을 자식들."

하고 젊은 사나이는 혀를 찼습니다. 그 말을 듣자 순이는 벌떡 일어나 "우리도 이러다가는 정말 죽을 테니 선실 안으로 들어갑시다." 하고 외쳤습니다.

"안됩니다. 들어오라고도 않는데 공연히 들어갔다, 봉변당하면 어찌하게." 하고 젊은 사나이는 손을 흔들며 반대했습니다.

"봉변은 무슨 오라질 봉변이에요. 이러다가 죽느니보다 낫겠지요. 점잔과 체면을 차릴 때입니까?"

순이는 발악을 하며 외쳤습니다.

"쿨니에게 이불 빼앗을 때는 예사이고 선실 안에 들어가는 것은 부끄럽단 말이오? 나는 죽음을 바라 그대로 있기는 싫어요. 봉변을 주면 힘자라는 데까지 싸워 보지요."

순이는 그대로 있자는 젊은이들이 얄밉고 성이 났습니다. 자기들의 무력함을 한탄만 하고 앉아있는 무리들이 안타까웠던 것입니다.

순이는 기어이 혼자 선실을 향하여 달려갔습니다. 기선은 연해 출렁거리며 이따금 흰 물결이 철썩 내려 덮치곤 하였습니다. 일행의 옷은 물결에 젖고 젖은 옷깃은 얼음이 되어 꿋꿋하게 나뭇가지처럼 되었습니다.

선실로 내려가는 층층대를 순이는 굴러 떨어지는 공과 같이 내려갔습니다.

선실 안에는 훈훈한 공기가 꽉 차 있어 순이는 얼른 정신을 차릴 수가 없었습니다. 잠깐 두리번두리번 살펴보다가 한 옆에 걸터앉아 있는 군인 두 사람을 찾아내었습니다. 순이는 번개같이 달려가 군인의 어깨를 잡아 젖히며 "우리는 죽으란 말이오?" 하고 분노에 떨리는 소리로 물었습니다.

군인은 놀란 듯이 잠깐 바라본 후 웃는 얼굴을 지으며 제 나라 말로 "모두 이리 내려오너라." 라고 말했습니다.

순이는 선실 안의 사람들이 웃는 소리를 귀 밖으로 들으며 다시 갑판 위로 올라갔습니다.

풍랑은 사나울 대로 사나와 잠시라도 훈훈한 공기를 쏘인 순이의 창자를 휘둘러 몸에 중심을 잡고 한 발자국도 내어 디디지 못하게 하였습니다. 그러나 순이는 일행이 있는 곳을 바라보았습니다.

이제는 아주 얼음덩이가 된 이불자락에다 머리를 감추고 모두 죽었는지 살았는지 움직이지도 않고 있는 것이 보였습니다.

순이는 "모두 이리 오시오." 하고 소리쳤습니다마는 풍랑 소리에 그의 음성은 안타깝게도 짓밟히고 말았습니다.

순이는 더 소리칠 용기가 없어 일행을 향하여 한 자국 내어놓자, 사나운 바람결이 몹쓸 장난같이 보드라운 순이의 몸뚱이를 갑판 위에 때려누이고 말았습니다. 다시 일어나려고 발악을 하는 그의 귀에 중국 쿨리의 울음소리가야 공성 같이 울려왔습니다.

이슥한 후 군인 한 사람이 갑판 위로 올라와 본 후 순이를 일으키고 여러 사람도 데리고 선실로 내려왔습니다.

선실 안에 앉았던 사람들은 일행의 모양을 바라보며 모두 찌글찌글 웃었습니다.

병든 문둥 환자의 모양이 그만큼 흉할는지, 얼고 얼어 푸르고 붉은 데다 검게 탄 얼굴로 콧물을 흘리며 엉금엉금 층층대를 내려서는 여섯 사람의 모양을 보고 우습지 않을 리 누가 있겠습니까.

일행의 몸이 녹기 시작하자 시간은 얼마나 지났는지 기선은 어느 조그만 항구에 닿았습니다.

쌓아둔 짐 뭉치에 기대 누운 순이의 할아버지는 뼈끝까지 추위가 사무쳤음 인지 한결같이 떨며 끙끙 앓기만 하고 순이의 어머니는 수건을 폭 내려쓰고 팔짱을 낀 채 역시 웅크리고 앉아 있었습니다.

"여기서 내리는 모양이구료,"

젊은 사나이가 순이의 곁에 오며 말했습니다. 순이는 곳에서 또 다시 내릴 생각을 하니 다시 그 차가운 바람결이 연상되어 금방 기절할 것 같이 소름이 끼쳤습니다. 그러는 중에 군인이 일어서 순이의 할아버지를 총대로 툭툭 치며 무엇이라고 말했습니다.

"안돼요. 여기서 내릴 수 없오. 이 추운데 노인을 어떻게…"

순이는 군인의 총대를 밀치며 말했습니다. 군인은 신들신들 웃으며 어서 일어나라는 듯이 발을 굴렀습니다.

"아무래도 죽을 판이면 우리는 또 추운대로 나갈 수 없오."

할아버지를 가려 앉으며 손을 내저었습니다. 군인은 한 번 어깨를 움쭉 해보이며 무엇이라 한참 지껄대니까 선실 안에 가득한 그 나라 사람들은 순이를 바라보며 혹은 웃고 혹은 가엾다는 듯이 머리를 흔들고, 서로 고개를 끄덕이며 중얼중얼 했습니다. 순이는 그들의 중얼거리는 말소리에서 "꺼래이… 꺼래이…" 하는 가장 귀 익은 단어가 화살같이 두 귀에 꽂히는 것을 느꼈습니다. '꺼래이'라는 것은 '고려(高麗)'라는 말이니 즉 조선 사람을 가리키는 것이었습니다.

'꺼래이'라는 그 귀 익고 그리운 소리가 그때의 순이들에게는 끝없는 분노를 자아내는 말 같았습니다.

"우리가 지금 웃음거리가 되어 있는 것이로구나. 추움에 못 이겨, 또 아무 죄도 없이 죽음의 길인지 삶의 길인지도 모르고 무슨 까닭에 꾸벅꾸벅 그들의 명령대로만 따르겠느냐." 라고 순이는 부르짖었습니다. 그러나 사람들과 군인들은 순이를 무지 몰식한 야만인, 그리고 무력하고도 불쌍한 인간들의 표본으로만 보았음인지 웃고 떠들고 '꺼래이…'만을 연발하는 것이었습니다. 그때까지 웃으며 무엇이라 중얼거리기만 하던 군인 한 사람이 갑자기 정색을 지으며 총대로 순이의 옆구리를 꾹 찌르고 한 손으로 기다랗게 땋아내린 머리채를 거머잡고 "쓰까래…" 라고 소리쳤습니다. 이것을 본 순이 어머니는 벌떡 군인의 턱 볕에 솟아 일어서며 지금까지 눌러두었던 분통이 툭 퉁기듯이 군인의 멱살을 잡으려 했습니다.

"여보십시오. 공연히 그러지 마시오. 당신이 여기서 발악을 하면 공연히 우리까지 봉변을 하게 됩니다." 하고 젊은 사나이는 순이의 어머니를 말렸습니다. 군인들이 그 당장에 자기들의 취한 태도를 얼른 생각해 내지 못하여 눈만 커다랗게 뜨고 있는 것을 보자 순이는 히스테리 같은 웃음으로 꽉 입안을 깨물며 눈물이 글썽글썽하였습니다.

"할아버지 일어나세요, 아버지의 뼈를 찾지는 못했으나 아버지의 영혼은 고국으로 가셨을 것입니다. 공연히 남의 땅 사람과 발악을 하면 무엇합니까…."

순이도 울고 할아버지, 어머니 모두 주르륵 눈물을 흘리며 그 조그마한 항구에 내렸습니다.

일행 여섯 사람은 또 다시 군인을 따라 이윽히 걸어가다가 붉은 기를 꽂은 ×××에 이르렀습니다. 그곳에 이르니 군인 복색한 중국인 같은 사람이 우리를 맞았습니다. 같이 온 군인은 그곳 군인에게 일행을 맡기고 따뜻해 보이는 벽돌집 안으로 들어갔습니다.

순이들은 이제까지 언어를 통하지 못하여 안타깝던 설운 생각에 일시에 폭 발되어 그 중국사람 같은 군인의 곁에 따라갔습니다.

"여보십시오!"

순이는 그 군인이 행여나 조선 사람이었으면… 하는 기대에 숨이 막힐 듯이 군인의 입술을 바라다보았습니다.

"왜 이러심둥?"

의외에도 그 군인은 조선 사람, 즉 꺼래이의 한 사람이었습니다. 일행 중 중국 쿨니를 빼고는 모두 너무나 반갑고 기뻐서

"아이그 당신 조선 사람이셔요?"

"내! 나 고려 사람입꼬마."

그 군인은 이렇게 대답하며 순이를 바라보았습니다. 순이는 무슨 말을 먼저 해야 좋을지 몰랐으므로 잠깐 묵묵히 조선말 소리의 반가움을 어찌할 줄 몰라 했습니다.

"저 젊은이 당신 남편이오?"

하고 군인은 아무 감동도 없는 무뚝뚝한 표정으로 순이에게 젊

은 사나이 둘을 가리켰습니다. 그제야 순이는 오랫동안 잊어버렸던 처녀다운 감정을 느끼며 얼어붙은 얼굴에 잠깐 부끄러운 표정을 지었습니다.

"아니올시다. 이 애는 우리 딸이야요. 이 늙은이는 우리 시아버님이랍다. 저 젊은이들과 중국 사람은 ×××에서 동행이 된 사람인데 알지도 못 하는 사람입니다."

순이의 어머니는 지금까지 같이 온 젊은이들보다 자기들 세 사람을 어떻게 구원해 달라는 듯이 이렇게 말했습니다.

"여기가 어데야요?"

순이만 자꾸 바라보는 군인에게 순이는 머뭇거리며 물었습니다.

"영긔 말임둥? 영긔는 ××××××라 합늬!"

"여보시오!"

곁에서 젊은 사나이가 가로질러 말을 건네었습니다.

"우리 두 사람은 해삼위에 있는…." 하고 말을 꺼내었으나 그 군인은 들은 체 아니 하고 "어서 들어갑쇼. 영긔 서서 말하는 것이 안임늬." 하며 일행을 몰아 마주 보이는 허물어져가는 흰 벽돌집을 가리켰습니다.

"여보십시오. 우리를 또 감금하단 말이요? 우리 두 사람 코뮤니스트입니다. 우리는 감금 받을 이유가 없습니다."

라고 두 젊은이는 버티었으나 군인은 들은 체도 하지 않고 앞서 걸었습니다.

"여보시오. 나리 우리 세 사람은 참 억울합니다. 나의 남편이 3년 전에 이 땅에 앉아 농사터를 얻어 살았는데 지난봄에 병으로 죽었구료. 우리 세 사람은 고국서 이 소식을 듣고 셋이 목숨이 끊어질지라도 남편의 해골을 찾아가려고 왔는데 ×××에서 그만 붙잡혀 한 마디 사정 이야기도 하지 못한 채 몇 달을 갇혀 있다가 또 이렇게 여기까지 끌려왔습니다. 어떻게든지 놓아 주시면 남편의 해골이나 찾아서 곧 고국으로 돌아가겠습니다." 라고 순이 어머니는 군인에게 애걸을 하듯 빌었습니다.

"여보시오 나으리. 이 늙은 몸이 죽기 전에 아들의 백골이나마 찾아다 우리 땅에 묻게 해 주시오. 단지 하나뿐인 아들이요. 또 뒤이을 자식이라고는 이 딸년 하나뿐이니 이 일을 어찌하오."

순이의 할아버지도 숨이 막히며 애걸하였습니다.

"당신 아들이 여기 왔심둥?"

군인은 울며 떠는 노인을 차마 밀치지 못하여 발길을 멈추고 물었습니다.

"네… 후… 우리도 본래는 남부럽지 않게 살았습니다. 네… 그런데 잘못되어 있던 토지는 다 남의 손에 가버리고 먹고 살 길은 없고 하여 3년 전에 내 아들이 이 나라에서 돈 없는 사람에게도 토지를 꼭 나누어 준다는 말을 듣고 저 혼자 먼저 왔습지요. 우리 세 식구는 오늘이나 내일이나 하고 우리를 불러들이기만 바랐더니 지난봄에 갑자기 죽었다는 소식이 오니…."

노인은 더 말을 계속할 수 없어 그대로 목이 메고 말았습니다.

군인은 체면으로 고개만 끄덕이더니 "영기서 말하면 안되옵니… 어서 들어갑쇼. 들어가서 말 듣겠으니…." 하고 다시 뚜벅뚜벅 걸어 흰 벽돌집 안에 들어갔습니다.

조금 들어가니 나무로 만든 두터운 문이 있는데 그 문은 참새들의 똥이 말라붙어 있어 먼지와 말똥 집수세 등이 지저분하게 깔려 있어 아무리 보아도 마구간이었습니다.

집 외양은 흰 벽돌이나 그 집의 말 못할 속치장에 다시 놀라지 않을 수 없습니다.

'덜커덕' 그 나무문이 열리자 그 안을 한번 들여다 본 일행은 하마터면 뒤로 넘어질 뻔 했습니다. 그 문 안은 넓이 7,8평은 되어 보이는데, 놀라지 마십시오. 그 안에는 하얀 옷 입은 우리 꺼래이들이 '방이 터져라'고 차있었습니다.

"아이그머니! 조선 사람들…"

순이의 세 식구는 자빠지듯 방 안으로 뛰어 들어갔습니다.

"동무들, 방은 이것 하나 뿐입꼬마. 비좁드라도 들어가 참소."

맨 나중까지 들어가지 않고 버티고 서 있는 젊은 사나이 한 사람의 등을 밀어 넣고 덜커덕 문을 잠그고 군인은 뚜벅뚜벅 가 버렸습니다.

순이들은 잠깐 정신을 차려 방안을 살펴보니 전날에는 부엌으로 쓰던 곳인 지 한쪽 벽에 잇대어 솥 걸던 부뚜막 자리가 있고, 그 곁에 블리키 물통이 놓여 있으며 좁다란 송판을 엉금엉금 걸쳐 공중(公衆) 침대를 만들어 두었습니다. 그 공중 침대 위에는 빽빽하게 백의의 동포가 빨래상자의 상자 속같이 옹기종기 올라 앉아 있었습니다.

좌우간 앉아나 보려 했으나 대소변이 질벅하여 발붙일 곳도 없었습니다.

문이라고는 들어온 나무문과, 그 문과 마주보는 편에 커다란 쇠창살을 박은 겹유리 문이 하나 있을 뿐이었습니다. 그 쇠창살도 부러지고 구부러지고 하여 더욱 그 방의 살풍경을 나타냈습니다.

"어찌겠오 앙? 여기 좀 앉소. 우리도 다 이럴 줄 모르고 왔었꽝이."

함경도 사투리로 두 눈에 눈물을 흠뻑 모으며 목 메인 소리로 겨우 자리를 비집어 내며 한 노파가 말했습니다. 가뜩이나 기름을 짜는 판에 새로운 일행이 덧붙이기를 해 놓았으니 먼저 온 그들에게는 그리 반가울 것이 없으련 마는 그래도 그들은 방이야 터져 나가든 말든 정답게 맞아주며 갖은 이야기를 다 묻고 또 자기네들 신세타령도 하였습니다. 그래서 어떻게 빈 줄러 내었는지 순이의 세 식구와 젊은 사나이 둘은 올라앉게 되었는데, 이불을 멘 중국 쿨니는 끝까지 자리를 얻지 못하고, 아니 자리를 빈줄러 낼 때마다 뒤에 선 젊은 사나이들에게 양보하고 맨 나중까지 우두커니 서서 자기 자리도 내어주기를 기다리고 있었습니다.

순이들은 그래도 동포들의 몸과 몸에서 새어 나오는 훈기에 자이 녹기 시작하자 노근 노근하니 정신이 황홀해지며 따뜻한 그리운 고향에나 돌아온 것 같이 힘이 났습니다.

저 늙은 앉을 "…자리가 없나? 왜 저렇게 말뚝 모양으로 서 있기만 해…" 하며 고개를 드는 노파의 말소리에 순이는 놀란 듯이 돌아보았습니다. 그 때까지 쿨니는 이불을 멘 채 서 있었습니다. 순이는 갑판 위에서 이불을 나눠 덮던 그때의 쿨니의 울며 순종하던 얼굴을 생각해 보았습니다. 능히 자기가 앉을 수 있었던 자리를 조선 청년에게 양보해 준 그의 마음속이 가여웠습니다.

쿨니가 자리를 물려 준 그 마음은 도덕적 예의에 따른 것이 아님은 뻔히 아는 일이었습니다. 그 자리에 자기와 같은 중국 사람이 하나라도 끼어 있었으면 그는 그렇게 서 있지는 않았을 것입니다.

그때의 쿨니의 심정은 꺼래이로 태어난 이들에게는, 아니 더구나 보드라운 감정을 가진 처녀인 순이는 남 몇 배 잘 살펴볼 수 있었습니다.

순이는 가슴이 찌르르해지며 벌떡 일어나 그 나무문을 두들기기 시작했습니다.

이윽히 두들겨도 아무 반응이 없으므로 그는 얼어터진 손으로는 더 두들길 수가 없어 한편 신짝을 집어 힘껏 문을 두들겼습니다.

"왜 두들기오. 안 옵누마." 하며 방 안의 사람들은 자꾸 말렸습니다.

그러나 순이는 자꾸만 두들겼더니 갑자기 문이 덜커덕 열렸습니다. 순이는 더 두들기려고 올려 메었던 신짝을 그대로 발에 꿰어 신으며 바라보니 아까 그 조선 사람 군인이 서 있었습니다.

"어째 불렀음둥?" 하며 퉁명스럽게, 그러나 두들긴 사람이 순이였음에 얼마만큼은 부드러워지며 물었습니다.

"이것 보시오, 이렇게 좁은 자리에 어떻게 이 많은 사람이 앉을 수 있어요? 아무리 앉아 봐두 앉을 수가 없습니다. 다른 방으로 나누어 주든지 어떻게 해 주세요." 하고 얼굴이 붉어지며 서 있는 쿨니를 가리켰습니다. 군인은 고국 말씨를 잘 못 알아듣겠다는 듯이 자세히 귀를 기울이고 있더니 "동무, 말소리 잘 모르겠었꼬마, 무시기 말임둥, 앉을 재리가 배잡단 말 입꼬이?" 하고 말했습니다. 순이는 기가 막혔습니다.

"참 어이없는 조선 동포시구려!"

김빠진 비어같이 순이는 입안이 믹믹하여 졌습니다. 그때 노파의 손자인 듯한 소년 하나가 하하 웃으며 뛰어나와 "예! 예! 그렇셨꼬이." 하며 순이를 대신하여 군인에게 대답하였습니다. 군인은 고개를 끄덕끄덕하며 두 손을 펴고 어깨를 움쭉해 보이며 "할 수 없었꼬마, 방이 잉것뿐입꼬마." 하고는 문을 닫아 버리려 했습니다. 순이는 와락 군인의 팔을 잡으며 "한 시간 두 시간이 아니고 오늘 밤을 이대로 둔다면 어떻게 하란 말이에요. 상관에게 말해서 좀 구

처해 주시오." 하고 말했습니다. 군인은 휙 돌아서며

"동무들 내가 뭐를 알 쉬 있음둥? 저… 위에서 하는 명령대로 영기는 그 대로만 합꼬마. 나는 모르겠꽁이." 하고는 덜컥 그 문을 잠그려 했으나 순이는 한결같이 잠그려는 그 문을 떠밀며 "여보세요, 이대로는 안 됩니다. 무슨 죄야요, 글쎄 무슨 죄들인가요. 왜 우리를, 죄 없는 우리를 이런 고생을 시킵니까. 다 같은 조선 사람인 당신이 모르겠다면 우리는 어떻게 하란 말이에요."

군인은 난감하다는 듯이 다시 고개를 문 안으로 들이밀며 "글쎄, 동무들이 무슨 죄 있어 이라는 줄 압꽁이? 다 같은 조선 사람이라도 저 우에 있는 사람들은 맘이 곱지 못하옵니… 나도 동무들 같이 욕본 때 있었꼬마. ××에 친한 동무 없음둥? 있거든 쇠줄글(電報)해서 ×××에게 청을 하면 되오리…" 하고 이제는 아주 잠가 버리려 했습니다.

"아, 보십시오. 그러면 미안합니다마는 전보 한 장 쳐 주시겠습니까?"

"무시기?"

군인은 젊은 사나이의 말을 알아듣지 못하고 재차 물었습니다.

"전보 말이오. 전보 한 장 쳐 달라 말이오." 하고 젊은 사나이가 대답하려는 것을 노파의 손자인 소년이 또 하하 웃으며 "안입꼬마. 쇠줄글 말입니…." 하고 설명을 하였습니다.

"아아! 쇠줄글 말임둥, 내 놓아 드리겠꽁이." 하며 사나이들에게 연필과 종이쪽을 내주더니 "동무 둘은 잠깐 나오오." 하며 두 사나이를 문 밖으로 데리고 나가 버렸습니다. 순이는 어이없이 서 있다가 문턱에 송판 한 조각이 놓인 것을 집어 들고 문 앞을 떠났습니다.

그 송판을 솥 걸었던 자리에 걸쳐 놓고 그 위에 올라앉으며 그때까지 그대로 서 있는 쿨니를 향하여 "거기 앉아…." 하며 자기가 앉았던 자리를 가리켰습니다.

"아! 이 놈을 그리로 보냄세, 당신이 이리로 오소."

방안 사람들은 모두 순이를 침대 위로 오라고 하였습니다. 쿨니는 그 눈치를 챘는지 순이의 자리에 앉으려던 궁둥이를 얼른 들며 손으로 순이를 내려오라고 하며 부뚜막 위로 올라앉았습니다.

그의 눈에는 눈물이 핑 돌며 "스파시이보 제브슈까." 하였습니다. '아가씨 고맙습니다.'라는 뜻인가 보다고 생각하며 침대 위로 올라앉았습니다. 쿨니는 짐 뭉치 속에서 어느 때부터 감추어 두었던지 새까맣게 된 빵 뭉치를 끄집어내어 한 귀퉁이 뚝 떼더니 순이 앞에 쑥 내밀었습니다. 쿨니의 얼굴은 눈물과 땟물이 질질 흐르고 손은 새까맣게 때가 눌러 붙어 기다란 손톱 밑에는 먼지가 꼭꼭 차 있었습니다.

"꾸—쉬, 꾸—쉬,"

한 손에 든 빵쪽을 뭉턱뭉턱 베어 먹으며 자꾸 순이에게 먹으라고 했습니다. 순이의 눈에 눈물이 고이며 그 빵 조각을 받아 들었습니다.

"고맙소…." 하고 머리를 끄덕여 보이며 급히 한 입 물어뜯으려 했으나 이미 하루 반 동안을 물 한 모금 먹지 않은 할아버지, 어머니가 곁에 있었습니다. 순이는 입으로 가져가던 손을 얼른 머무르며 할아버지에게 "시장하신 데 이것이라두…." 하며 권했습니다.

"이리 다고 보자."

어머니는 그제야 수건을 벗고 빵쪽을 받아 한복판을 뚝 잘라 "이것은 네가 먹어라, 안 먹으면 안 된다." 하고는 또 한 쪽을 할

아버지에게 드렸습니다.

할아버지는 남 보기에 목이 막힐까 염려가 될 만큼 인사 체면 없이 빵을 베어 먹었습니다.

"싫어, 난 먹지 않을 테야."

"왜이래. 너 먹어라." 하고 우리 모녀는 한참 다투다가 결국 또 절반으로 떼어 한 토막씩 먹게 되었습니다마는 온 방안 사람이 빵 먹는 사람들의 입을 물끄러미 바라보고 있는 것이었으므로 차마 먹을 수가 없었습니다.

부뚜막 위에서 내려다보고 앉았던 쿨니는 자기가 먹던 빵을 또 절반 떼어 "순이 너 이것 더 먹어라." 라고나 하듯이 순이에게 주었습니다.

순이는 얼른 손이 나가다가 문득 생각났습니다. 자기들은 중국 사람들이라 고 자리조차 내어주지 않던 것이… 그러나 이미 주린 순이는 두 번째 빵쪽을 받아 쥐고 있었습니다.

방 안의 사람들은 모두 세 집 식구로 나뉘어 있는데 도합 열아홉이었습니다. 늙은이, 노파, 젊은 부부, 총각, 처녀들이었습니다. 그들이 우리 모녀를 붙들고 하는 이야기를 들으며 모두 함경도 사람이며, 고국에는 바늘 한 개 꽂을 만한 자기들 소유의 토지라고는 없는 신세라 공으로 넓은 땅을 떼 어 농사하라고 준다는 그 나라로 찾아온 것이었는데, 국경을 넘어서자 ×××에게 붙들려 우리들처럼, 감금을 당했다가 이리로 끌려왔다는 것이었습니다.

"이 땅에는 돈 없는 사람 살기 좋다고 해서 이렇게 남부여대로 와 놓고 보니 이 지경입꾸마. 굶으나 죽으나, 고국에 있었더면 이런 고생은 안 할것을…."

젊은 여인 하나가 이렇게 한탄했습니다.

"우리는 몇 번이나 재판을 했으니 또 한 번만 더하면 놓이게 되어 땅을 얻어 농사를 하게 되든지 다시 이대로 국경으로 쫓아내든지 한답대."

속옷을 풀어 젖히고 이를 잡기 시작한 노파가 말했습니다.

"우리가 무슨 죄일꼬… 농사짓는 땅을 공떼어 준다길래 왔지…."

늙은이 하나가 끙끙 앓으며 이를 갈 듯이 말하자, "참말 그저 땅을 떼어 준답두마, 우리는 바로 국경에서 붙들렸으니까 ××탐정꾼들인가 해서 이렇게 가두어 둔 거지!" 하고 늙은이의 아들인 성한 사나이가 말했습니다.

"아이구 말 맙소. 아무래도 우리 내지 땅이 좋습두마, 여기 오니'얼마 우자'미워서 살겠습디?" 하고 사나이를 반박하였습니다.

'얼마우자' 이것은 조선을 떠나온 지 몇 대(代)나 되는 이 나라에 귀화(歸化)한 사람들을 이르는 말이니 그들은 조선 사람이면서도 조선말을 변변히 할 줄 모르는 것이었습니다. 분명한 '마우자'(露人, 노인을 이르는 말)도 되지 못한 '얼'인 '마우자'란 뜻이었습니다.

"못난 사람들'얼간'이라는 말과 같구료." 하고 어머니가 오래간만에 웃었습니다.

"아까 그 군인도 역시'얼마우자'로구먼." 하고 순이가 중얼거렸습니다. 이 말을 들은 노파의 손자는 또 깔깔 웃었습니다.

"아이구 어찌겠니야, 여기서 땅을 아니 떼어 주면 우리는 어찌겠니 …."

노파는 웃을 때가 아니라는 듯이 걱정을 내놓았습니다.

"설마 죽겠소. 국경 밖에 쫓아내면 또 한 번 몰래 들어옵지요.

또 붙들어 쫓아내면 또 들어오고, 쫓아내면 또 들어오고 끝에 가면 뉘가 못 이기는가 해봅지요. 고향에 돌아간들 발붙일 곳이라고는 땅 한 쪼각 없지, 어떻게 살겠습니….”

자기가 먼저 설두를 하여 데리고 온 듯한 사나이가 이렇게 말했습니다.

“아이고 듣기 싫소, 이 놈의 땅에 와서 이 고생이 뭐꼬…글쎄.”

“아따 참, 몇 번 쫓겨 가도 나중에는 이 땅에 와서 사오 일갈(四五日耕) 아쯤 땅을 얻어 놓거든 봅소.”

“아이구… 어찌겠느냐….”

노파는 자꾸 저대로 신음만 하였습니다.

한시도 못 참을 것 같은 그 방 안의 생활도 벌써 일주일이 경과되었습니다.

아침에는 일찍 일어나 일제히 밖으로 나가 세수를 시키고, 저녁에 한 번씩 불려 나가 대소변을 보게 하는 것이었습니다. 일정한 변소도 없이 광막한 벌판에서 제 맘대로 대소변을 보게 하는 것이었습니다.

하루는 억지 대소변 시간에 순이는 대소변이 마렵지 않아 혼자 방 안에 남 아 있다가 쓸쓸하여 밖으로 나갔습니다.

그날 밤은 보름이었던지 퍽이나 크고도 둥근 달이었습니다. 시베리아다운 넓은 벌판 이곳저곳서 모두들 뒤를 보고 있고, 군인 한 사람이 총을 잡고 파수를 보고 있었습니다.

물끄러미 뒤보는 사람들을 바라보며 서 있는 순이에게 파수병이 수작을 붙였습니다.

“저 달님이 퍽이나 아름답지?” 라고나 하는지 정답게 제 나라 말로 내 곁에 다가섰습니다.

순이는 웬일인지 그 나라 군인들이 겁나지 않았습니다. 총만 가지지 않았으면 맘대로 친하여질 수 있는 정답고 어리석고 우둔한 사람들 같게 느껴졌습니다.

"……."

순이도 언어가 통하지 않으므로 말을 할 수 없고 하여 달을 가리키고 뒤보는 사람들을 가리킨 후 한번 웃어 보였습니다.

군인은 아주 정답게 나직이 웃고 입술을 닫은 채 팔을 들어 달을 가리키고 순이의 얼굴을 가리키고 난 후 싱긋 웃고 순이를 와락 껴안으려 했습니다.

순이는 깜짝 놀라 휙 돌라서 방 안을 향하여 달음질쳤습니다. 군인은 순이를 붙들려고 조금 따라오다가 마침 뒤를 다 본 사람이 서 있는 것을 보고 그대로 서 있었습니다.

그 이튿날이었습니다. 아침에 식료(食料)를 가지고 온 군인의 얼굴이 전날과 달랐으므로 순이는 자세히 바라보니 그는 훨씬 큰 키와 하얀 얼굴과 큼직한 귀염성 있는 눈을 가진 젊은 군인이었습니다.

'어제 저녁 파수 보던 그 군인….' 순이는 속으로 말해 보며 얼른 고개를 돌리려 했습니다. 군인은 싱긋 웃어 보이며 그대로 나갔습니다.

그날 하루가 덧없이 지나간 후 또 대소변 보는 시간이 되었습니다. 공연히 순이는 가슴이 울렁거려 문을 꼭 닫고 방안에 남아 있었습니다.

이윽고 뒤를 다 본 사람들이 돌아오자 문을 잠그러 온 군인은 역시 그 젊은 군인이었습니다. 순이는 가만히 구부러진 쇠창살을 휘어잡고 달 밝은 시베리아 벌판의 한 쪽을 내다보고 있었습니다.

"아이고 어찌겠느냐…"

노파는 밤이나 낮이나 이렇게 애호하며 끙끙 신음을 시작하였습니다. 언제나 밤이 되면 일층 더 심하게 안타까워하는 그들이었습니다.

젊은 내외는 트집거리고 여기 저기 신음소리에 순이의 가슴은 더욱 설레어 적막한 광야의 밤을 홀로 지키듯 잠 못 들어 했습니다.

그 이튿날 아침 일찍 웬일인지 군인 두 사람이 들어와서 먼저 있었던 여러 사람을 짐 하나 남기지 않고 죄다 데리고 나갔습니다.

"아이고 우리는 또 국경으로 쫓겨나는구먼, 그렇지 않으면 왜 이렇게 일 찍 불러내겠느냐."

노파는 벌써 동당 발을 굴리며 "아이구 아이구 어찌겠느냐." 라고만 소리쳤습니다.

방 안에는 우리들 세 식구만 남아 있고 그 외는 다 불러 갔습니다. 갑자기 방안이 텅 비어지니 쌀쌀한 바람결이 쇠창살을 흔들며 그 방을 얼음 무덤 같이 적막하게 하였습니다.

세 식구는 창 앞에 가 모여 앉아 장차 자기들 우에 내려질 운명을 예상하고 묵묵히 앉아 있었습니다.

그때 한 떼의 사람들이 일렬로 늘어서서 앞뒤로 말을 탄 군인을 세우고 건너편 벌판을 걸어가는 것이 보였습니다.

"어찌겠느냐, 어디를 가누마…."

노파의 귀 익은 애호성이 화살같이 날아와 우리의 세 식구가 내다보는 창을 두들겼습니다.

'이리에게 잡혀가는 목장 잃은 양 떼와도 같이 헤매어 넘어온 국경의 험 악한 길을 다시금 쫓겨 넘는 가엾은 흰 옷의 꺼래이

떼….' 눈물이 자르룩 흘러내리는 순이의 눈에 꼬챙이로 벽에 이렇게 새겨져 있는 것이 보였습니다.

'이 몸도 꺼래이니 면할 줄이 있으랴.' 바로 그 곁에 또 이렇게 씌어 있었습니다. 나도 무엇이라도 새겨 보고 싶었으나 자꾸만 눈물이 났습니다.

'아버지, 아버지는 왜 이 땅에 오셨습니까. 따뜻한 우리 집을 버리시고…할아버지와 어머니와 이 딸은 아버지의 해골조차 모셔가지 못하옵고 이 지경에 빠졌습니다. 아버지의 영혼만은 고향집에 가옵시다. 순이.' 라고 눈물을 닦으며 손톱으로 새겼습니다.

그날 해도 애처로이 서산을 넘고 그 키 큰 젊은 군인이 문을 열어 주어도 세 식구는 뒤보러 나갈 생각도 하지 않고 울었습니다.

그렇게 몇 날을 지낸 이른 아침이었습니다. 순이 세 식구는 또 밖으로 불려 나갔습니다. 나가는 문턱에서 그 키 큰 군인이 아무 말 없이 검은 무명으로 지은 헌 덧저고리 세 개를 가지고 차례로 한 개씩 등을 덮어 주었습니다.

"추운데 이것을 입고라야 먼 길을 갈 것이오. 이것은 내가 입던 헌 것이니 사양 말아라." 하고 쳐다보는 순이들에게 힘없는 정다운 눈으로 무엇이라 말했습니다.

"감사합니다."

순이들은 치하했으나 군인은 그대로 입을 다물고 순이의 등만 툭 쳤습니다. 비록 낡은 덧저고리였으나 순이들에게는 고향을 떠난 후 처음 맛보는 인정이었습니다.

넓은 마당에 나서자 안장을 지은 두 마리의 말이 고삐를 올리고, 처음 보던 조선 군인이 손에 흰 종이쪽을 쥐고 서서 "동무들 할 수 없었꼬마, 국경으로 가라합니…." 하고는 할아버지부터 차례로 악수를 해준 후 "잘 갑소…." 라고 최후 하직을 했습니다. 우리들이 아버지의 백골을 찾아가게 해 달라고 아무리 애걸했으나 다시 무슨 효험이 있을 리 만무했습니다.

"자… 가누마, 잘 갑소."

그 '얼마우자' 군인도 처량한 얼굴로 길을 재촉하자 두 사람의 군인이 총을 둘러메고 말 위에 올랐습니다. 그 중의 한 사람은 키 큰 젊은 군인이었습니다.

황량한 시베리아 벌판 그 냉혹한 찬바람에 시달리며 세 사람은 추방의 길에 올랐습니다. 벌판을 지나 산등도 넘고 얼음길도 건너며 눈구덩이도 휘어가며 두 군인의 말굽소리를 가슴 위로 들으며 걸었습니다. 쫓겨 가는 가엾은 무리들의 걸어간 자취 위에 다시 발을 옮겨 디딜 때 자국마다 피눈물이 고여 있었습니다.

말등 위에 높이 앉은 군인 두 사람은 높이 목을 빼어 유유하게 노래를 불러 그 노래 소리는 찬 벌판을 지나 산 너머로 사라지며 쫓겨 다니는 무리 들을 조상하는 것 같았습니다.

이따금 추움과 피로에 발길을 멈추는 세 사람을 군인은 내려다보고 다섯 손가락을 펴 보았습니다. 아직 오십로리(五十露里) 남았다는 뜻이었습니다.

한 떼의 싸리나무 울창한 산길을 지날 때 어느덧 산 그림자는 두터워지며 애끓는 시베리아의 석양이었습니다.

어머니와 순이에게 양팔을 부축 받은 할아버지가 문득 발길을 멈추더니 아 무 소리 없이 스르르 쓰러졌습니다.

"할아버지! 할아버지."

"아버님, 아버님." 부르는 소리는 산등을 울렸으나 할아버지는 대답이 없었습니다. 말에서 내 린 군인들은 할아버지를 주무르고 일으키고 해보며 이윽히 애를 쓴 후 입맛을 다시고 일어서 모자를 벗고 잠깐 묵도를 하였습니다.

키 큰 군인은 다시 모자를 쓴 후 “순이!” 하고 부른 후 이미 시체가 된 할아버지 목을 안고 부르짖는 순이의 어깨를 가만히 쓰다듬었습니다.

“순이야, 울지 말고 일어서라.” 라고 명령하듯 소리쳤습니다.

나의 시베리아 방랑기

글 _ 백신애

나는 어렸을 때 '잠'이라는 귀여운 이름을 갖고 있었다. 그러나 개구쟁이 오빠는 언제나 "야 잠자리!" 하고 나를 불렀다. 호리호리한 폼에 눈만 몹시 컸기 때문에 불린 별명이었다.

나는 속이 상했지만 오빠한테 싸움을 걸 수도 없어서 혼자 구석에서 훌짝 훌짝 울곤 했다.

울고 있으면 어머니는 또 울보라고 놀리셔서 점점 더 옥생각하여 하루 종 일 훌짝거리며 구석에 쪼그리고 있었다. 그러다 심심해지면 벽에다 손가락으로 낙서를 하며 무언가 골똘히 생각했다.

내가 훌짝거리던 그 구석 벽에는 세계지도가 붙어 있었다. 나는 언제부터 인가 훌짝훌짝 울 때면 마음을 달래기 위해 그 지도 위에 선을 그으며 '여기는 미국! 우리 집은 이런 데 있구나!'하며 혼자 재미있어 했다. 그럴 때 누군가가 러시아를 가리키며 "여기는 북극이라 사람이 살 수 없단다. 낮에도 어두컴컴하지. 그리고 오로라를 볼 수 있단다." 라고 말해주었다. 나는 북극 오로라, 낮에도 어둡다, 라는 말에'어머! 멋있는 나라겠다.'라고 생각했다. 십삼 세 소녀의 꿈은 끝없이 펼쳐졌다. 그 때부터 나의 훌짝훌짝 구석에 붙어 있는 세계지도는 내 생활의 전부인 듯이 생각되었다. 북극 오로라만이 아니라 레나 강도 찾아내었고 바이칼 호도 우랄 산도 나의 아름다운 꿈속에서 동경의 대상이 되어버렸다.

"언젠가 꼭 레나 강에 조각배를 띄우고 강변에는 자작나무로 된 통나무집을 짓고 눈이 하얗게 덮인 설원을 걸으며 아름다운 오로라를 바라볼 거야! 그리고 초라한 방랑시인이 되어 우랄 산을 넘을 땐 새빨간 보석 루비를 찾아 볼가의 뱃노래를 멀리서 들을 거야."
라는 뱃노래를 멀리서 듣는다. 내 머릿속은 공상의 즐거움으로 가득했다.

어떻게 나 같은 울보 잠자리가 누가 봐도 어울리지 않는 이런 꿈에 젖었는지 조금 이상하다. 정말로 나는 이상한 여자애였다.

이 이상한 여자애에게도 시간은 흐르고 세월은 쌓여 열아홉 살의 봄을. 아니 열아홉 살의 가을을 맞이했다.

드디어 찬스가 왔다. 감상의 오랜 꿈은 빨간 열매로 익어 작은 손가방 하나를 든 소녀 여행자가 된 것이다.

누가 알았을까! 이 소녀가 바로 행복과 애정으로 가득한 따뜻한 가정을 빠져나온 마음 약한 잠자리란 것을.

게다가 난 페르시안 고양이처럼 얌전한 모습을 한 채 허용될 수 없는 모험에 가슴을 콩닥거리며 훌짝훌짝 울며 길러온 꿈을 향해 정신없이 달려 나갔다.

밤중에 고향을 나올 때 병든 친구의 임종을 지키기 위해서라고 난생처음 어머니에게 거짓말을 했다.

원산에서 배로 웅기까지 가는 동안 짧은 단발머리를 볼품없이 틀어 올려 시골 여자애로 변장을 했다.

배가(아마 이천 톤 정도의 상선이었다고 생각한다.) 웅기항으로 들어갈 때 선객은 모두 내릴 준비로 분주했지만 나는 재빨리 몸을 감출 장소를 찾느라 분주했다. 마침내 선객들이 내리기 시작하자 나는 초조한 마음을 견딜 수가 없었다. 그때 옆에서 누가 보았다면 내 눈은 새빨갰을 것이다.

"그렇지."

하선객 속에 섞여 있던 내 눈에 갑자기 뛰어든 것은 변소였다. 그래서 변소 안에 숨어 배가 가는 곳까지 어디라도 가자. 만약 도중에 들키면 그뿐이다. 라고 마음을 정해버렸다. 어떻게 그렇게 대담했을까!

그로부터 다섯 시간 웅기항에서 닻을 올리기까지 변소 안에 쭈그리고 앉은 채 숨을 죽이고 있었다. 다리가 저려 오고, 아니 막대기가 되었다가 돌이 되고, 그리고는 어떻게 됐는지 무엇이 됐는지 알 수 없었다.

수상경찰의 선내 검사가 끝나고 배는 닻을 올리기 시작했다. 다행이 수상 경찰의 눈은 벗어날 수가 있었다. 그 날카로운 경찰들도 변소 안에 페르시안 고양이로 변한 잠자리가 숨어 있는 것은 알아차리지 못한 것 같다. 이것으로 첫 난관은 무사히 통과한 셈이지만 앞으로가 문제일 수밖에 없었다.

웅기항을 출발하여 잠시 지난 후 누군가가 변소 안에 들어오는 것 같아 숨을 죽이고 귀를 나팔처럼 벌려 바짝 기울였다.

"으흠." 들어온 사람은 크게 헛기침을 하고 문을 노크했다. 나는 눈을 감고, "나무아미타불." 일어서려 뭐가 되어버린 건지 모를 정도로 저린 다리가 말을 듣지 않았다. 문이 확 열렸다.

문짝 뒤로부터 그 사람 가슴속으로 뛰어드는 애인처럼 쓰려져버렸다. 그 사람은 놀라서 잠시 말도 안 나오는 듯 입을 다물고 있었다.

"부탁입니다. 살려주세요. 내 부모님은 러시아에 있습니다. 제발 러시아에 가게 해주세요." 라고 터무니없는 거짓말을 하고 눈물까지 흘렸다. 눈물은 정말로 나온 것 인지도 모른다.

"안 돼요. 밀항하는 걸 들키면 죽어요!"

그 사람은 가장 먼저 이 말을 하고 무서운 얼굴을 했다. 하지만 민첩한 내 눈에 비친 그는 젊은 남자로 아름다울 리 없는 삼등실 보이의 면상이었다. 하지만 그런 사치스런 생각을 할 때가 아니었다. 다만 무작정 정말로 무작정 한시라도 빨리 구출 받고 싶다는 일심으로 열심히, 내가 어여쁜 처녀라는 것을 알리고자 안달을 했다. 여자만의 무기! 그것을 가지고 그 남자를 극복하고자 하는 무서운 생각이었다.

"아아, 용맹스런 세상의 젊은 남성들이여 ! 이렇게도 약한 인종인가!" 라고 탄식할 마음의 여유는 없었지만 나는 아무튼 승리를 쟁취했다.

최후의 장면이 닥친다면 그때는 또 제이의 여자의 무기가 있다. 그래서 나는 두려워하지 않았다.

"유복한 가정의 외동딸. 게다가 청순하고 허위를 모른다. 나한테 반했으니 장래에는 이런 삼등실 보이 따위는 우습지. 당당한 사위가 되는 거다!" 라고 그가 진심으로 자각하게까지 유도해가는 것…. 이건 그리 노력하지 않아도 가능한 일이다. 왜냐하면 나는 그때 정말로 순수한 처녀였고 아름다웠으니까 그는 무지하기 때문에 이런 나의 본질을 알아도 멍청하게 속아 넘어갈 것이다.

그래서 나는 변소 안에서 선실 아래로 철 계단을 따라 내려가 뱃짐과 함께 밀항 쥐가 되었다. 그는 나를 선녀처럼 대하며 더구나 사랑을 동경하면서 먹을 것까지 갖다 주고 위로해주었다.

그의 뒷모습을 보며 혀를 쑥 내밀 정도로 닳아빠지진 않았지만 아무튼 재미있어 견딜 수가 없었다. 새까만 선저! 귓속에서 부서지는 파도 소리에 심장은 기쁨으로 떨렸다.

시간은 흘러 십여 시간 뒤 드디어 배는 블라디보스토크에 도착

하는 것 같았다. 그 보이의 마지막 경고를 받게 되었다.

“난 모릅니다. 곧 게베우의 군인이 조사하러 올 겁니다. 그때 들켜도 내 말은 하지 마세요. 들켜도 정말 난 몰라요.” 라고 말하는 그의 얼굴이 어둠 속에서도 파랗게 질린 듯이 느껴졌다. 물론 내 간도 콩알만 해졌다. 잠시 후 시끄러운 구두 소리와 함께 게베우 군인이 직접 배 안을 조사하기 시작했다. 나는 각오를 단단히 했다. 총살당하는 것 도 그렇게 무의미한 최후라고는 할 수 없어. 푸른 하늘 아래서 몇 발의 총 탄을 맞고 픽 쓰러져 죽는 것도 재미있을 거야! 어쩌면 혹 총살 오 분 전에 구출된 도스토옙스키(제정 러시아의 소설가(1821~1881). 19세기 러시아 리얼리즘 문학의 대표자)의 운명을 이어받지 말리는 법도 없고, 아무튼 될 대로 되라. 라고 생각하며 화물 밑에서 숨을 죽이며 기다리고 있었다.

그러나 나는 한없이 행운아였는지 게베우의 눈에서도 벗어날 수 있었다.

“정말다행이었어. 오늘밤 안에 이 배에서 도망가면 돼.” 라고 그 보이 씨는 내 옆에 와서 기뻐해주었다.

그리고 열한 시간이 경과한 한밤중이었다. 갑판에서는 인부들이 화물을 내리려고 몰려들었다. 나는 남자 모습으로 변장하고 인부 속에 섞여 들어가 그 보이 씨에게 일금 삼십 원을 답례로 건네고 갑판에서 무려 십칠팔 척 아래에 있는 선창을 향해 두 눈을 꼭 감고 펄쩍 뛰어내렸다. 뛰어내리는 순간 양 귀가 공중을 나는 것도 같고 하늘로 끌어올려지는 것도 같았는데 다음 순간에는 선창 위에 엉덩방아를 찧고 너무나도 비참한 포즈로 내동댕이쳐졌다.

나는 부서진 것처럼 아픈 꼬리뼈를 양손으로 누르며 달아나는 토끼처럼 물건 뒤에 숨었다.

숨는 것까지는 좋았는데 다음 순간 내 심장은 얼음처럼 싸늘해지고 말았다. 번쩍 빛나는 처참한 빛을 띤 총검이 내 옆구리에 바짝 들이대어진 것이다.

아! 한심해라! 그때 나는 잠자리 본성을 다 드러내 부들부들 떨며 으앙! 하고 아기처럼 울부짖었다. 아름답던 꿈! 동경하던 꿈속에 빠져버린 나! 나의 꿈은 현실세계에서는 너무나도 무서운 모험을 동반하는 것이었다.

'앗!'

나는 무명천을 찢는 듯한 비명을 질렀다.

총검을 내 배에 들이댄 그 러시아 병사의 모습은 철제거인처럼 느껴졌다.

그는 큰 소리로 뭐라 뭐라 외치면서 나에게 서서 걸으라는 몸짓을 해보였다.

'아이고 살았다! 총검에 찔려 죽는 일은 면했구나!' 하고 눈물을 닦으며 일어서서 병사가 가리키는 대로 걷기 시작했다.

걷다보니 어느 사이엔지 눈물은 말라버린 듯했다. 조금씩 정신을 차려가 며 약간은 대담해지기도 하여 일부러 걸음을 늦춰도 보고, 빨리도 해보고, 때로는 딴 방향으로 걸어보기도 했다. 그러자 병사는 그때마다 고함을 치며 허리 부근에 딱 들이댔던 총검을 옆구리 쪽을 지나 눈앞에 번쩍하고 빛나게 했다.

'엇!'

나도 지지 않고 그때마다 기겁을 했다는 듯이 깜짝 놀란 표정을 지어보였다.

그렇게 얼마를 걸었는지 모르겠는데 십 리도 넘었겠다고 생각될 무렵 한 채의 큰 건물 안으로 들어갔다.

들어가니 큰 테이블들이 나란히 놓여 있었다. 실내에 루바시카를 입은 사람이 한 사람 있었는데 병사와 오랫동안 문답을 하더니 내 옆으로 다가와 몸을 수색한 후 한 의자에 앉게 해주었다.

그로부터 약 십 분쯤 지나자 다른 병사가 들어와 내게 말을 걸었다. 아주 무섭게 생긴 얼굴이어서 일부러 더 떠는 것처럼 행동했다.

잠시 후 그 병사가 나를 데리고 제칠천국과 똑같은 긴 계단을 걸어 마침내 칠 층까지 올라갔다.

확실히 그곳은 내 고향집보다 하늘의 별들이 가깝게 보였다.

그리고 한 문을 열고는 들어가라는 몸짓을 하기에 나는 젖가슴에서 떼놓으려 할 때의 아기처럼 병사의 가슴팍에 확 달라붙어버렸다.

"싫어요. 이건 감금이잖아." 하고 떼를 쓰는 아이처럼 발을 동동거렸다.

"안되겠네. 이년! 왜 아우성이야."

그런 말이겠지!

병사는 점점 더 화를 냈다. 그때 문득 보니 병사의 모자 가장자리에 커다란 빈대가 유유히 산보를 하고 있어. 나는 깜짝 놀라 병사에게서 떨어져 들어가라는 방으로 뛰어 들어가 버렸다.

나중에 안 사실이지만 그 건물이 바로 '게베우극동본부'인가 뭔가 하는 곳으로 내가 들어간 제칠천국 그것은 유치장이었다.

매일 높은 창문에서 아래 길을 내려다보면 조선옷이나 기모노 모습은 한 사람도 섞여 있지 않았다. 양복을 입은 사람뿐이어서 나는 비로소 조국에서 멀리 떨어져 있는 것을 실감했다. 더구나 철창에 갇힌 몸이라고 하는 잠자리의 공포가 깊어갔다.

만 한 달!

그 후 어느 날 두 사람의 병사에 호송되어 배에 태워진 채 세 시간을 갔다.

끌려 내린 후 보니 산에 둘러싸인 목가적 정서가 넘치는 시베리아 풍의 작은 항구였다.

무성한 풀숲 속에 빨간 깃발이 세워진 하얀 건물 안에 다시 갇혀버렸다.

거기서 칠 일간! 철창은 부러지거나 굽어 있어 밤에 달이 뜨면 철창 밖으로 보이는 설경에 가슴이 어는 것 같았다. 아침과 저녁에 한 번씩 검은 빵을 한 근씩 나누어주고 대소변을 보게 밖으로 데리고 나갔다.

나는 밖에 나가는 것이 좋아서 그때마다 밖으로 나갔다. 넓은 들판에 제각각 자리를 잡고 마음대로 용변을 보는 광경은 세계 어느 나라에서도 맛볼 수 없는 유머이다.

정해진 변소가 없다. 변소를 정해서 냄새를 참아가며 용변을 볼 필요가 없는 것이다. 어차피 넓은 들판이다. 설령 한 이름의 변을 떨어뜨린다 해도 이렇게 거대한 풍경에 무슨 흠이 되랴. 더구나 달밤에 달을 바라보며 총검을 든 보초병을 세워놓고 천천히 용변을 보고 있노라면 들똥 맛이라고 하면 좀 이상하겠지만 일종의 상쾌함을 느끼는 것이었다.

어느 날 새벽! 아마도 영하 이삼십 도는 되는 이른 아침에 나는 끌려나왔다. 밖에 나와 보니 중국인 네 명이 나란히 서 있고 말을 탄 두 사람의 병사가 나를 기다리고 있었다.

"걸어!"

러시아어 호령 한마디에 네 사람의 중국인 뒤에 줄을 서 나도 걷기 시작 했다.

'어디로 가는 거지!'

나는 묵묵히 그저 걸었다.

넓고 넓은 시베리아의…라는 노랫말 그대로인 넓고 넓은 설원을 지나 황량한 언덕과 산을 걸어서 넘었다.

말을 탄 두 병사는 목소리를 맞춰 소리 높여 노래를 불렀다. 그 노래는 황량한 풍경과 너무나 잘 어울려 나도 모르게 뚝뚝 눈물이 흘러내렸다. 눈물은 닦지 않아도 거센 찬바람이 가지고 가버렸다.

삼사십 리나 걸었으리라 생각될 무렵 나는 한 언덕 아래 쓰러지고 말았다. 그러자 두 병사가 뛰어내려 뭐라고 서로 외치더니 그 중 젊은 쪽이 나를 가볍게 들어 안고 말을 탔다.

나는 어렸을 때 아버지에게 안기어 말을 타본 적은 있지만 시베리아의 넓은 설원을 러시아 병사에게 안기어 말을 타고 지나는 느낌은 뭐라 표현 할 수가 없다.

한 손에는 말고삐를 한 손에는 나를! 그리고 네 명의 중국인은 병든 노예처럼 뒤를 따른다. 마치 서부활극의 한 장면 같기도 했다.

말만 통했다면 그때 병사와 나는 아주 멋진 말들을 속삭였을지 모른다.

하지만 그는 때때로 나를 꽉 안으며 빙긋 웃어 보였고 나는 그에 답하여 살짝 흘기는 눈짓을 보일 뿐이었다.

그것은 달콤한 시간이었다. 아! 십 수 년간 혼자 훌짝거리며 길어간 꿈!

그 꿈이 이뤄진 아름다운 현실이기도 했다.

환락은 짧고 애상은 길다….

그 말 그대로 짧은 겨울날은 저물어갔다.

"이별할 때가 왔소!"

라고 말하는 듯 병사의 눈은 어두워져 갔다.

넓은 들도 언덕도 산도 모두 지났고 지금은 무성한 싸리나무 숲 속으로 들어가고 있다.

그곳은 소련과 만주의 국경에 가까운 곳으로 나는 그 국경에서 이 병사의 손에 의해 추방되는 거라는 걸 알았다.

얼마 동안 그 싸리나무 숲길을 가더니 병사는 이렇게 말했다.

"이 숲 동쪽에 강이 흐르고 있소. 그 강을 따라 내려가면 한 채의 조선 농가가 있소. 거기서 도움을 받으시오. 나도 뒤에 가겠소." 라고…. 러시아어를 몇 마디밖에 모르는 내가 이것을 이해하기까지는 십 분 이상이 걸렸다.

거기서 나는 말에서 내려져 혼자 오도카니 싸리 숲에 남겨지고 다른 사람들은 그대로 전진하여 가버렸다.

나는 기아와 추위에 떨며 잰걸음으로 마을을 향해 걸어갔다. 손과 얼굴은 싸리나무 가지에 긁혀 벗겨지고 피는 그대로 얼어붙었다.

얼마 안가 날은 완전히 저물고 공포는 점점 커져갔다.

공포! 아무것도 무섭지 않았다. 단지 동사에 대한공포! 그것뿐이었다.

그때 어둠 사이로 하얗게 언 강이 보였다. 나는 그 언 강 위를 마구 달려갔다. 칠전팔기 정도가 아니라 수십 번을 넘어졌다.

갑자기 한 등불이 보였다! 그것은 바로 가까운 곳에 있었다. 그러나 밤의 등불! 그것은 요물처럼 가까이 가면 저만큼 멀어지며

"이리 와 이리 와." 하고 손짓을 했다.

무서운 것은 인간이다. 이 세상에 도대체 무엇이 인간보다 더 무섭다고 할 수 있을까!

나는 드디어 병사가 가르쳐준 농가에 당도할 수 있었다.

누가 이런 나를 잠자리라고 부를 수 있을까!

그 농가에서는 나를 진심으로 위로해주어 그제야 겨우 살았다는 느낌이 들었다.

몸과 얼굴은 꽁꽁 언데다 긁혀서 까지고 부딪혀 멍이 들어 꼭 문둥이 같았다.

밤은 무시무시한 북풍 소리와 함께 깊어갔다.

나는 온몸이 아파 이리저리 뒤척이며 끙끙댈 뿐 자는 것은 생각도 할 수 없었다.

"또각또각."

바람 소리 속에 말발굽 소리가 들려왔다.

"그 병사다!"

나는 직감적으로 알아차리고 일어나 다리를 끌며 밖으로 나왔다.

"야!"

틀림없는 그 병사였다. 그는 말에서 내리자 내 어깨를 쓰다듬으며 몹시 기뻐해주었다.

그는 밀항자를 국외로 추방해야 하는 자신의 임무를 어긴 것이다.

그날 밤 병사는 농가주인과 보드카를 마시며 재미있게 이야기를 나누고 나를 꼭 잘 부탁한다고 당부를 하고는 새벽에 떠나가 버렸다.

나는 눈물을 흘리며 그에게 감시를 전하고 작별했다.

숲 저편으로 떠오르는 아침 해를 받으며 우물물을 걷고 달을 바라보며 들 똥을 누고… 그러는 사이 한 달이 지나가버렸다.

농가 주인의 호의로 여권을 얻을 수가 있었다. 나는 '쿠세레야 김'이라는 이름으로 다시 블라디보스토크로 들어갈 수 있었다.

배에서 내려 사람 물결에 휩쓸리며 도시 입구에 서자 양두마차(이것이 포장마차이리라)가 달려가는 것이 정말로 러시아다운 느낌이었다.

'금야부지하처숙 평사만리절인연(今夜不知何處宿 平沙萬里絶人烟: 오늘밤은 또 어디서 자야 할지 모르겠는데, 만 리 드넓은 모래펄엔 인적이 끊겼네)'이라는 한시의 심경으로 하염없이 도시 입구에 서 있었다. 내지였다면 몇 번이나 불심 검문을 받았을 텐데 이곳의 순사는 전혀 개의치 않았다.

초라한 한 여자가 길가에 우두커니 슬픈 얼굴로 서 있어도 그들 눈에는 다만, 심각한 사상의 '정적' 속에 빠져 있는 것이겠지, 정도밖에는 생각하지 않는 것 같았다.

계속 서 있던 내 쪽이 오히려 견딜 수 없어서 걷기 시작했다. 아무리 걸어 봐도 갈 곳은 없다.

"아! 방랑!"

내 눈은 감상적인 눈물에 젖어 이 감상을 한 수의 시에라도 담고 싶었다.

정말로 나라는 여자애는 어떻게 할 수 없는 무서운 여자였다.

도대체 어찌할 셈이었던가? 지금 돌이켜보면 몸서리가 쳐진다.

말도 모르고, 아는 이라곤 강아지 한 마리도 없는 타국의 거리에서 돈이라곤 종이에 싸서 가지고 있는 십삼 원 육십일 전뿐인데. 아아! 도대체 어찌할 셈이었을까!

나의 어머니

글 _ 백신애

1

청년회 회관을 ×× 건축하기 위하여 회원끼리 소인극(素人劇, 전문적인 배우가 아닌 사람들이 하는 연극)을 하게 되었다. 문예부(文藝部)에 책임을 지고 있는 나는 이번 연극에도 물론 책임을 지지 않을 수가 없게 되었다.

시골인 만큼 여배우(女俳優)가 끼면 인기를 많이 끌 수가 있다고들 생각한 청년회 간부들은 여자인 내가 연극에 대한 책임을 질 것 같으면 다른 여자 들 끌어내기가 편리하다고 기어이 나에게 전 책임을 맡기고야 만다. 그러니 나의 소임은 출연할 여배우를 꾀어 들이는 것이 가장 중한 것이었다.

그러나 아직'트레머리'가 4, 5인에 불과 하는 이 시골이라 아무리 끌어내어도 남자들과 같이 연극을 하기는 죽기보담 더 부끄러워서 못하겠다는 둥, 또는 해도 관계없지만 부모가 야단을 하는 까닭에 못하겠다는 등 온갖 이유가 다… 많아서 결국은 여자라고는 아 — 무도 출연(出演)할 사람이 없이 되고 부득이 남자들끼리 하는 수밖에 없었다. 그래서 우리들은 밤마다, 밤마다 ×× 학교 빈 교실을 빌려서 연극 연습을 시작하게 되었다.

연습을 시키고 있는 나는 아직 예전 그대로의 완고한 시골인 만큼 '일반에게 비난을 받지나 않을까…?' 하는 여러 가지로 완고한 시골에서 신여성(新女性)들의 취하기 어려운 행동에 대한 고려를 하지 않을 수 없어서 다른 위원들과 같이 여러 번 토론도 하여

보았으나 내가 없으면 연극을 하지 못 하게 되는 수밖에 없다는 다른 위원들의 간청도 있어서 나는 끝까지 주저하면서도 끝까지 일을 보는 수밖에 없었다.

오늘은 그 공연(公演)을 이틀 앞둔 날이다. 학교 사무실 시계가 열한 시를 치는 소리를 듣고야 우리는 연습을 그쳤다.

딸자식은 의례히 시집갈 때까지 친정에서 먹여주는 것이 예부터 해오던 습관이라면 나도 아직 시집가지 않은 어머니의 한낱 딸이니 놀고먹어도 아무렇지도 않을 것이언마는 오빠 ×× 사건으로 감옥에 들어가고 보통 학교 교원으로 있던 내가 여자 청년회를 조직하였다는 이유로 학교 당국으로부터 일조에 권고사직(勸告辭職)을 당하고 나서는 그대로 할 일이 없으니 부득이 놀 수밖에 없이 되었다. 그래서 날마다 먹고는 식구가 단출한 얼마 안 되는 집안 일이 끝나면 우리 어머니의 말씀마따나 빈둥빈둥 놀아댄다. 어떤 때는 회관에도 나가고 또 어떤 때는 가까운 곳으로 다니며 여성단체(女性團體)를 조직하기에 애를 쓰기도 하고 그렇지 않으면 하루 종일 또는 밤이 새도록 책상 앞에서 책과 씨름을 하는 것뿐이다. 한 푼도 벌어들이지는 못하지마는 어쩐지 나는 나대로 조금도 놀지 않는 것 같기도 하였다.

그러나 우리 어머니는 종종 “아까운 재주를 놀리기만 하면 어쩌느냐!”고 벌이 없는 것을 한탄하시기도 한다. 벌이를 하지 않으면 아까운 재주가 쓸데없는 것이라는 것이 우리 어머니의 생각이다. 그러면 나는 “아이구 바빠 죽겠는데….” 하고 딴청을 들이댄다.

“쓸데없이 남의 일만 하고 다니면서 바쁘기는 무엇이 바빠!” 하며 나를 빈정대신다.

내가 밤낮 남의 일만 하고 다니는지 또는 내 할 일을 내가 하고 다니는지 그것은 둘째로 하고라도 나의 거동(擧動)은 언제든지 놀고 있는 것 같아 보이는 것도 무리가 아니라고 생각되었다.

오늘은 ××에서 '여자 ×× 회를 발기(發起)하니 와서 도와다오….' 하니 거절할 수 없고… 또 오늘은 또 ××가 저의 집이 조용하다니 그곳에 도 가서 하려던 얘기를 해 주어야겠고… 오늘은 또 ×× 회로 모이는 날이니, 내가 빠지면 아니 될 것…. 동무가 보내준 책이 몇 권이나 있는데 그 것도 읽어야겠고…. 여러 곳에서 편지가 왔으니 꼭 답을 해 주어야겠고, 이것이 모두 나에게는 못 견딜 만치 바쁘고 모두가 해야만 할 일같이 생각된다. 그러나 남의 눈에는 한 푼도 수입이 없으니 나는 날마다 놀기만 하는 것 같이 보이는 것이 무리가 아니다. 더욱이 우리 어머니 어머니에게는…

2

하루나 이틀이 아니고 몇 해든지 자꾸 나 혼자만 바쁘고 남의 눈에는 아까운 재주를 놀리기만 하면서 먹기가 좀 어색하게 생각되지 않을 수가 없었다.

열일곱 살 때부터 교원으로서 얼마 안 되는 월급이나마 받아서 꼭꼭 어머니 살림에 보태어 드릴 때는 내 마음대로 무슨 일이든지 하고 싶은 대로 했었고 또 마음으로는 하고 싶어도 그만 참고 있으면 어머니가 척척 다… 해 주시기도 했었다. 말하자면 어머니는 어떻게든지 내 마음에 맞도록 해 주시려고 애를 쓰시던 것이었다.

그러나 이제는 으레 해야 할 말도 하기가 미안하고 아무리 마음에 맞지 않는 것이라도 불평을 말할 수가 없어졌다. 심지어 몸이 아플 때도 어디가 아프다는 말조차 하기가 미안하여진다.

병원! 약값! 이것이 연상되는 까닭이다. 그리고 때때로

"사람이 5, 6인 씩이나 모두 장정의 밥을 먹으면서 일 년 내내 한 푼도 벌이라고는 하는 인간이 없구나!"

하며 어머니의 얼굴이 좋지 않아지면 나는 말할 수 없는 미안스러움과 죄송스러운 감정에 북받치고 만다. 그러면서도 어머니가 너무 심하게 구시면 어 떤 때는

"아이구 어머니도 내가 벌지 않으면 굶어 죽는가베. 아직은 그래도 먹을 것이 있는데!"

하는 야속스런 생각도 난다. 그러나 이 생각도 감옥에 들어 계시는 오빠를 위하여 차입을 한다. 사식을 댄다, 바득바득 애를 쓰는 어머니 모양을 생각하면 그만 가슴이 어두워지고 만다.

오늘도 집으로 돌아오는 길에서

"대문이 닫혔으면 어떻게 하나. 어머니가 아직 주무시지 않으시어질까!"

하는 걱정과 함께

"지금 나에게도 무슨 돈이 월급처럼 꼭꼭 나오는 데가 있었으면…"

하는 엉터리없는 공상을 하기도 하였다. 가라앉지 않는 뒤숭숭한 가슴으로 조심히 대문을 밀었다. 의외로 대문은 소리 없이 열리었다.

"옳다, 되었다."

나는 소리 없이 살며시… 대문 안에 들어서서 도적놈처럼 안방 동정을 살피었다. 안방에는 등잔불이 감스릿하게 낮추어 있었다.

"어머니가 벌써 주무시는구나…" 하는 반갑고 안심되는 생각에 갑자기 가벼워진 몸으로 가만히 대문을 잠그고 들어서려니까 안방 창문에 거무스름한 어머니 그림자가 마치지나 가는 구름처럼 어른

하더니 재떨이에 담뱃대를 함부로 탁탁 쎄리는 소리와 함께 길 —
게 한숨을 하더니

“아이구 애야, 글쎄, 지금이 어느 때냐.” 하는 어머니의 꾸지람이라기보다는 앓는 소리가 흘러 나왔다.

‘아이구 어머니 아직 안 주무셨구나.’는 생각이 번뜩하자 나도 떨리는 한 숨이 길게 나왔다. 방문 열고 들어서는 한숨이 아직 이불도 펴지 않고 어머니는 밀창 앞에 쪼그리고 앉아서 지금까지 애꿎은 담배만 피우며 나를 기다리신 모양이다.

무겁던 가슴이 뜨끔 하여졌다! 이러한 경우는 교원을 그만두게 된 후로는 수없이 당하는 것이지만 그래도 그대로 들어가 모르는 척 하고 누워 잘 수는 없었다.

그렇다고 내 가슴에 받치어 그대로 엉엉 마음 풀릴 때까지 울지도 못할 것이다.

나는 문턱에 걸치고 들여다보던 반신(半身)을 막 방안에 들여놓으며 어머니 앞에 털컥 주저앉아서 하하 웃었다. 그러나 그 순간 뒤에 나는 울고 싶으리만치 괴로웠다. 내가 바라보는 어머니의 표정은 너무도 침울하였던 까닭이다.

“이런… 어머니 어디 갔다 오셨어요? 벌써 열 시가 되어 오는데…”

나는 열두 시가 가까워 오는 것을, 다행히 조금이라도 어머니의 노기를 덜고자 일부러 열 시라고 했다.

물끄러미 등잔만 쳐다보던 거칠어진 어머니의 얼굴에 두 눈이 휘둥그레지며 “열 시?” 하며 나에게 반문하였다. 나는 또 가슴이 뜨끔하여졌다.

“열 시? 열 시가 무엇이냐? 열 시? 열 시라니! 열한 시 친지가 언제라고… 벌써 닭 울 때가 되었단다."

나직하게 목을 빼어 어안이 막힌다는 듯이 나를 바라보며 핀잔을 주기 시작하였다.

나는 그만 온몸의 피가 뜨거워지는 것 같더니 그 피가 일제히 머리를 향하여 달음질쳐서 올라오는 것 같아서 진작 입이 떨어지지를 않았다.

"글쎄 지금이 어느 때라고! 네가 미쳤니? 지금까지 어디를 갔다 오노 말이다."

그 말소리는 어머니다운 애정과 애달픔과 노여움이 한데 엉킨 일종 처참한 음조에 떨리는 그것이었다.

3

어리광으로 어머니의 노기를 풀려고 하하 웃고 시작한 나는 어머니의 이 말소리에 몸을 어떻게 지탱할 수가 없어서 벌떡 일어나 책상에다 머리를 내어 던지며 주저앉았다.

"남부끄러운 줄도 어쩌면 그렇게도 모르니? 이 밤중에 어디를 갔다 오느냐 말이다. 네가 지금 몇 살이니? 응 차라리 나를 이 자리에서 당장 죽여나 주든지!"

"가기는 어디를 가요? 연극 연습 한다고 그러지 않았어요? 거기 갔었어요!"

나의 이 대답에 어머니는 기가 막힌다는 듯이 입을 벌린 그대로 얼굴이 틀어졌다.

"연극하는 데라니? 아이그 이 애 좀 보게. 그곳이 글쎄 네가 갈 데냐! 아무리 상것의 소생이라도 계집애가 그런 데 가는 것을 본 적이 있니? 모이는 자식들이란 모두 제 아비 제 어미는 모른다 하고 사회니 지랄이니 하고 쫓아다니는 천하 상놈들만 벅적이는 데…."

"어머니 잘못했어요. 남의 말은 하면 무엇해요. 저도 잘 알고 있지 않습니까! 그만 주무세요."

나는 덮어놓고 어머니를 재우려 했다. 나는 어찌하든지 어머니와는 도무지 말다툼을 하지 않으려 했다. 아무리 설명을 하고 이해를 시켜도 점점 어머니의 노기만 더할 뿐인 것을 나는 잘 안다. 이따금 어머니가 심심 하실 때에 이야기를 하라고 하시면 옛 이야기 끝에 성인(聖人)도 시속을 따르란 말이 있지요." 하며 이야기 꼬리를 멀리 돌려서 나의 입장과 행동을 변명도 하고 될 수 있는 정도까지 어머니를 깨우려고 애를 쓴다. 그러면 그때는 나에게 감복이나 한 듯이 "너는 어떻게 그런 유식한 것을 다 아느냐." 하고 엄청나게 감복하시며 기특하고도 귀엽다는 듯이 바라보신다. 그때만은 나도 어머니의 따뜻한 사랑 속에서 숨을 쉬이는 듯한 행복을 느낀다.

그러나 그것도 잠깐이다. 나면서부터 완고한 옛 도덕과 인습에 푹 싸인 어머니이라 그만 씻어 버린 듯이 잊어버리고 다시 자기의 주관으로 들어간다.

그런 까닭에 나는 어머니와는 말다툼은 하지 않는다. 억지로 라도 어머니를 누워 재우려고 겨우 책상에서 머리를 들었다.

"아이그 어머니! 글쎄 그만 주무세요. 정 그렇게 제가 잘못했거든 내일 아침이 또 있지 않아요? 그만 주무세요, 네?"

어머니는 홱 돌아 앉아 담배만 자꾸 피우신다. 그 입술은 여전히 노여움에 떨리고 있었다.

"어머니 잘못했어요. 참 잘못했습니다. 잘못한 것만 야단을 하시면 어떻게 해요. 이제부터 그리지 말라고 하셨으면 그만이지! 에로나! 주무세요.

왜 저를 사내자식으로 낳으시지 않으셨어요. 이렇게 잠도 못 주무시고 하실 것이 있습니까?"

억지로 어리광을 피우는 내 눈에는 눈물이 핑… 돌았다. 나는 얼른 닦아 감추려 하였으나 차디찬 널반지 위에서 끝없이 떨고 있을 오빠의 쓰린 생각이 문득 나며 덩달아 솟아오르는 눈물을 건잡을 수가 없었다.

"어머니! 참 우스워 죽을 뻔 했어요. 이주사 아들이 여자가 되어서 꼭 여자처럼 어떻게 잘하는지 우스워서 뱃살이 곧을 뻔 했어요. 모레부터는 돈 받고 연극을 합니다. 그때는 저녁마다 어머니는 공구경을 시켜 드리겠습니다. 참 잘해요."

아무리 나는 애를 써도 어머니의 노기는 풀리지도 않았다. 오히려 점점 노기가 높아가는 것 같았다.

4

어머니 무릎에 손을 걸었다.

"글쎄, 왜 이러느냐 내야 잘 때 되면 어련히 잘라구… 보기 싫다. 내 눈 앞에서 없어져라. 계집아이가 무슨 이유로 남자들과 같이 야단이냐. 이런 기막힐 창피한 꼴이 또 어디 있어."

어머니가 지금까지 늦게 온 나를 이상하게 의심하여 자기 마음대로 기막힌 상상을 하여 가며 나를 더럽게 말하는 것이 말할 수 없이 가슴이 터져 오르나 그래도 이를 바둑바둑 갈면서

"어머니 잡시다!"

하고 떨치는 손을 다시 어머니의 무릎에 걸었다.

“내 팔자가 사나우려니까 천하제일이라고 칭찬이 비 오듯 하던 자식들이… 아이구 내 팔자도… 너 보는데 좋다, 좋다 하니 내내 그러는 줄 아니? 그래도 제 집에 돌아가면 다 욕한단다. 네 오라비도 그렇게 열이 나 게들 쫓아다니고 어쩌고 하더니 한번 잡혀간 뒤로는 그만이더구나. 너도 또 추켜내다가 네 오라비처럼 감옥 속에나 보내지 별 수 있을 줄 아니?”

나는 그만 도로 책상에 엎드렸다. 자신의 편함과 혈육(血肉)을 사랑하는 것밖에 아무것도 모르고 도덕과 인습에 사무친 저 어머니의 자기의 생명 같이 키워 놓은 단 두 오누이(男妹, 남매)로 말미암아 오늘에 받는 그 고통을 생각할 때 나는 가슴이 다시금 찌들하고 쓰려졌다.

“저 어머니가 무엇을 알리? 차라리 꾸지람이라도 실컷 들어두자.”

하는 가엾은 생각에 죽은 듯이 엎드려 있었다.

방안에 공기가 쌀쌀하게도 움직이더니 납을 녹여 붓듯이 무겁게 가라앉는다.

“이애 밥 안 먹겠니?”

어머니의 노기는 한없이 올라가다가도 풀리기도 잘한다. 그것은 마음이 약 하신 어머니는 모든 짜증과 괴롬에 문득 속이 상하시다가도 그 속풀이를 하는 곳이 언제든지 얼토당토않은데 마주치고 만 것을 스스로 깨달으면 곧 눈물로 변해서 사라지고 만다.

언제든지 밤참을 꼭꼭 잡수시는 어머니다. 내가 돌아오기를 기다려 지금까지 잡숫지 않은 모양이다. 나는 새삼스럽게 가슴이 차게 놀랐다. 갑자기 어떻게 대답을 해야 좋을지를 몰랐다.

“안 먹겠어요.”

연극연습을 하던 때는 어느 정도까지 시장함을 느꼈었으나 지금은 모가지 까지 무엇이 꼭 찬 것 같았다. 뒤미처

"먹지 않아? 왜 안 먹어!"

어머니는 조금 불쾌한 어조로 다시 권하셨다. 잇따라 숟가락이 놋쇠 그릇에 칼칼스럽게 마주치는 소리가 났다.

얼마 후에 또다시 "이애 밥 먹어라. 네 오라비는 저렇게 떨고 있으련마는 그래도 나는 이렇게, 나는 먹는다. 저 나오는 것을 보고 죽으려고…" 목 메인 한숨과 함께 숟가락을 집어 던진다. 나는 지금까지 참았던 울음이 와락 치받쳐 전신이 흔들렸다.

이윽고 다시 담배를 넣기 시작하시던 어머니가 지금까지의 것은 모두 잊어버린 것 같은 부드러운 말소리로 다시 권하셨다.

"배고프지! 좀 먹으렴."

나는 감격에 받쳐 다시 가슴 찌르르 하여졌다. 나 까닭에 썩는 속을 오빠를 생각하여 눌러버리고 오빠를 생각하여 애끊는 장을 그나마 조금 편히 곁에 앉힌 나를 위하여 억제하려는 가슴은, 어머니 나는 그 어머니의 가슴을 잘 안다. 그 괴로움을 숨 쉴 때마다 느낀다.

기어이 몸은 일으켜 다만 한 숟가락이라도 먹어 보이고 싶으리만치 내 감정은 서글펐다.

천천히 마루로 나가시는 어머니가 얼마 후에 손에 식혜 한 그릇을 떠가지고 들어오셔서 내 옆에 갖다 놓으시며…

적빈

글 _ 백신애

그의 둘째 아들이 매촌(梅村)이라는 산골에 장가를 간 후로는 그를 부를 때 누구든지 '매촌댁 늙은이' 라고 부른다. '늙은이'라는 위에다 '매촌댁'이라고 특히 '댁'자를 붙여 부르는 것은 이 늙은이가 은진 송씨(恩津 宋氏)인 고로 송우암(宋尤菴) 선생의 후예라고 그 동리에서 제법 양반 행세를 해오든 집안이 친정으로 척당이 됨으로서의 부득이한 존칭이다. 그러나 지금에 와서는 존칭으로 '댁'자를 붙여 준다고는 아무도 생각지 않았다.

아무래도 '매촌댁 늙은이'하면 의례히 '더럽고 불쌍하고 남의 일 해주는 거지보다 더 가난한 늙은이다'하는 멸시의 대명사로 여기는 것이었다. 그뿐 아니라 요즈음에 와서는 '매촌댁 늙은이'라고 '댁'자를 쑥 빼고 부르는 사람도 있어졌다. 그래도 늙은이는 그것을 노엽게 생각할 만한 양반에 대한 애착심이 낡아빠져서 아무런 생각도 느끼지 않았다.

몇 해 전 그가 늘 허드렛일을 해 주러 다니는 그 동리 면장의 집 아들이 장난말 끝에 "늙은이의 이름이 뭐요?" 하고 물었다.

"히힝, 내 말인가. 늙은이가 무슨 이름이 있어!"

"그래도 왜 없어요. 똥덕이었소, 개똥이었었소?"

하며 놀려대는 것이었다. 그는 젊은 놈이 당돌하게 늙은이의 이름을 묻는다는 것이 와락 분해져서 "왜? 나도 예전에는 다 귀하게 큰 사람이요. 우리 할아버지는 송우암 선생의 자손이요 글이 문장이라오. 내 이름도 할아버지가 귀한 딸이라고 귀남 이라고 지었다오!" 하며 자기도 옛 세월 같았으면 너희들은 감히 나의 집에도 만만히 못 들어올 상놈들이다 하는 뜻을 암시하여 양반 자랑을 한 것도 지금 생각하면 다 우스운 일이었다.

"돈 없고 가난하면 지금 세상은 이런 것." 이라 하는 것만은 날이 갈수록 더 똑똑하게 알려질 뿐이었다.

가난하다면 이 매촌댁 늙은이보다 더 가난할 수는 없는 것이다. 거의 맏아들은 오래 전에 죽어버린 자기 남편과 마찬가지로 '돼지'라고 별명을 듣는 멍청이였다. 모든 일에는 돼지같이 둔하고 욕심 많고 철딱서니 없고 소견 없는 멍청이면서도 술 먹고 담배 피우는 데 일당백이었다. 그래서 남의 집에서 품팔이라도 하면 돈이 손에 들어오기 바쁘게 술집으로 쫓아가는 것이었으므로 몸에 입은 옷이라고는 자칫하면 감추는 물건이 벌렁 내다보일 지경이었다. 그 동생은 스물여덟에 남의 집에서 고용살이로 모았던 몇 량 돈으로 매촌으로 장가를 들고 얼마 남은 것으로 형 되는 '돼지'도 장가를 들여 주려고 했으나 눈 빠진 사람이 아니고는 그에게 딸을 내어줄 사람이 없었다. 그러나 이렇게 못난이 '돼지'라도 사위를 보려는 사람이 있었다.

그는 스무 살이나 먹도록 시집 못 보내고 둔 벙어리 색시의 아버지다. 돼지는 벙어리라고 하므로 생각할 인물이 못되어 '계집 얻는다'는 것만이 좋아서 싱글벙글하며 넓적한 콧구멍을 벌렁거리며 장가를 들었다.

늙은이는 아들 둘을 다 장가보내고 나니 이제는 걱정할 것이 없다고 생각했으나 장가를 보내고 나니 걱정은 더 많아졌었다. '돼지'는 한날한시로 술만 찾아다니고 벙어리는 매촌의 아내와 같이 있는 늙은이에게 와서 배고프다고 우는 것이었다.

매촌이는 장가 든 후에도 고용살이를 하는 고로 그의 아내는 늙은이와 날만 새이면 남의 집으로 돌아다니며 일 해주고 밥 얻어 먹고 해야 살아오므로 고용살이로 받은 돈은 그대로 남겨두게 되었다. 남겨둔다 하더라도 1년에 3원 내외이나 늙은이는 백만 재산 같이 귀중히 여겨 몸에 걸칠 옷 한 가지 바꾸어 입을 것이 없는 것은 생각할 줄도 몰랐다. 아주 옷이 없어지면 산골로 돌아다니며 무명베 짜는데 품팔이를 한다. 산골에서는 예전과 같이 아직 까지도 제 손으로 옷감을 짜는 것이다. 한 필을 짜면 무명베 몇 척씩을 삯으로 받아가지고 며느리와 한 가지 자기 한 가지씩 옷을 해 입는 것이었다.

때로는 벙어리도 데리고 다니며 일을 거들어주며 밥을 얻어 먹이기도 하는 것이었다. 밥 한 끼 얻어먹는다는 것이 무슨 큰 품삯이나 받는 것 같이 그 들 셋은 뼈가 부서지도록 일을 해 주고 돌아다녔으나 그래도 별 걱정은 없었다.

"어서 몇 백 냥 모이게 되면 그것으로 남의 논이나 밭을 대지(貸地, 세를 받고 땅을 빌려줌)로 얻어서 제 농사를 해 보리라." 하는 것만이 매촌의 부부와 늙은이의 유일한 희망이었다.

매촌이가 장가 든 지 4년 만에 이럭저럭 뼈를 깎아 모은 돈이 2원 모자라는 60원이나 되었다. 매촌은 그 돈 중에서 50원을 떼어 일간 토옥 다 허물어져가는 것을 사가지고 생전 처음으로 자기의 집이라는 것을 가지게 되었다. 늙은이도 기뻐했던 것이다. 그랬더니 남은 돈 사십삼 원으로 대지를 하기 전에 홀딱 날려 보내고 말았다. 동리에서도 똑똑하고 잘 하는 신용 있는 매촌 이었으나 한꺼번에 많은 돈을 쥐고 보니 가뜩이나 마음이 벙벙한데다가 돈 냄새를 맡고 다른 동리 알부랑 노름꾼들에게 속아 넘어서 하루 밤에 후딱 날려 보내고 만 것이었다. 매촌은 두 눈에 불이 켜고 뼈가 녹은 것 같이 쓰라리게 아까워서 죄 없는 담뱃대만 힘껏 두들겨 부수었다.

손에 쥐인 것 같이 믿고 믿었던 농사하는 그들의 꿈은 그대로 애처롭게 물거품으로 돌아가고 말게 되었으므로 늙은이는 온 밤이 새도록 아들을 조르며 죽는다고 목을 놓고 우는 것이었다.

"죽일 놈들 도적놈들 내 돈 사십삼 원을 그대로는 못 먹을 것이다."

매촌은 딱 버티고 앉아 이를 갈았다. 그러나 한번 낚긴 돈이 아무리 간장을 녹인들 도로 제 손 안에 들어올 리가 없는 것이었으나 그래도 매촌은 제 돈 찾으러 매일같이 노름판에 드나들었다. 그러는 중에 그는 제 자신도 모르는 사이에 어느 동리 한탕 노름꾼으로 변하고 말았다. 단순한 매촌 이었었던 만큼 그의 변화는 쉽고 빠른 것이었다.

늙은이와 며느리는 태산같이 믿었던 매촌이가 그 모양이 되고 오직 하나 희망이었던 제 농사짓는다는 것도 꿈으로 돌아간 후 죽지도 살지도 못할 판에 끼여 한결같이 남의 집에 다니며 입만은 살아갔다. 일 년 열두 달 남의 솥에 익혀 낸 것만 얻어먹는 그들이라 비록 일은 해주고 먹는 것이라 해도 동리 사람들은 공밥을 먹이는 것같이 그들을 천대하는 것이다. 늙은이에게 서 '매촌댁'의 '댁'자를 쑥 빼고 '매촌댁 늙은이'로 붙이게 된 것도 이때부터이다.

큰아들 돼지나마 이제는 심을 채울 나이도 된지 오래였건마는 그는 술 한 잔이면 제 목이라도 베어줄 작자였으므로 죽도록 일을 해 주고도 술만 얻어먹고 그대로 오는 것이었고 벙어리는 또 저대로 밥만 얻어먹고는 죽을 똥 살 똥 일을 해 주는 것이었다. 그러나 이중에도 불행이 하나 더 덮쳐 돼지는 그 마을에서 쫓겨나게 되었다. 그것은 몇 날 술을 먹지 못하여 못 살 지경에 이른 돼지가 한 꾀를 생각해 가지고 술집에 가서 술 한 잔만 주면 나무 한 짐 해다 주겠다는 약속으로 먼저 술 한 잔을 얻어먹었다. 그리고는 갖다 줄 나무가 없어 나무 베기를 엄감하는 사방공사(沙防工事, 사방 시설을 하는 공사) 해 놓은데 같이 한 짐 잔뜩 버려지고 내려오다가 일꾼 대장에게 들켜 나뭇짐은 나뭇짐대로 다 빼앗기고 죽도록 얻어맞고 술집 마누라까지 무한 욕을 먹고 한 까닭에 그는 그 동리에서 쫓겨난 것이었다. 그 길로 매촌에 왔으나 매촌이 역시 알부랑(아주 못된 부랑자) 노름쟁이라 하는 수가 없었다. 그래서 그는 하는 수 없이 5 리가량 떨어진 동리에 가서 남의 집 곁방살이로 들어갔다. 방세는 내지 않더라도 그 집의 바쁜 일은 거들어 주겠다는 약속이었다. 그러나 당장에 입에 넣을 것이 없었으므로 벙어리를 두들기며 밥 얻어오라고 하는 것이었으나 벙어리는 이미 당삭이 된 커다란 배를 가리키며 서럽다는 듯이 우는 것이었다. 그래도 돼지는 어떻게든지 해서 양식을 얻어올 궁리는 하지 못하고 벙어리를 조르다가 지치면 그의 어머니인 늙은이가 무엇이나 가져다주지나 않나! 하는 택(도저히 될 가망이 없다)도 없는 꿈을 꾸며 뒹굴뒹굴 하기만 하는 것이었다. 이따금 담배 생각이 나면, 들에 나가서 '씰랭이'의 꽃을 따다가 대에 넣어가지고 쥐새끼 소리를 내며 빨아대는 것이었다.

벙어리는 자기 뱃속에서 꿈틀 꿈틀하며 태아(胎兒)가 놀면 몸서리를 치며 무서워했다.

"빌어먹을 년, 어린애가 그러지 않냐 겁은 왜 내?" 하고 벼락같이 소리를 지르나 알아듣지 못하고 "끙끙…" 하는 소리로 울며 자기 배를 쿡 쥐어지르는 것이었다. 하루 한 끼도 얻어먹지 못하는 그들이라 벙어리의 커다란 두 눈은 소눈깔같이 험악하였다. 늙은이는 어느 날 밤에 큰 호랑이 두 마리가 꿈에 보이더라고 하며 그 이튿날 아침에 매촌의 아내를 보고 꿈 이야기를 하는 것이었다.

"아마도 오늘 내일 간에 너희 둘이다 아들을 낳을란가 보더라…" 하며 신기하다는 듯이 며느리를 바라보는 것이었다. 매촌의 아내도 벙어리와 같이 당삭 있다던 것이다.

"한꺼번에 둘이 다 해산을 한다면 이 일을 어쩔까 작은 며느리는 그래도 해산 후에 먹을 것이나 준비해 두었지마는 저 벙어리를 어떻게…"

혼자 생각하다 못해 노란 것, 흰 것, 검은 것이 한데 섞인 몇 가락 안 되는 머리를 손가락으로 감아서 꿍쳐 매고 누덕누덕 집은 적삼에 걸레 같은 몽당치마를 입고 빨리 집을 나섰다. 그는 그 길로 바로 단골로 다니며 일 해 주는 집들을 돌아다니며 사정 이야기를 하고 얼마만큼만 꾸어주면 나중에 그만큼 일을 해주리라고 애원을 해도 한 집도 시원하게 대답하지 않았다

"모다 그 늙은이는 참 그런 이들을 자식이라고 걱정을 해 먹일 것도 없을 줄 알며 어린애는 왜 만들었어?"

하고 비웃고 핀잔주고 놀려주고 할 뿐이었다. 늙은이는 이지러지고 뿌리만 남은 몇 개 남지 않은 이빨을 드러내며 "히에…" 하고 고양이같이 웃어 보이는 것이었다. 웃으면 곯아 비틀어진 우붕 뿌리 같은 그 얼굴에 누비질한 것 같이 잘게 깊게 잡힌 주름살이 피며 주름 사이에서 햇빛을 보지 못한 살이 받고 지운 것 같이 여기저기 드러나는 것이었다.

"그러게 말이지. 자식 놈들이 몹쓸 놈이지. 그저 벙어리가 불쌍

해서 그러는 거요…" 하고는 다시 한 번 "히에…" 웃어 보이고 돌아서 나오는 것이었다.

그는 행여나! 하는 생각으로 마지막으로 또 한 집에 들렀다. 오랫동안 천대받고 학대받아 온 늙은이라 남들의 냉정한 것을 슬프게나 원망스럽게 느낄 줄 몰랐다. 그리고 낙심할 줄도 몰랐다. 마지막 들린 집에서는 쉽사리 동정을 하는 것이었다.

"에구, 불쌍해라. 아이는 하필 저런데 가서 잘 테이거든…"

하며 쌀 한 되, 보리 두 되, 장 한 그릇, 미역 한 쪽, 명태 한 마리를 별 말없이 내어주는 것이었다. 밥 한 그릇에 온 전신이 녹도록 고맙다고 생각 하는 이 늙은이라 이렇게 과분한 적선에는 도리어 고마운 줄 몰랐다. 그의 고마움을 느끼는 신경은 너무나 한도가 적었던 까닭이라 그의 신경은 모조 리 감격에 차고 이 여러 가지에 대한 감사를 일일이 다 느끼기에는 그의 신경이 모자랐던 것이다. 늙은이는 채 머리만 절래, 절래 흔들며 연방 혀끝으로 콧물을 잡아 뜯더니 닦았다. 아무 고맙다는 인사도 없이 그는 여러 가지를 바구니 속에 넣어가지고 머리에 이었다.

그 집을 나와 한참 돼지 있는 마을을 향해 걸어가다가 그는 힐끔 한번 뒤를 돌아보고는 얼른 바구니에서 명태를 끄집어내어 품속에 감추었다.

"이것은 작은 며느리 해산하거든 주지."

그는 벙어리만 중하게 생각하는 것 같아서 명태는 감추었다가 작은 며느리를 주려는 것이었다.

돼지가 있는 방 지게문을 덜컥 열어젖히니 방안에서는 더운 김과 퀴퀴한 냄새가 물씬 솟았다. 돼지는 혼자 방에 누웠다가 부스스 일어나 앉았다.

"그것 뭐요. 배고파라!" 하며 힐끔 아래서부터 옆으로 늙은이를 쳐다보는 것이었다. 그 모양이 정말 돼지 같아서 늙은이는 속으로 쓴웃음을 쳤다. 방안 모양도 돼지우리 같았거니와 그의 느린 동작과 조그만 눈이 살그머니 흘겨보는 상은 병들은 돼지 그대로였다. 다만 한 가지 참 돼지처럼 살이 툭툭 찌지 않은 것만이 다를 뿐이었다.

늙은이는 지긋지긋하게도 ○○ 망나니인 두 아들을 원망이나 미워하는 것도 이제는 그만 지쳐서 그대로 잠자코 방으로 들어갔다.

"그것 뭐요!"

입 가장자리가 뽀얗게 침이 타 붙은 것을 손등으로 슬쩍 닦으며 배고파 못 견디겠다는 듯이 재차 묻는 것이었다.

늙은이는 혼자 중얼거리며 연방 채머리를 절래 흔드는 것이었다. 작은 며느리는 해산하면 먹는다고 쌀 다섯 되 보리 한 말을 준비해 두기라도 했거니와 벙어리는 지금 당장에 굶고 있는 판이니 그 일이 난감하였다.

"무엇이야 아무것도 아니지. 젊은 것이 해산을 하면 무엇을 먹으려고 밤 낮 이러고만 있어."

늙은이는 목에 말라붙은 것 같은 적은 소리로 노하지도 않고 곱게 타이르는 것이었다.

"일하러 갈라고 해도 배고파서…"

"그렇다고 누웠으면 하늘에서 밥이 떨어지냐. 젊은 것은 어디 갔어?"

"뒷산에 나물 캐러 갔는가…"

늙은이는 네 손가락으로 뒤통수를 덕덕 긁으며 답답해 못 견디겠다는 듯이 벌떡 일어섰다.

"이것은 해산하면 먹일 약(藥)이다. 손도 대지 말아라!"

하고는 가지고 온 바구니를 윗목에 밀어놓고 밖에 나와 짚을 한숨 쥐어다가 그 위에 눌러 덮었다.

"정말 이것은 손을 대지 말아라. 아이를 낳으면 먹일 약이다."

늙은이는 열 번 스무 번 당부를 하는 것이었다.

"음! 그래 웬 잔소리는…"

하고 돼지는 온 몸뚱이의 껍질만 남겨두고 모든 정신이 그 바구니 속에 쏠리어 늙은이의 말은 지나가는 바람소리로만 여기는 것이었다. 늙은이는 돼 지의 속마음을 잘 들여다 볼 수 있었다. 아무리 당부해도 그 말을 실행할 돼지가 아닌 것도 잘 알았으나 조금이라도 아껴 먹도록 하라는 뜻으로 자기도 몇 번이나 부탁만은 하는 것이었다. 그러나 아무리 지혜 없는 '축신이' 돼지라 할지라도 사십에 가까운 사나이에게 양식을 약이라고 말하는 자기가 서글프기도 하였거니와 그들에게 있어서는 양식이라는 것은 생명 줄을 이어 주는 귀하고 중한 약이 아니고 무엇이냐. 밥을 약과 같이 먹어야 하는 너희들이 아니냐 하는 생각도 났으므로 늙은이는 다시 또 입을 닫지 않고 그 방을 나섰다. 집으로 돌아오는 길에도 행여나 벙어리와 마주칠까 해서 명태 한 마리는 품에 숨긴 채 왼편으로 그 위를 누르고 빨리 돌아왔다 작은 며느리는 일하러 나가고 없었으므로 부엌 한 옆에 구멍을 파고 넣 어둔 쌀 항아리 뚜껑을 열고 명태는 쌀 속에 파묻어 두었다. 그리고 자기도 어디 가서 좀 일을 해주고, 점심을 때우리라는 생각으로 그대로 집을 나왔다

그는 그 길로 면장의 집으로 갔다.

"늙은이, 어서 오소. 이 애가 웬일이요!"

하며 면장의 마누라는 세 살 먹은 계집애를 안고 마루에서 어

쩔 줄 몰라 하는 판이었다.

"왜? 어디가 아픈가?"

늙은이는 얼른 마루로 올라가서 익숙한 솜씨로 어린애의 이마와 가슴을 만 져보았다.

"지금까지 뜰에서 놀던 것이 갑자기 이 모양이야!"

어린애는 정말 열이 나고 괴로운 울음을 우는 것이었다.

"별일 없어요. 어디 봅시다."

늙은이는 어린애를 받아 안고 오므려진 입술을 더 오므려 가지고 가만가만 히 가슴과 배를 만지는 것이었다. 평생에 하도 많이 남의 집을 들어 다닌 늙은이라 남의 앓는 것도 많이 보았거니와 고치는 것도 많이 보고 듣고 해 온 것이라 지금에 와서는 웬만한 병은 자기의 생각나는 대로 조약도 가르쳐 주고 '객귀'도 물어주고 채정도 내려주고 하여 신출내기 의원보다 동리에 서는 더 믿는 것이었다. 그러므로 면장의 마누라도 늙은이에게 안심하고 아이를 맡기는 것이었다.

과연 어린애는 이윽고 소화되지 않은 음식을 토하기 시작하더니 한참 만에 그대로 잠이 들었다. 늙은이는 "후…." 한숨을 하고 툇마루로 나와 앉으며, "한숨 포근히 자고 나거든 노글노글한 조당수나 끓여 먹이고 저녁도 먹이지 말고 그대로 재우면 별 일 없을 것이요." 하였다.

마누라도 안심한 듯이 늙은이에게 줄밥을 참견하였다. 늙은이는 밥과 반찬 찌꺼기를 얻어 가지고 툇마루 한 옆에서 씹지도 않고 묵턱묵턱 삼키기 시작했다.

"에구, 늙은이. 천천히 좀 먹으면 어떤가. 그렇게 막 삼켰다가 걸려 죽으면 어째…."

마누라는 늙은이의 밥 먹는 양을 바라보다가 주의를 시키는 것이었다.

"히엥…."

늙은이는 애교 있는 웃음을 웃고 간청어 꼬리를 뼈째로 모조리 묵턱 베어 우물우물하더니 입이 움쑥하며 꿀꺽 소리를 내고 삼키는 것이었다.

"에그머니, 뼈를 막 먹네."

"히엥! 걱정하지 마소. 죽어도 먹다가 죽는 것은 복이 아니요?"

그는 그의 버릇인 "히엥" 하는 고양이 웃음 같은 소리로 한 번 더 웃어 보이고 연방 주먹만 한 밥숟가락이 오르내렸다.

"저 늙은이의 창자는 무쇠로 된 것이야!"

마누라는 자기도 침을 삼키며 찬장에서 먹던 김치찌개를 더 내어주었다.

늙은이는 지금까지 먹으라고 주는 것을 사양해 본 적이 없는 판이라 주는 김치도 넙적 받아 국물부터 후루룩 삼켜 보는 것이었다. 그의 몸뚱이는 곯아 비틀어졌어도 오직 그의 창자만은 무쇠같이 억세고 든든하였던 것이다.

지금까지 배앓이를 해 본 적이 없는 그이었다. 그 날은 이것저것 거들어 주고 저녁까지 얻어먹고 돌아 나올 때 마누라는 늙은이의 치맛자락에 보리 두어 되를 부어 주었다.

"에구, 이것은 왜?" 하면서도 사양하지 않고 그대로 집으로 돌아왔다. 그는 그 보리를 가져다가 헌 누더기 조각에 싸 가지고 며느리 몰래 부엌 나무더미 밑에 감추었다. 벙어리의 양식이 없어지면 가져다주려고….

그런지 며칠 만에 벙어리가 해산 기미로 누웠다는 통보를 듣고 부랴부랴 달려간 때는 오정이 훨씬 지나서이다. 방문을 덜컥 열어 젖히니 벙어리는 죽겠다고 머리를 방구석에 틀어박고 끙끙하며 손으로 벽을 쥐어뜯고 있고 돼지는 조급한 듯이 연기도 나지 않는 담뱃대만 쪽쪽 빨며 쥐새끼 소리를 내 고 앉아 있었다.

"언제부터 저러냐?"

늙은이는 방에 들어가 앉으며 아들에게 묻는 것이었다.

"몰라요. 어제 밤부터 아직까지 물도 한 모금 마시지 않네요!"

늙은이는 벙어리의 고통을 잘 알았다. 아무것도 먹지 못해 기운이 없어 속히 어린애를 낳지 못하는 것이다 하는 생각이 들자, "전에 가져다 준 것 어디 있어?" 하고 물었다.

"뭐? 그거 다 먹었지."

"뭐? 언제?"

늙은이는 기가 막혔다. 그까짓 쌀 한 되 보리 두 되를 먹는다니 입에 붙일 것이나 있었으리요마는 미역까지 다 먹었다는 말에 와락 속이 상했다.

"빌어먹을 놈, 그것을 죄다 먹다니…"

기운이 없어 아이를 속히 낳지 못하고 끙끙 하는 벙어리를 앞에 두고 늙은이의 가슴은 어리둥절하였다. 우선 조금 남아 있는 장으로 솥에 찬물 한 바가지를 붓고 물을 끓여 벙어리에게 두어 숟갈 먹였더니, "아버바!" 하는 고함소리와 함께 방바닥에 새빨간 고깃덩어리가 떨어지며 "으아!" 하고 힘 있는 첫소리를 쳤다. 늙은이는 탯줄을 끊으려 해도 가위도 아무것 도 없어 생각하는 판에 돼지가 달려들어 입으로 탯줄을 석컥 베었다. 방바닥이라 해도 문 앞에 다 떨어진 사리 자리가 손바닥만치 깔려 있을 뿐이었으므로 어린애는 맨 흙 위에 그대로 누어 새빨간 팔과 다리를 꼬무락거리며 입술을 오무락거리고 있었다. 늙은이와 돼지는 얼른 어린애의 다리 사이를 헤치고 보았다. 조그만 무엇이 달리어 사나이라는 것을 뚜렷이 증명하고 있었다. 늙은이는 갑자기 두 팔을 덜덜 떨며 두리번 두리번 살피다가 하는 수 없이 손 빠르게 자기의 치마를 벗어 어린애를 싸가지고 자리 위에 눕혔다.

벙어리는 죽은 것 같이 늘어져 누워 있었다. 돼지는 뜻도 없던 말소리를 혼자 분주히 중얼거리며 담뱃대를 쥐었다 놓았다 벙어리를 만져보았다 하는 것이었다. 늙은이는 잠시 가만히 앉아 예순셋에 처음으로 보는 손자라 그런 자기의 가슴은 감격에 꽉 차가지고 웬일인지 눈물이 줄줄 흘러내렸다. 연해서 안태(胎)를 낳자 그만한 피를 감당할 수 없어 떨어진 '가마니' 쪽에 다가 태를 움켜 담아 돼지를 시켜 뜰 한 옆에 가서 불사르라고 시켰다.

"저것을 무엇을 먹일까!"

늙은이는 자기 집 나무 밑에 감추어둔 보리 두 되가 생각났으나 지금 그것을 가지러 가려 하니 몸을 빼서 나갈 수 없고 돼지를 시키려니 작은 며느리에게 들킬까 걱정이 되어 자기 팔이라도 베이고 싶었다. 그럴 때 집주인 마누라가 이 모양을 알아채고 쌀 한 그릇을 주는 것이었다. 늙은이는 그것으로 밥을 지어 벙어리에게 크게 한 그릇 먹이고 남는 것은 바가지에 긁어 담았다.

"그 년 어린애 낳고 아프지도 않나베. 밥이야 억세게 먹어댄다. 나도 배고파 죽겠는데. 제…기."

돼지는 뜰에서 태를 태우며 버럭 소리를 지르는 것이었다. 늙은이는 "빌어먹을 놈, '축신이'같이." 하며 바가지의 밥을 덜어서 돼지를 주고 자기는 손가락에 묻은 밥알만 뜯어 먹었다. 어린애도 만지고 벙어리 몸도 단속하는 사이에 해는 저물어 갔다.

그는 남은 밥을 벙어리에게 먹여놓고 차마 어린 것을 덮어 준 치마를 벗기지 못해 떨어진 속옷 바람으로 어둡기를 기다려 자기 집으로 보리를 가지러 가는 것이었다.

작은 며느리가 알면 "보리는 누구 것이요. 왜 숨기었다가 가져가요." 하고 마음을 상할까 하여 그는 가만히 자기 집으로 들어갔다. 매촌이는 또 노름방으로 갔는지 며느리 혼자서 깜박거리는 호롱불을 켜고 옷끈을 끌러놓고 '벼룩' 잡는다고 부지직거리고 있었다. 늙은이는 자취 없이 부엌으로 들어가 나무 밑에 손을 넣어 살그머니 보리 꾸러미를 끌어내었다. 진작 도로 나오려다가 조금 멈칫 하고 생각한 후 재주 있는 '쓰리'와 같은 손짓으로 쌀 항아리 속에 손을 넣었다. 전날 쌀 밑에 감추어 두었던 '명태'가 쌀 위에 쑥 빠져나와 있었다.

"아이구, 며느리가 보았구나." 하는 생각이 들자 그는 얼른 항아리에서 손을 빼어 집을 빠져나왔다. 보리 뭉치만을 옆에 끼고 번개같이 달려가서 돼지에게 갖다 주고 "이것으로 죽을 쑤어 너는 조금씩만 먹고 어린애 어미만 먹여라!"고 몇 번이나 당부하고 자기는 다시 집으로 돌아오는 것이었다. 텅 빈 뱃가죽은 등에 가 붙고 입안과 목안은 송정으로 붙인 것 같이 입맛을 다시면 찢어지는 것 같이 따가웠다.

"저까짓 보리 두 되로 몇 날을 지탱시킬까." 하는 생각이 들자 그의 두 다리는 가리가리 힘이 빠지고 돼지와 매촌이의 못난 것이 새삼스럽게 얄미웠다. 그러나 눈앞에는 오늘 난 아기의 두 다리 사이에 사내란 또렷한 그 표적이 어릿어릿 나타나고 사라지고 하였다. 그는 이윽히 걸어가는 사이에 몹시 뒤가 마려워서 잠깐 발길을 멈추고 사방을 둘러본 후 속옷을 헤치려다가 무엇에 놀란 듯 재빠르게 걷기 시작하였다.

'사람은 똥 힘으로 사는데…' 하는 것을 생각해 내었던 것이다. 이제 집으로 돌아간들 밥 한 술 남겨 두었을 리가 없으며 반드시 내일 아침까지 굶고 자야 할 처지이므로 지금 똥을 누어 버리면 당장에 앞으로 거꾸러지고 말 것 같았던 까닭이었다.

그는 흘러내리는 옷을 연방 움켜잡아 올리며 코끼리 껍질 같은 몸뚱이를 벌름거리는 그대로 뒤가 마려운 것을 무시하려고 입을 꼭 다문 채 아물거리는 어두운 길을 줄달음치는 것이었다.

정조원

글 _ 백신애

1

해 지자 곧 돋은 정월 대보름달을 뜰 한가운데서 맞이한 경순은 손목시계를 내려다보았다. 아직 일곱 시가 되기까지 한 시간이나 기다려야 했으나 얼른 방 안으로 뛰어 들어가 경대 앞에 앉았다. 분첩으로 얼굴을 문지른 후 머리를 쓰다듬어 헤어핀을 고쳐 꽂고 치마저고리를 갈아입었다. 외투를 벗겨 착착 개켜 툇마루에 내놓고 안방으로 건너갔다.

"어머니, 잠깐 놀러 갈 테야." 하고 밀창을 방싯 열고 말했다.

"어디를 가? 혼자가나."

어머니는 그날 밤에 놀러 오기로 약속한 동네 부인네들을 기다리며 별로 의심하는 기척도 없이 순순히 허락하였다.

"내 잠깐만 놀다 올 테에요."

경순은 어머니에게서 더 무슨 말이 나오기 전에 얼른 문을 닫아주고 툇마루에 놓인 외투를 집어 들고 달음질하듯 대문을 나섰다. 아직 땅거미가 들 지 않아 너무 일찍 집을 나선 것이 후회되었다. 그러나 시계는 여섯 시 반 이었다.

'그곳까지 가려면 십 분은 걸릴 것이고 하니 지금 가더라도 별로 이르지는 않겠구나.' 하는 생각이 들어 그는 총총걸음을 쳐서 뒷동산을 향하여 발길을 옮겼다.

소나무가 드문드문하게 서 있는 산비탈을 올라갈 때는 먼 데 사람이 잘 보이지 않았으므로 그는 안심하고 소나무가 자옥한 산

꼭대기를 쳐다보며 걸었다

달맞이하던 사람들은 각기 집으로 흩어져간 지 오래인 산꼭대기는 쏴하는 바람 소리만 들렸다. 그는 한 소나무 둥치에 몸을 기대고 섰다.

시계는 아직 여섯 시 사십오 분이었다. 차차 서편 하늘에는 해님이 남기고 간 마지막 빛조차 사라지고, 둥근 달님 혼자서 온 천지를 비출 뿐이었다. 경순은 자주 시계만 들여다보는 사이에 무시무시한 생각이 들었다.

'만일 이대로 오지 않으면 어쩔까.' 하는 의심까지 터져 올라 연달아 사방을 휘휘 둘러보며 초조해하였다.

시계가 정각 일곱 시를 가리키는 것이 달빛에 간신히 보이자 그는 무서움을 더 참을 수가 없었다. 산 왼편 기슭에 있는 공동묘지 생각도 나고 소나무 가지에서 무엇이 떨어지지나 않는가 하는 생각도 났다. 그는 더 참을 수 가 없어 이리저리 걸어보다가, 시계가 일곱 시 십 분을 가리키자 모든 것을 단념하고 산꼭대기를 내려섰다. 산허리에는 키 작은 다복솔이 자욱하여 경순의 머리만 겨우 솔잎사귀 위에 솟았다.

그는 집으로 돌아가기로 결심이 된 후 더 무서움이 치받치어 그만 달음질을 치기 시작하였다.

"왜 가세요?"

어디서인지 사람 소리가 울려왔다. 그러나 경순은 두어 발 더 쫓으며 이 말소리를 듣지 못했다,

"잠깐 기다리세요, 경순 씨, 경순 씨."

이번에는 좀 더 크게 바로 경순의 등 뒤에서 부르는 소리가 들리자 경순은 무서움에 정신이 아찔하여 앞으로 고꾸라지고 말았다.

"나예요, 나예요, 정신 차려요."

외투를 입고 모자를 쓰지 않은 인섭이가 경순의 곁에 다가서며 급히 말했다

"아이고머니."

경순은 무서움과 놀라움에 부르르 떨며 벌떡 일어나자 인섭의 가슴에 폭 안기듯이 매달렸다. 인섭은 본능적으로 두 팔로 경순을 굳게 포옹하려다가 깜짝 놀라 팔을 멈추고 한 손은 무료하게 외투 주머니에 집어넣고, 한 손으로 경순의 어깨를 잡고 자기 가슴에서 밀쳐내듯이 하여 이윽히 묵묵한 채 서 있었다. 조금 진정이 되자 경순이 자신도 깜짝 놀라 얼른 한 걸음 물러서려 했으나, 그 순간 새로운 무서움이 확 치밀어 또다시 인섭의 외투 깃을 꽉 잡고 얼굴을 파묻었다.

"무서워요?"

인섭은 아무 의지의 판단을 기다릴 여가도 없이 무의식간에 경순의 등을 꼭 싸안고 말았다.

이 순간, 인섭이가 경순이를 자기 팔 안에 껴안았음을 알고, 경순이가 인섭의 팔 안에 안기었음을 인식하자 마치 무엇에 튕긴 것 같이 따로따로 떨어져 섰다.

"잘못했어요, 용서하십시오."

묵묵히 고개를 내려뜨리고 섰던 두 사람의 침묵을 인섭이가 먼저 깨트렸다

"어떻게 무서웠는지… 용서하십시오." 하고 그제야 경순이도 입을 열었다. 그러나 두 사람 사이는 또다시 침묵해 지고 말았다.

"경순 씨, 이것이 우리의 맹세를 깨트린 것이 될까요?"

얼마 후에 인섭이가 조용히 말했다. 경순이는 문득 불길한 예감

이 떠오르며 가슴이 떨리기 시작하였다.

인섭이와 경순이는 서로 사랑하는 사이였으나 이 사람에게는 서로 범하지 말자고 맹세한 한 가지 계율이 있었다.

이 계율이란 것은 “결혼식을 거행하기 전에는 서로 손이라도 잡지 말 일.” 이라는 것이었다. 이것을 어느 편이 먼저 제의했는지는 몰랐다.

불같이 뜨겁고 계곡물같이 맑고 샛별같이 아름다운 그 사랑과 열정을 모두 결혼하는 날의 즐거운 희망으로 남겨두려는 생각에서 이러한 계율을 지은 것은 아니었다.

“순결한 처녀의 몸으로 단 한 사람을 사랑하고 이 사람과 결혼하여 그 밤에 모든 것을 바치는 것이 참으로 정숙한 아내이다. 아무리 한 남자를 사랑하고 그 남자와 결혼한다 하더라도, 결혼 전에 그 남자와 손끝 하나라도 마주침이 있어서는 비록 정숙한 아내라고는 할 수 있으나 순결한 사랑을 한 순결한 처녀라고는 할 수 없다.” 라는 생각을 굳게 가진 경순이었음으로 그를 열렬히 사랑하는 인섭 역시 경순의 입에서 이러한 말을 듣기 전에 미리 이해하고 스스로 경순이의 생각을 존중하는 사이에 이러한 계율이 생겨나고 만 것이었다.

“순결한 처녀의 몸으로 결혼하겠다.” 하는 것이 경순이의 신조였으므로 가끔 순결한 처녀는 사랑도 하지 않다가 결혼하는 것이다, 하는 생각도 들었으나 이미 사랑은 하지 않을 수 없게 되었으니, 이 사랑을 순결한 사랑으로 기려 나가겠다는 결론을 얻게 되었던 것 이었다.

그러므로 그 밤에 더구나 하늘에 맑은 달님이 밝게 비치는 아래서 이 엄숙한 계율을 무의식간에 깨트리고 말았음에 두 사람이다 같이 놀라지 않을 수 없었다.

"경순 씨, 모두 내 잘못입니다. 용서하십시오."

인섭은 경순이가 너무 낙심하고 슬퍼할까 하여 위로하려고 애를 썼다. 그러나 경순이는 온몸을 떨며 절망에 가슴이 막혔다.

"이만한 것에 그같이 슬퍼할 것이 없습니다. 비록 맹세는 하였지만 결코 경순 씨의 순결을 상하게 한 것은 아닙니다. 더구나 무의식간이었고…."

인섭은 더 말이 나오지 않아 어떻게 해야 좋을지 몰라 했다.

"아아…."

경순은 그만 느껴 울기 시작했다. 그는 발을 구르고 그 산허리를 위로 아래로 구르고 싶을 만큼 안타까웠다.

"그러지 마세요. 그만한 것에 그다지 슬퍼하면 어떻게 해요. 장차 가까운 앞날에는 경순 씨의 전체가 나의 것이 될 게 아닙니까? 경순 씨처럼 너무 그렇게 생각하심은 좀 시대에 뒤떨어진 생각이요, 모순입니다. 나를 이미 사랑하신다면 그까짓 것쯤이야 고의라 하더라도 하등 경순 씨의 순결을 더럽힌 것이 되지 않습니다." 하며 인섭은 그 자리에서 경순이를 위로하려고 바싹 다가서 경순이 어깨에 손을 얹었다.

"싫어요."

경순은 인섭의 손을 뿌리치며 한 걸음 물러섰다. 그러나 인섭은 연달아 경순의 팔을 굳게 잡고

"오늘밤 같이 아름다운 달님을 마음껏 바라보며 즐거운 이야기나 하려고 이곳에 왔는데 그까짓 대수롭지 않은 것으로 공연히 노할 것은 없어요." 하며 경순의 얼굴을 들여다보았다.

"싫어요."

경순은 인섭에게 잡힌 팔을 베어버리고 싶을 만치 안타까워 팔을 연해 뿌리쳤으나 인섭의 손아귀는 점점 힘 있게 잡고 놓지 않았다.

"경순 씨는 나를 사랑하지 않습니까? 사랑한다면 그러실 것이 뭐예요."

인섭이는 달빛에 더욱 창백하여 떨고 있는 경순의 아름다움을 바라보며 어떻게 하더라도 어서 급히 그 맘을 풀어주려고 애를 썼다. 애를 쓰면 쓸수록 경순은 자꾸 물러서고, 또 인섭이가 물러서서 타이르려면 그대로 달아날 것 같기만 하였다.

"경순 씨, 그만하십시오. 이제 다시 맹세합니다. 네? 용서하세요."

인섭이는 경순의 태도가 너무 완고하고 그 순결에 대하여 너무 결백하며 너무 신경질임에는 얼마만치 머리가 무겁지 않을 수 없었으나, 이러한 순결에 대한 결백성이 모두 자기 한 사람을 위한 것임을 알기에 경순의 이러한 생각에 끝없이 감사하고 엄숙하게 여겨졌다. 그러나 인섭의 정열은 이 밤에 경순의 맘을 풀어놓지 않고는 견딜 수 없었다.

"경순 씨, 나는 맹세합니다. 당신 앞에 손을 들고 맹세합니다. 보세요. 이같이 맹세하지 않아요? 당신은 순결하고 고귀한 감정을 가지신 처녀입니다 이 세상에 당신을 빼놓고는 한 사람도 순결한 처녀는 없습니다. 비록 이제 우리의 맹세를 깨트렸다고 하나 이것은 허물이 될 것이 없습니다. 당신의 맘 그것만이 제일입니다. 나는 내 앞에서 당신이 백만 번 다른 남자와 포옹을 하고 키스를 한다 해도 허물치 않고 순결한 나의 애인, 정숙한 나의 아내라고 부르겠습니다. 맹세합니다."

인섭의 말소리는 떨려갔다.

"아아!"

경순은 인섭의 이 말에 어안이 막히고 전신이 웅크러져 두 귀를 꽉 막아 버렸다.

"왜 귀를 막아요." 하며 인섭은 뿌리치는 경순의 두 팔을 꼭 잡고 가슴에 힘껏 껴안으며 한사 코 몸을 빼내려는 경순을 놓치지 않고 기어이 자기 가슴속을 다 말해 듣게 하고 말리라고 결심하였다.

"경순 씨, 감사합니다. 당신의 그 맘은 하늘의 별보다 더 아름답습니다.

나는 맹세합니다. 꼭 들으세요. 비록 당신이 나를 버리고, 어떠한 남자에게 시집을 가더라도, 나는 당신을 순결한 나의 애인이라고 부르겠습니다. 나는 내 일생을 바쳐서라도 당신의 순결을 아니 순결한 그 맘만을 안고 살아가겠어요. 당신의 순결을 오직 당신의 맘에서 찾겠습니다. 당신의 육체는 어떠한 일이 있고, 어떻게 남에게 짓밟혀도 나는 관계치 않겠어요." 하고 부르짖었다.

그러나 경순은 인섭을 떠밀며 죽을힘을 다하여 몸을 빼내려 했다. 인섭은 이윽히 경순을 안은 채 서 있었다.

"나는, 나는 싫습니다. 놓으세요, 놓아! 아! 무서워, 아."

경순은 소리를 지르며 인섭의 가슴을 떠밀며 주먹으로 두들기기도 하였다

"아니 당신은 왜 이러세요. 나를 버리시려나요? 네?"

인섭은 허덕이며 물었다.

"싫어, 나는 싫어, 아!"

"내가 밉나요? 왜 내 말을 들어주지 않습니까."

"싫어요. 싫어요, 아."

경순은 한결같이 몸을 틀었다.

"그러면 가십시오."

인섭은 경순을 놓았다. 경순은 한 걸음 비틀하며

"아, 나는 어떡해. 아! 어떡해." 하고 발로 땅을 구르며 뛸 듯이 몸을 날려 산 아래를 보고 총알같이 달려갔다 경순의 전신은 불같이 뜨겁고 머리는 혼란하여 회오리바람이 부는 것 같았다. 자기 집 대문 안을 들어서서 자취끼 없이 건넌방인 자기 방으로 들어가 그대로 방바닥에 쓰러졌다.

"나는 순결한 처녀가 아니다. 내 몸은 망치고 말았다."

그의 생각은 인섭에게 한번 손을 잡힌 것이 처녀로서의 모든 자랑을 유린당한 것이나 조금도 다름이 없다고 생각하였던 것이었으므로, 인섭의 팔 안에 안기기까지 한 것을 생각하니 칼로써 자기 몸을 오려내고 싶도록 안타까웠다. 더구나, 자기가 먼저 인섭에게 달려가 안긴 것이었고, 인섭이가 떠밀려는 것을 무서워서 두 번째로 또 자기가 먼저 매달렸다 하는 것을 생각하니 그는 두 번 다시 인섭을 대할 면목이 없고, 또 순결한 처녀로서 순결한 사랑을 하고 정숙한 그의 아내가 되려고 하였던 자기가 이제는 모두 망쳐지고 말았다고 생각하였다.

안타까워 울음소리가 목구멍에 꼬깃꼬깃 매어 올라 안방에서 어머니와 어 머니의 친구들이 재미있게 이야기하는데 울음소리가 들릴까 하여 손바닥으로 입을 눌러 막았다.

2

산허리에 혼자 남긴 인섭이는 어찌할 바를 몰랐다. 이 해에 처음 비치는 등 근달 아래서 즐겁게 앞날의 포부와 감상을 이야기하며, 이 한해 동안에 많은 기쁨과 행복이 있으라는 축복도 주고받으려고 모처럼 남모르게 만나려던 것이 뜻밖에 이렇게 헤어지고 나니 얼마간은 몸도 움직이기가 싫었다. 경순의 그러한 태도는 가장 순결하고 엄숙한 것이라고는 할 수 있으나 이미 서로 굳게 사랑하는 사이인데 한 번 포옹에 그다지 심한 고통을 하는 것은 순결에 대한 감정이 너무 지나쳐 병적이라고도 할 수 있다고 생각하였다. 그는 무서움에 자아를 잃어버리고 나에게 매달린 것이요, 나 역시 무의식간에 그를 껴안은 데 불과하지 않았느냐. 이만한 것은 서로 웃고 두 번 다시 그런 부주의한 일은 없도록 경계하자고 하면 그만일 것이 아닌가. 비록 그가 결혼하기 전에는 손끝도 한번 마주침이 없고 서로 맘속으로만 사모하는 것이 가장 옳다고 믿으며, 자기의 모든 것은 결혼식을 이룬 후 비로소 허락하려고 오직 그날만 바라고 고대하며 타오르는 정열을 죽을힘을 다해 참고 견디어 왔던 것이 무의식간에 깨트려지고 말았으니 안타깝기는 할 것이지만, 그 상대가 나인 이상 그같이 노하여 달아남은 너무나 심하지 않을까. 혹 또 그가 먼저 나에게 매달린 것을 괴로워함이 아닐까. 그렇다면 나도 그런 괴로움을 하지 말라고 억지로 그를 끌어안은 것이 아니었던가, 하고 생각하니 두 다리에 맥이 풀리는 듯하여 겨우 자기 집으로 돌아왔다.

인섭은 지난 해 ××××의학전문학교를 졸업한 후 그 고을 동명병원이라는 개인병원에서 자기의 연구도 할 겸 외과를 담당하여 있었다. 자기 집은 얼 마 되지 않는 재산이었으므로 인섭이가 졸업하자 인섭의 도움이 없이는 생활하기가 곤란할 지경이었다. 더구나 그 아버지는 무능력자라 집안에서 놀기만 하는 사람이요, 하나 누이는 시집가고 올해 중학교사 학년이 되는 동 생뿐이었기에 그 가정의 책임은 장자인 인섭이가 혼자다 지지 않을 수 없게 되었었다.

자기 방으로 들어간 인섭이는 이윽히 책상에 팔을 고이고 앉았다가 경순에게 편지를 썼다. 쓴 편지를 주머니에 집어넣고 다시 집을 나오기는 했으나 경순에게 시급히 전할 도리가 없었다. 한참 길거리를 돌아다니다가 삼 전 우표를 사 붙여 우체통에 넣었다.

경순이는 그 이튿날 점심 때 인섭의 편지를 받아 급히 자기 방으로 들어갔다.

그러나 얼른 그 편지를 뜯어볼 수가 없었다. 이미 자기는 인섭의 편지를 받을 자격이 없다고 생각되었던 것이었다. 인섭의 정숙한 아내가 되려고 털끝만 한 티끌도 없는 순결한 처녀로 행복한 결혼을 기다리던 것은 수포로 돌아가고 말았다고 생각하였다.

'아무리 무서웠다 할지라도 처녀의 몸으로 남의 남자 가슴에 가 매달리지 않았던가. 더구나 인섭은 남자였으나 그 맹세를 잊지 않고 나를 밀어내려 하였다. 그러나 나는 또다시 그에게 매달렸다. 나는 그이보다도 부정한 행동을 하였다. 내가 자꾸 매달려 그로 하여금 마지막에는 나를 무리로까지 안고 놓지 않게 하였다. 그는 얼마나 나를 원망할 것이냐. 나의 순결을 얼마나 의심하겠는가. 남자에게 먼저 달려든 여자! 아아 나는 어떡해. 나는 두 번 다시 그에게 대할 면목이 없구나. 아! 부끄럽다.' 하는 생각이 끝없이 북받쳐 올라 인섭의 편지를 열어보기가 무섭고 부끄러웠다. 자기가 인섭에게 먼저 매달린 것은 천하에 용납 못할 천한 행동이며 아주 천하고 음탕한 여자가 취하는 행동이라고까지 생각하였었다.

그는 손에 쥐었던 편지를 그대로 책상 서랍에 집어넣어 얼른 닫고 몸서리를 치며 밖으로 뛰어나갔다. 인섭에 대한 열정은 어디로 가버렸는지 그의 가슴은 인섭에 대한 부끄러움과 무서움과 후회로 꽉 차고 찢어질듯 안타까웠고, 인섭에게 안겼던 것을 생각하면 몸서리가 나고 정신이 웅크러졌다.

'아! 나는 영원히 그를 대하지 않겠다.' 하고 부르짖었다. 그가 이렇게 인섭이를 영원히 대하지 않겠다는 결심이 들 때, 비로소 얼마만치 진정이 되었다.

그 후 인섭이는 늘 고민하며 경순의 답을 기다렸다. 그러나 경순에게는 답이 없었다. 일주일이 지난 후 또다시 편지를 했다. 그러나 또 일주일이 지나도 답이 없었다. 그는 초조해졌다. 어떻게 하더라도 한 번만 만날 수 있기만 바라며, 그런 기회를 얻기 위하여 자주 경순의 집 근처를 배회도 해 보았다. 모두가 헛수고였다. 그는 생각다 못하여 직접 경순의 부모에게 청혼을 해볼까도 생각하였었다. 거의 두어 달 동안이나 이렇게 지내는 동안에 문득 한 가지 의심이 생겨났다.

'아무리 경순이가 절망하고 노여웠다 할지라도 그만한 까닭에 이다지 냉정할 리가 없다. 그의 부모가 나의 편지를 도중에서 없애 버리는 것이 분명 하다.' 라는 생각이었다. 그래서 인섭은 이제는 편지를 보내는 것은 헛수고일 것이 며 그동안 경순이가 얼마나 나의 소식을 기다렸을까, 생각하면 잠시도 그대로 있을 수가 없었다. 하루 급히 경순을 만나 자기의 맘속을 잘 타일러서 고민 중에 있는 그를 구해야 되겠다고 생각하였다.

인섭이가 있는 병원 원장의 딸 명주는 경순이와 여자고등학교를 함께 졸업한 동무인 것을 인섭이는 알고 있었다. 경성 ××전문에 다니는 명주가 요즘 춘기방학이라 집에 돌아와 있는 것도 알고 있었다.

'옳지, 명주에게 한번 부탁해서 경순이를 나와 만나도록 해달라고 해보자.' 하는 생각이 문득 나자 인섭은 그날부터 명주가 병원에 나올 때를 기다려보았다. 그러나 명주는 좀처럼 병원에 나오지도 않고 병원과 잇대어 있는 원 장의 사택에서도 서로 마주칠 기회가 없었다.

그날은 웬일인지 환자도 별로 없고 하여 인섭은 경순이를 만날 계교를 생각하며 어떻게 해야 명주에게 부탁을 해볼까, 하는 생각에 젖어 있었다.

그때, 외과 진료실 문이 소리도 없이 열렸다. 인섭은 멍하니 창밖만 내다보며 하염없이 앉아 돌아다보지도 않았다.

"아파요. 약 좀 발라요!" 하며 원장의 어린 아들 석주가 명주와 함께 들어왔다.

"응? 또 어데 다쳤니?"

인섭은 돌아보지도 않고 그대로 앉아 귀찮은 듯이 대답만 하였다.

"저, 선생님."

조금 무게 있는 명주의 음성이 들리자 인섭은 깜짝 놀라 펄쩍 뛸 듯이 일어섰다.

"아이고, 실례했습니다. 석주 너 어데 다쳤나?" 하고 석주의 팔을 끌어 의자에 앉혔다.

"이제 엎어졌어요." 하고 명주가 불만인 듯이 말했다. 인섭은 뜻하지 않은 이 좋은 기회에 가슴 이 쿵덕 방아를 찧으며 기뻤다. 석주는 손바닥과 정강이를 조금 다쳤을 뿐 이었으므로 얼른 소독을 한 후 요오드포름을 묻혀 붕대를 감았다.

석주는 그만 밖으로 뛰어나갔다. 명주도 뒤따라 나가려 하므로

"명주 씨, 언제 상경하십니까?" 하고 인섭은 급히 불러 세우듯이 말을 건넸다.

"네? 곧 가겠습니다."

명주는 얼굴이 새빨개지며 돌아섰다.

"벌써 개학 때가 되었습니까?"

웬일인지 인섭이도 얼굴이 붉어졌다.

"아뇨."

"그러면 왜 벌써 가세요."

"……."

명주는 대답 대신 잠깐 미소하며 아랫입술을 깨물었다. 인섭은 어떻게 경순의 말을 꺼낼까 하고 궁리하였다.

"명주 씨는 이곳에 동무가 없습니까?"

명주 얼굴은 잘 익은 능금같이 붉어지며 고개를 내려뜨렸다. 인섭은 더 말을 꺼낼 수가 없어 무료히 담배를 꺼냈다.

"저, 이경순 씨를 모르세요?"

이윽고 인섭은 이 기회를 놓치지 않으려고 필사적 노력으로 이렇게 말하고 말았고 명주는 잠깐 인섭을 쳐다보았다.

"선생님, 경순이를 어떻게 아세요?" 하며 역습을 하듯 물었다.

"아니, 저야 잘 모릅니다만 제 친구가 자꾸 칭찬을 하니까."

인섭은 지금 명주 앞에서 바른말이 아무래도 나오지 않고 도리어 경순이 와의 사이가 청백한 백지라고 변명이나 하듯 이렇게 말끝을 흐렸다.

"경순이와는 여고를 함께 마쳤습니다만, 걔는 저하고 성질이 잘 맞지 않아서 친하지 못합니다."

명주는 지극히 안심이나 하듯 자기의 의시를 표명하였다.

"그렇습니까?"

"네, 경순이는 얌전하고 나는 말괄량이니까요." 하며 명주는 인섭을 또다시 쳐다보았다. 인섭은 가슴이 뜨끔해지며 등이 섬뜩하였다. 자기를 바라보는 명주의 시선, 그것은 경순이가 그 어느 때 자기를 바라보던 광채 나고 뜨거운 그 눈동자 속에 있던 그 시선과 꼭 같은 것이라고 느꼈던 것이었다.

인섭이는 얼마간 입이 꽉 막히고 말았다. 명주는 머뭇머뭇하며 자기 몸을 어떻게 가져야 옳을지를 잊어버린 것 같이 망설이다가 획 돌아서 문밖으로 달려갔다. 인섭은 멍하니 선 채 자기 역시 이 당장에 어떠한 표정을 가져야 좋을지를 몰랐다.

"선생님 계시나요?"

빨리 달려 나가는 명주와 하마터면 이마받이를 할 뻔하여 폼을 피하며 천만 뜻밖에 경순의 어머니가 들어왔다. 인섭은 가슴의 놀라움을 숨기려고 기침을 한번 크게 하고 담배에 불을 붙이며

"잘 오십시오." 하고 인사를 했다.

"네. 저, 이 손가락이 무단히 아파서요." 하고 인섭의 앞 의자에 와 앉으며 왼편 셋째손가락을 치켜들었다.

3

경순의 어머니에게 필요 이상으로 친절하게 치하를 하여 돌려보낸 후 인섭은 머리를 부둥켜안고 의자에 털썩 걸터앉았다. 명주에게 애원을 하든지 또는 간청을 하여 경순을 만날 기회를 지어보려고 생각하였던 것도 뜻하지 않은 명주의 묘한 태도로 말미암아 이 상야릇한 결과를 짓고 말았던 것을 생각하면 가슴이 혼돈해지지 않을 수 없었다. 그뿐 아니라 하필 그 장면에 경순의 어머니가 뛰

어든 것은 인섭의 머리를 극도로 어지럽게 하였다. 경순이 와 인섭의 사이를 전혀 모르고 있는 것이면 그래도 조금 나을 것이다. 만일 인섭이가 상상한 바와 마찬가지로 경순에게 가는 자기의 편지를 모조리 앞채여 읽고 있는 터이라면 자기는 얼굴을 들 수가 없을 만치 부끄러운 일이다 아무리 명주와 청백한 사이라고 변명한들 명주의 달려 나가던 그 태도를 보고 수상하게 생각하지 않을 수 없을 것이며, 그리고 만일 경순에게 이런 말이 들어간다면 그 결백한 성질에 얼마나 의심을 하며 괴로워할까, 하는 것도 큰 두통거리였다.

'어떻게 하면 좋을까. 아무래도 서로 만나야겠다. 지금은 오직 서로 만나 직접 이야기해보는 거 외에는 아무 좋은 수단이 없다.' 하는 생각을 하며 그는 불쾌한 그날을 보냈다.

경순은 인섭에게서 오는 편지를 한 장도 뜯어보지 않고 그대로 책상 서랍에 집어넣은 채 그 책상 가까이도 가지 않았다. 그의 부모는 처음부터 오늘까지 인섭과의 사이를 전혀 알지도 못했고 편지도 그리 수상하게 보지 않았으므로 한 장도 손대지 않고 꼬박꼬박 경순에게 전했던 것이었다. 만일 그 부모가 인섭과의 사이를 알아챘다면 더 한층 인섭이 편지를 받들었을 것이었다. 신분이라든지 사람 된 품위리든지 또는 외모풍채라든지가 인섭이를 두고는 그 고을에서 경순의 짝될 청년이 그리 쉽게 있을 리가 없다고 생각하며 자기네들 스스로가 은근히 인섭의 주위를 주의해오던 터이었던 것이다

경순의 어머니가 병원에서 돌아와 그 남편과 경순이 듣는 데서 "아마도 동명병원 외과 선생은 원장 딸 명주와 어떻게 됐는가봐." 하고 말하자 그 남편은 태연은 하나 조금 실망의 빛을 띄웠다. 경

순은 두 눈을 꿈쩍하며 하늘이 무너지는 듯 놀라 "누구하고?" 하고 자기 귀를 의심하듯 재차 물었다.

"걔, 명주하고 아마 좋은가봐. 내가 병원에 가니까 둘이서 치료실에서 얼굴이 붉어져 정답게 이야기하더구나." 하고 비웃듯 대답하였다. 경순은 벌떡 일어나 자기 방으로 달려갔다. 방바닥에 힘껏 그 몸을 내던지려다가 우뚝하니 선 채 부르르 떨며 두 눈만 끔벅끔벅하였다.

'나는 인섭 씨와 영원히 만나지 않으려고 결심하지 않았는가.' 하는 생각이 푹 솟아오르자 그는 힘없이 주저앉고 말았다.

'모두가 나의 잘못이었다. 그날 밤을 새까맣게 지워버릴 수 없는 이상 나는 그를 대할 길이 없다. 모두가 악마의 저주함이다.' 그는 이렇게 부르짖듯 하며 일어섰다. 그의 심사는 둘 곳이 없고 그 날 밤 이후 오늘까지 인섭이를 잊으려고 애쓰고 인섭에게 매달리던 그 두 팔과 인섭에게 안겼던 그 허리를 긁어내고 베어내지 못하여 하던 괴로움을 생각 하면 그의 마음은 집 잃은 작은 새끼새와도 같이 애가 끊어지는듯하였다.

"나는 장차 어떻게 할까…."

하는 생각이 들 때 그의 눈앞은 캄캄하였다. 다만 그 정월 대보름날을 인섭 이와 결혼한 날이라 믿고 그리고 자기는 그대로 있다 죽으리라. 그러면 모든 괴로움은 사라질 것이며 순결한 처녀로서 정숙한 아내로서 일생을 마칠 수가 있다고 깊이 생각되었다. 그러나 인섭에게는 다시 얼굴을 들 수 없는 천한 행동을 보였으니 그는 자기의 순결을 의심할 것이다 하는 생각이 들 며 다시 눈앞이 어두워지고 마는 것이었다.

며칠이 지난 후, 그는 참다못해 인섭에게 편지를 쓰기로 결심하였다.

이미 몇 백 번 입안에서 되씹고 가슴을 서리며 생각해오던 것을 그대로 쓰기로 하였다.

"마지막으로 올리는 글월이오니 버리지 마시고 읽어주십시오. 저는 어떻게 해야 좋을지 모릅니다. 그러나 그 지나간 정월 십오일을 나의 결혼 날 이라고 믿겠습니다. 그러면 저는 앞으로 살아있는 동안 얼마만치 위로가 될까 합니다. 인섭 씨와 저는 결혼하였던 것이 됩니다. 그러나 인섭 씨께서는 저를 용서하시지 않을 것을 잘 알고 있습니다. 인섭 씨의 허락도 없이 제가 먼저 인섭 씨에게 몸을 던진 천한 몸입니다. 영원히 행복 하십시오."

라고 편지를 썼다. 그러나 한 번 고쳐 읽어보니 무슨 말인지 인섭이가 잘 알아볼 수 없으리라고 생각되었다. 더 길게 많이 쓸 말이었으나 될 수 있는 대로 짧게 쓰려니까 이렇게 대중없는 편지가 되고 만 것이었다.

다시 고쳐 쓰려 했으나 그동안 자기 맘에 무슨 변동이 생기기 전에 뜯어 버릴 생각에 그대로 봉투에 넣어 하인을 시켜 우체통에 넣고 말았다.

인섭은 오래간만에 이 편지를 받고 급히 봉투를 여는 손이 진정할 수 없게 떨렸다. 한 번 읽고 또 한 번 읽었다. 그러나 곧 이해할 수가 없었다.

그러나 경순이가 끝없이 고민하고 있다는 것만은 똑똑히 알 수가 있었다.

"어쩌면 만날 수 있으랴."

그의 가슴에는 경순이를 보면 일러주고 싶은 말이 산더미 같았다. 그는 생각다 못하여 경순에게 한 번 만나게 해달라는 애원의 편지를 보낸 후 또 며칠이 지나간 때였다.

명주가 서울로 떠난 그 이튿날이다. 인섭은 최후 결심을 하고 자기와 가까운 간호부 옥순이를 불렀다. 옥순이는 겨우 열다섯 살 되는 소녀로서 보통학교를 졸업한 작년 봄부터 그 병원 간호부 견습으로 와 있는 귀여운 아이였다. 인섭은 평소부터 누이동생같이 귀애하는 터이라 자기를 위하여 수고를 아끼지 않으리라고 믿었던 것이었다.

"옥순이 너 내 심부름 좀 해주련?" 하고 정답게 물었다.

"네."

옥순은 조금도 의심 없이 대답하였다.

"그러면 오늘 저녁 일찍 먹고 우리 집에 잠깐 와주지 않겠니?"

"몇 시쯤 말씀이십니까?"

"일곱 시쯤 해서 아니, 꼭 정각 일곱 시에."

"네."

옥순은 태연하게 승낙하였다.

인섭은 저녁을 먹는 둥 마는 둥 하고 집 대문간에서 일곱 시가 되기를 기다렸다. 옥순은 일곱 시가 채 못 되어 달려와 인섭에게 인사를 하였다. 인섭은 얼른 입이 떨어지지 않아서 골목을 한참 걸어가다가 말없이 따라오는 옥순을 홀쩍 돌아보며

"옥순아, 너 이경순이 알지?" 하고 물었다.

"저 우편국 뒤에 있는 이 말씀이세요?" 하고 어둠 속에서 눈을 둥그렇게 댔다.

"옳지, 그 경순이 말이야. 너 수고스럽지만 지금 나하고 가서 나는 밖에서 기다릴 테니, 너 혼자 들어가서 경순이더러 명주가 잠깐 놀러 오라더라고 하고, 오지 않으려거든 기어이 만나자고 하더

라고 말 좀 해다오. 그래도 오지 않으려거든 그러면 대문간까지라도 잠깐만 나가자고 해서 어떻게 하든지 나와 좀 만나게 해주지 않겠니."

인섭은 이런 수단으로 경순을 만나려는 것은 양심에 거리끼는 것이었으나 그에게는 전후 체면을 생각할 여유가 없었다. 옥순은 자못 놀랐는지 아무 대답이 없이 머뭇머뭇하다가 "명주 선생님은 서울 가셨는데 만일 가신 줄 알고 오지 않으려면 어떻게 합니까." 옥순은 인섭의 뜻하지 않은 부탁에 일변 놀라며 이런 부탁을 받게 되는 것이 스스로 어색하여 얼굴을 붉히면서도 자기 위에 있는 즉 주인이나 다름없는 인섭에게 충실하려고 애를 썼다.

"알아도 관계없다. 좌우간 대문간까지만 나오도록 해다오, 응?"

인섭의 간절하게 떨려 나오는 말을 듣자 옥순은 무슨 말을 더 하려다가 그대로 입을 다물고 잠깐 무엇을 결심하듯 눈을 감았다 뜨며 "갔다 오겠습니다." 하고 발길을 급히 돌렸다.

어느 사이엔지 우편국 뒷골목까지 갔다. 경순의 집 대문간에 켜져 있는 전등이 인섭의 눈에 비쳤다.

"그러면 옥순이, 미안하지만 속히 가소, 응." 하고는 발길을 멈추었다.

"선생님, 경순 언니를 어떻게 아십니까? 얼마 안 있어 영선이 오빠하고 결혼하는 것 아십니까?"

옥순은 자기의 경애하는 주인 선생이 경순을 만나려고 애쓰는 모양이 안타깝기도 하고 또 지금 이같이 애태우는 인섭에게 알려주어야 자기가 인섭에게 대한 충실함에 잘못이 없음을 깨달았던 것이었으므로 요즘들은 경순의 얘기를 말하지 않을 수 없었던 것이었다.

"옥순이 뭐랬나?"

인섭은 자기 앞에 근심스런 얼굴로 서 있는 옥순을 물끄러미 바라보며 물었다.

"경순 언니가 영선이 오빠에게 시집간답니다. 선생님 모르셨어요?"

옥순은 인섭이가 경순의 결혼을 모르고 공연히 헛수고할까 봐 염려가 되어 알려준 뜻을 인섭이가 얼른 알아듣지 못함이 이상하였다.

"누가 결혼을 해? 너 어데서 들었니?"

"어저께 혼수가 갔는데요. 영선이는 우리 집 곁에 있어요. 영선이 오빠는 김영준이라는 사람인데 금융조합에 다닌답니다. 혼수가음을 받을 때 저의 어머니도 갔다 왔습니다." 하고 옥순은 자세히 이야기하였다.

"너 거짓말이지?"

인섭은 태연하였으나 그의 두 입술은 가볍게 경련을 일으키며 눈물이 핑 돌았다.

"정말, 정말입니다."

인섭은 멍하니 경순의 집 대문간 전등만 바라보았다. 옥순은 그제야 인섭의 가슴속을 이해할 수 있었다. 어떻게라도 인섭을 위로해주고 싶었으나 무어라고 말해야 좋을지 몰랐다.

"선생님, 그래도 가보고 올까요?" 하고, 나무처럼 우뚝 선 채 어깨만 들먹거리는 인섭의 얼굴을 쳐다보며 보드라운 애정을 가득 실은 목소리로 물었다.

"아, 옥순이."

인섭은 옥순의 어깨를 두 손으로 걸어 잡아 와락 자기 가슴에 꼭 껴안고 옥순의 이마에 자기 이마를 얹고 한숨과 느껴짐을 참으려고 온몸을 부르르 떨었다. 그의 몸은 몽둥이를 얻어맞은 듯 비틀거리며 그대로 혼자 따로 설 기력이 없었던 것이었다.